WHEN

THE BODY

SAYS

NO

THE COST

OF

HIDDEN

STRESS

GABOR MATÉ

身体が「ノー」と言うとき

抑圧された感情の代価

ガボール・マテ［著］　伊藤はるみ［訳］

日本教文社

本書を、私の母ジュディス・レヴィ（一九一九〜二〇〇一）と、その科学的洞察と人文的英知が今も燦然と輝く二〇世紀のルネサンス的巨人、ハンス・セリエ博士の思い出に捧げる。

科学的発見の本質をなすものは、何かを最初に見ることではなくて、すでに知られているものと今まで未知とされてきたものとの間に確固とした関係を打ち立てることである。真の理解と進歩を最高に促すことができるのは、この関係を打ち立てるプロセスなのである。

――ハンス・セリエ博士

読者の方々に

人は昔からなんとなく、心とからだを分けることはできないと感じてきた。ところが世の中の近代化とともに不幸な分離がもたらされてしまった。私たちがひとつの全体的な存在と感じていることと、頭で考えて真実だと思うことが食い違ってきた。このふたつの知識のうち、より限定的な後者が勝利をおさめることが多いのは非常に残念なことである。

そういうわけで、古くから受け継がれてきた英知を再認識させる現代科学の発見を読者の皆さんにご紹介できることは、私にとって大きな喜びであると同時に、名誉なことだと思っている。それこそが、私が本書を著したいちばんの目的だった。もうひとつの目的は、ストレスに駆り立てられる現代社会のあり方を描き出し、私たちが無意識のうちに数え切れないほどの方法で病気を生み出し、それに苦しんでいることに気づいていただきたいということである。

私は本書で読者に処方箋を示すつもりはない。この本が、皆さんが変容をとげるための触媒の役目を果たしてほしいと、私は切に願っているのである。処方箋は外部から与えられるものだ。それに対して変容は内側で起こるものである。わかりやすい処方箋——肉体的なものもあれば精神的なもの、スピリチュアルなものもある——を与えてくれる本は毎年何冊も出版されている。私はそこにもう一冊加えたいと思っているわけではない。処方箋はどこか治すべきところがあることを前提にしている。変容は、すでにあるものの回復——それが完全になること、全体になること——をもたらすものである。助言や処方箋も有益だろうが、自分自身を、つまり自分の心とからだの働きを洞察することのほうがはるかに価値がある。真実を追究したいという意志に促された自己洞察には、変容をもたらす力がある。この本に治癒をもたらすメッセージを求める人は、最初のページの最初の例から早くもそうしたメッセージを受け取ることになるだろう。偉大な生理学者ウォルター・キャノンが言ったように、私たちのからだには英知が詰まっている。本書が、私たちひとりひとりに内在するそうした英知を読者の方々が活用するための一助となれば、私にとってこの上もない喜びである。

本書でとりあげた事例の中には、有名人の伝記や自伝から引用した話もある。だが大部分は、私の臨床経験および、私がその病歴と生活歴についてインタビューをし、それをこの本に引用することを了承してくれた患者の方々の事例である。プライバシー保護の観点から、氏名は（場合によってはそれ以外の状況設定も）架空のものに変えてある。

一般読者の方々にとって専門的になりすぎないよう、注釈は最小限にとどめた。参考文献は巻末に章ごとにまとめて記してある。

本文中の傍点などによる強調は、特に記さないかぎり私がつけたものである。

ご意見ご感想などがあれば、左記アドレスにEメールでお寄せいただければ幸いである。

gmate@telus.net

謝辞

本書を執筆するにあたり惜しみなく協力してくださった多くの方々にお礼を申し上げたい。そのなかには私の患者だった方も、初めてお会いした方もおられるが、つらい体験を通して学んだことが人の役に立つのならと、誰もが過去のことも自分の苦しみについても魂についても率直に語ってくれた。

クノップフ・カナダ社のダイアン・マーティンは、四年前、夕食の席でちょっとしたアイディアを話して以来ずっと、私を支え続けてくれた。著者と読者の両方のために、申し訳ないほど長い原稿にもめげることなく熱心に目を通してくれた。彼女のプロフェッショナルとしての賢明な助言は、著者にとっても読者にとっても大いに有益なものとなった。ニューヨークのジョン・ワイリー・アンド・サンズ社のトム・ミラーにも感謝している。アメリカの他の出版社はどこも「またストレスの本か」というばかりだったが、彼だけはこの本の可能性を認めてくれた。

ヴァージニアに住むセアラ・オマラ・サリヴァンは、私にとって神から遣わされたような、非公式の批評家、編集者、共同執筆者であり、遠方の友だった。彼女は偶然のいたずらから突然インターネットを通して私のもとを訪れ、見事な腕前を発揮して私の執筆をずいぶん助けてくれた――私の生活を楽にしてくれたとは言い切れないにしても。彼女の協力がなければ、この本は今のような形で読者の前に現れることはなかっただろう。

私のエージェントであるデニーズ・ブコウスキーは、この本を少なくとも五カ国で出版しよう、数カ国語に翻訳しようと言ってくれた。だがそれだけではない。最後の段階で彼女が与えてくれた編集上の助言のおかげで、原稿を私が当初めざしていた形に近づけることができたのである。

ヘザー・ダンダスとエルザ・デルーカは、二〇〇時間を超えるインタビューの録音を正確に書き起こすという、本書にとっては不可欠の貢献をしてくれた。

私の妻、そして魂の伴侶でもあるレイは、厳しい批評家の役目を果たすと同時に、献身的で良識ある協力者でもあった。彼女の勇気と愛と知恵のおかげで、この本に不適切と思われる多くの部分を削除することができた。私が人生で大切に思っているものの多くは、彼女のそうした美点のおかげで手に入れることができたのだ。

ガボール・マテ

――身体が「ノー」と言うとき◎目次

身体が「ノー」と言うとき——抑圧された感情の代価

第1章 医学のバミューダ三角海域

メアリーは、四〇歳を少し過ぎたアメリカ先住民の女性である。ほっそりしていて、物静かでおとなしい印象を受ける。夫と三人の子供ともども、一家そろって八年前から私のクライアントだった。内気そうに微笑む様子は、少し自分を卑下しているようにも見える。ちょっとしたことにも、すぐに笑い声をあげる人だった。若々しさをとどめた彼女の顔が明るく輝くのを見ると、こちらも思わず笑顔を返さずにはいられなかった。メアリーのことを思い出すと、私の心は今も温かな思いに満たされる——と同時に、悲しみでしめつけられもする。

私が初めてメアリーとゆっくり話したのは、結局は彼女の命を奪うことになったある病気の、最初の兆候が現れたときだった。はじめは大したことだとは思わなかった。うっかり縫い針を刺してしまった指先の傷が、数カ月たっても治らないというだけだった。ところが原因をつきつめていくと、レイノー現象であることが判明した。指先に血液を送る小動脈が細くなり、その部分の酸素が欠乏する現象である。これは壊疽《えそ》を起こす場合があるのだが、不幸なことにメアリーにもそれが起こってしまった。数回の入院と外科的な処置も効果はなく、一年もしないうちに、激痛のあまり指を切り落としてほしいと懇願するまでになったのである。その願いがかなえられたとき、すでに病状は手に負えないほど進行し、一時も去ることのない激痛に強力な鎮痛剤も効かなくなっていた。

レイノー病は単独で発症することもあれば、他の疾患が呼び起こしている場合もある。喫煙者は発症リスクが高く、メアリーは一〇代のころからへビースモーカーだった。私は、煙草をやめれば指への血液循環が正常に戻るかもしれないと告げた。何度もくじけそうになりながらも、彼女はついに禁煙に成功した。だがレイノー病はさらに深刻な事態の前触れにすぎなかった。メアリーは、自己免疫疾患のひとつである強皮症（硬皮症ともいう）と診断されたのだ。自己免疫疾患には他にも慢性関節リウマチ、潰瘍性大腸炎、全身性エリテマトーデスなどがあり、必ずしも自己免疫が原因とはみなされていない他の多くの疾患――糖尿病、多発性硬化症、場合によってはアルツハイマー病まで――も含まれている。こうした疾患に共通するのは、ある人の免疫系がその人自身のからだを攻撃してしまい、関節や結合組織をはじめ、眼、神経、皮膚、腸、肝臓、脳などほとんどあらゆる器官に損傷を与えることである。強皮症（英語の scleroderma は「硬くなった皮膚」を意味するギリシア語に由来する）の場合、免疫系による自己破壊的な攻撃は皮膚、食道、心臓、肺その他の組織の硬化をもたらす。

このような体内の内戦状態はどうして起こるのだろう?

医学の教科書は自己免疫疾患について、一〇〇パーセント生物学的な見解を採用している。毒素が原因物質とみなされる少数例を除いて、ほとんどの場合、遺伝的な素質が主たる原因とされているのだ。治療は、もっぱらからだに目を向けたこの考え方に沿って行なわれる。自己免疫疾患の専門医たちも、ホームドクターである私自身も、メアリーの人生における何らかの体験が彼女の病気にかかわっている可能性など考えてもみなかった。発病前の彼女の心理状態に関心をもった者、その心理状態が病気の経過と結果にどう影響するかを知ろうとした者は、ひとりとしていなかった。私たちはただ、彼女のからだに症状が現れるたびに、そのひとつひとつの症状に対処しただけだった。炎症と痛みには薬を処方し、壊疽を起こした組織を取り除く手術や血液の循環を改善するための手術をし、運動機能を回復するために理学療法を行なう、というように。

ある日ふと私は、メアリーは誰かに話を聞いてもらいたがっているのかもしれないと思った。そしてその直感にしたがい、「あなた自身のことや人生について話したいことがあるなら、ゆっくり話せる機会を作りましょう」と一時間の予約を入れたのである。いざ話を始めてみると、思いがけない告白を聞くことになった。メアリーのおとなしく控えめな外見の裏には、抑圧された膨大な感情がため込まれていたのだ。彼女は幼いころに両親から虐待を受け、ついには養育を放棄されて、何人かの里親の家をたらいまわしにされて育った。酔っぱらった里親夫婦が階下で大喧嘩し、わめき合うのを聞きながら、屋根裏部屋で幼い妹たちを腕に抱いてうずくまっていた七歳のころの自分を覚えている、と言う。「その間ずっと、怖くて怖くてたまりませんでした。でも、まだ七歳の子供でしたが、自分は妹たちを守らなくてはいけないんだ、と思いました。私を守ってくれる人は誰もいませんでしたが」。彼女はこのような過去の心の傷を誰にも、二〇年連れ添った夫にさえ、明かしたことはなかった。どんなことがあっても、誰にも自分の気持ちを伝えない、自分に対してさえ本当の気持ちを明かさないようになってしまっていたのだ。子供のころのメアリーは、自分の気持ちを率直に話したり、いじめられる原因をつくったり、疑問を口にしたりすれば生きていけなかったのだろう。彼女の身の安全は、いかに他人の気持ちを読み取るかにかかっていた。自分の気持ちを考えている余裕はなかった。そして、子供のころ押しつけられていた役割からいつまでも抜け出すことができず、人にいたわられ、話に耳を傾けてもらい、気にかけてもらう権利が自分にもあるということに気づかずにきたのである。

メアリーは、自分はノーと言えず、人の要求をだまって聞き入れてしまう人間なのです、と言う。病状がますます深刻になっているというのに、彼女はあいもかわらず夫と、もう一人前と言っていい年齢の子供たちのことを真っ先に心配するのだった。この行きすぎた他者優先に対し、彼女のからだは強皮症という形で反旗を翻したのではないだろうか?

メアリーのからだは、彼女の心ができなかったことを実行していたのではないだろうか? 子供のころは無理やり押しつけられ、大人になってからは進んで自分に課してきた執拗な要求——常に自分より他者を優先する生き方——を拒絶するということを。一九九三年、医学コラムニストとして初めて『グローブ・アンド・メイル』紙に寄稿した記事で、私はメアリーのケースを採りあげ、今ここに記したような見解を披露した。そしてこう記した。「ノーと言うことを学ぶ機会を与えられずにいると、ついには私たちのからだが、私たちの代わりにノーと唱えることになるだろう」。コラムには、ストレスが免疫系におよぼす悪影響に関する医学論文もいくつか引用しておいた。

医師の中には、人の心のありようが強皮症その他の慢性疾患の原因となり得るという見解に真っ向から反対する人もいる。カナダのある大病院に勤務するリウマチの専門医は、私の記事の内容とそれを掲載した同紙の姿勢に対して、編集長あてに痛烈な批判の手紙を送りつけてきた。その内容は、筆者はこうした疾患についての経験を積んでおらず、研究の実績がまったくない、というものだった。

専門家が心とからだのつながりを認めないことは、驚くにはあたらない。二元論――本来ひとつのものをふたつに引き裂くこと――は、健康と病気に関して考えるとき、常についてまわる。私たちはからだを、心とは別個のものとして理解しようとする。健康であるとかそうでないとか言うとき、あたかも、そこで育ち、暮らし、働き、遊び、愛し、死んでいく環境から人間が切り離されて生きているかのように語ろうとする。このような考え方は、医学の主流に厳然と存在する暗黙の大前提であり、ほとんどの医師は医師となる過程でそれを身につけ、その後も抱き続けるのである。

他の多くの学問分野と違い、医学はアインシュタインの相対性理論――観察者の位置が観察されている現象に作用し、観察結果に影響を与えるという理論――から重要な教訓を学んでこなかった。科学者が未検証の仮説を持っていれば、そのこと自体がその科学者がするだろう発見を決定し、限定してしまう。チェコ出身でカナダに在住したストレス研究の先駆者ハンス・セリエは『現代社会とストレス *The Stress of Life*』（邦訳、法政大学出版局）にこう書いている。「多くの人々は、科学的探究の意図とそれから得られた成果が、いかに発見者の個人的な視点に左右されるものかを十分認識していない（……）。科学および科学者の影響力が非常に大きい時代にあっては、この基本的な点に特に注意を払うべきである」[*1]。みずからも医師であるセリエは、彼の人柄をよく示すこの率直な言葉で、四半世紀を過ぎた今もほとんどの人が理解していない真実を語っているのである。

医師は自分の専門分野に集中すればするほど、からだの特定の部分や器官についての理解は深まるが、その部分なり器官を持つ人間そのものについての理解を軽視するようになる傾向がある。この本を書くにあたって私がインタビューした患者たちは、彼らの人生における個人的、主観的な問題を見つめなさいと専門医なりホームドクターなりから促されたことは一度もない、と異口同音に言う。それどころか、医師との面会の場はそんな話を持ち出せるような雰囲気ではなかったという。私が患者を紹介した専門医たちと話してみると、何年も治療を続けているにもかかわらず、病気に関する限られた範囲のこと以外は、患者の生活や経験について何も知らなかった。

私は本書で、ストレスが健康におよぼす影響について、特に私たち誰もが幼いころから引きずってきた隠れたストレス――あまりに深く埋め込まれ、とらえにくいために、本当の自分の一部のように感じている何らかの心的パターン――が健康におよぼす影響について書きたいと思っている。一般の読者を対象とした本としてそれなりの科学的な説明はしているが、この本の核心は――少なくとも私にとっては――ここに記すことのできた患者ひとりひとりの物語である。そのため、こうした実例を「散発的で裏づけに乏しい」とみなす人々は、本書の内容をまったく説得力のない絵空事だと言うかもしれない。

これまで人類が科学的な方法を慎重に用いることで手にしてきた膨大な利益を否定するのは、知における進歩反対主義者――産業革命に反対して機械を破壊した職工たちと同類の――だけだろう。しかし、重要な情報のすべてが実験によって、あるいは統計的な分析によって裏づけられるわけではない。病気のあらゆる側面が、二重盲検や精緻な科学的手法によって証明される事実に還元できるわけではない。「医学が治癒や苦痛や死といった重要な現象について語ることができるのは、化学分析が陶器の美術的価値について語ることができるのと同程度にすぎない」と文明批評家のイヴァン・イリイチは『医学の限界 *Limits to Medicine*』で述べている。もし人間の経験や洞察の作用を知識として受け容れることを拒むなら、私たちは非常に狭い領域に閉じこもることになってしまうだろう。

それについて言うなら、すでに失われてしまったものもあるのだ。一八九二年、史上最も偉大な医師のひとりであるカナダ人ウィリアム・オスラーは、慢性関節リウマチ——強皮症とも関連のある疾患——はストレスが関係した疾患ではないかと考えたのである。しかし現代のリウマチ治療では、その洞察はほとんど無視されている。オスラーが最初にその論文を発表して以来一一〇年の間に、彼の見解を裏づける科学的な証拠が蓄積されてきたのに、である。これこそまさに、科学にこだわる狭量な姿勢がもたらした医療の現状なのだ。つらい病気を鎮める役割を現代科学に求める過程で、私たちはあまりにも簡単に先人たちの洞察を捨て去ってしまったのである。

アメリカの心理学者ロス・バックが指摘しているように、現代の医療技術や科学としての薬学が出現するまで、医師は長い間「プラシーボ」効果に頼っていた。医師にとっては、ひとりひとりの患者に、その人自身の中に治癒をもたらす力があると確信させることが必要だった。それを効果的に行なうためには、医師は患者の言葉に耳をかたむけ、信頼関係を築かなければならない。自分の直感を信じることも必要だった。医師たちは、もっぱら「客観的」な方法、科学技術にもとづく診断法、「科学的」な治療法に頼るようになったことで、このような資質を失ったように思われる。

というわけで、私はリウマチ専門医からの批判に驚きはしなかった。むしろ、カルガリー大学で臨床医学の教授を務めるノエル・B・ハーシュフィールド氏から数日後に編集部に届いた手紙——今度は私を支持する内容の——のほうが驚きだった。それにはこう書かれていたのである。「精神神経免疫学（Psychoneuroimmunology＝ＰＮＩ）という学問領域は、さまざまな分野の科学者の努力により、脳と免疫系との間に密接なつながりがあることを十分に確信させる証拠が蓄積されるところまで到達している（……）。ある人の気質や継続的なストレスへの反応のしかたは、現代の医学が治療はしても原因は不明のままの多くの疾患——強皮症やさまざまなリウマチ性疾患、炎症性腸疾患、糖尿病、多発性硬化症を始め、個々の診療科目ごとに見られる種々多様な疾患——を引き起こす要因である可能性は十分にある（……）」

この手紙によって、私は医学に新しい分野が存在するという驚くべき事実を知った。「精神神経免疫学」とは何だろう？　私が理解したところによればそれはなんと、心とからだの相互作用、つまり人間の成長期から生涯を終えるまでの健康状態に関与する、精神と生理機能との不可分の結びつきについて研究する学問なのである。名称は長ったらしいが、要するに精神——心とそこに現れるさまざまな感情——が神経系と深く結びつき、さらにその精神と神経系の両方がからだの免疫系の防衛機能と密接な連携を築いている、その仕組みを明らかにしようという学問なのだ。これを「精神神経免疫内分泌学 Psychoneuroimmunoendocrinology」と名づけた研究者もいる。内分泌器官、つまりホルモンに関係する器官も全体としての身体反応に関わっているから、というわけである。先進的な研究により、こうした結びつきは細胞レベルにまで作用していることが明らかになりつつある。人類が昔から知っていたのに残念ながら忘れ去られてしまっていたことに、今や科学的な根拠が与えられようとしているのである。

病気になるにも健康を回復するにも感情が深く関わっていることは、昔から多くの医師が気づいていた。彼らはそれについて研究し、本を書き、医学界の主流を占める固定観念に挑んできた。しかし、彼らの着想や発見や洞察はいつも、医学界の〝バミューダ三角海域〟に呑み込まれてしまっていた。これまで医師や科学者たちが心身の相関関係について研究してきた成果は、跡形もなく消えてしまった。始めからそんなものはなかった、とでもいうように。

『ニューイングランド・ジャーナル・オブ・メディスン』誌一九八五年八月号の論説は、尊大にもこう宣言している。「病気は精神状態を直接的に反映するなどという考え方は、その大半が俗信だと認めるべき時である[*2]」

今やこのような問答無用の拒絶を続けることは不可能だ。『グローブ・アンド・メイル』紙への投稿でハーシュフィールド博士がその名称をあげた「精神神経免疫学」という新しい分野は、すでに医学の一分野として定着している。もっとも、それが医療現場に浸透していくのは、まだまだこれからではあるが。

図書館の医学書コーナーやインターネットのサイトを少しのぞいてみれば、この新しい学問分野についての論文や学術誌の記事や教科書が急速に増えていることがわかる。一般向けの本や雑誌にも、関連した内容が徐々に見られるようになってきた。専門家でない人々はある意味では専門家よりも進歩的で、旧来の固定観念に縛られることが少ない。したがって、人間はそう簡単に心とからだに分けることはできないし、不思議に満ちた人間という生き物の全体は、それぞれの部分の単なる寄せ集め以上のものだという考え方を、比較的ためらいなく受け容れることができるようだ。

私たちの免疫系は、私たちの日々の経験と無縁ではありえない。たとえば、健康な医学部の学生たちの正常な免疫機能が期末試験のプレッシャーによって抑制された、という報告がある。さらには、この学生たちの将来の健康状態を予測する調査結果として、友人の少ない孤独な学生ほど免疫系が強く抑制されることがわかった。精神科の入院患者を対象とした調査でも、孤独と免疫機能低下との関連が示されている。これ以上の証拠がなかったとしても――実際にはまだ山ほどあるのだが――慢性的なストレスの長期的な影響を認めざるをえないのではないか。期末試験のプレッシャーというのはわかりやすいし、短期的なものである。しかし多くの人は、そうと意識はしないまでも、強大な力を持ち、あら探しをしようと手ぐすねを引いている審判者にじっと見つめられ、何がなんでもその審判者を満足させなければならないというような状態で一生を送っているのだ。私たちの多くは、孤独ではないとしても、心の底にある願望を認めることも満たすこともできない、精神的にけっして好ましくない人間関係の中で生きている。孤独とストレスは、自分は人生に十分満足していると思っている多くの人にも影響を与えるのである。

ストレスは、どのようにして病気に変換されるのだろうか。ストレスは、強い精神的刺激に対する複雑な身体的・生化学的連鎖反応である。生理学的な観点から見れば、感情自体も電気的、化学的作用によって人間の神経系からホルモンが放出される現象である。感情は、体内の主要な器官、免疫系の防衛機能、からだの状態を整えるために体内を循環している多くの化学物質の作用に影響を与え、また逆に影響されてもいる。感情が抑圧されると――幼いメアリーが生きるためにそうせざるを得なかったように――、病気に対するからだの防衛機能が活動できなくなる。抑圧――感情を意識から引き離し、無意識の領域に追いやること——は私たちの生理的な防衛機能を乱してしまう。すると、人によっては防衛機能が暴走し、健康を守るのでなく損なう結果になるのである。

私はバンクーバー病院の緩和ケア病棟で七年間医療コーディネーターをしていたが、その間にメアリーに似た体験を持つ慢性疾患の患者に数多く出会った。がんや筋萎縮性側索硬化症（ALS、北米ではこの病気で亡くなったアメリカの偉大な野球選手にちなんでルー・ゲーリック病とも呼ばれ、イギリスでは運動ニューロン疾患とも呼ばれる）などの退行性神経疾患にかかって緩和ケア病棟にやってきた人々には、メアリーと同じ対処パターンが見られた。一般開業医となってからも、多発性硬化症、潰瘍性大腸炎やクローン病などの炎症性腸疾患、慢性疲労症候群、自己免疫疾患、結合組織炎、偏頭痛、皮膚疾患、子宮内膜症その他多くの疾患の治療を受けた人々に、同じパターンが見られた。深刻な病気を抱えた私の患者のほとんど全員が、人生の重要なところでノーと言うことを学んでいなかったのである。一見したところメアリーとは性格も状況も違っているようでも、心の奥底に抑圧された感情があるという要素は必ず共通していた。

緩和ケア病棟で私が診ていた患者のひとりに、ある中年の男性がいた。がんに効くというサメの軟骨を販売する会社の経営責任者だった。がんと診断されたのは入院の少し前だったが、病棟に来た時点ではすでに全身に広がっていた。彼はほとんど亡くなる直前までサメの軟骨を食べ続けていたが、それはもはや効き目を信じてのことではなかった。サメの軟骨はひどい臭いがした。遠くにいても、その不快な悪臭を感じるほどだった。味のほうは推して知るべしである。彼は言っていた。「大嫌いですよ、こんなもの。でも私が食べるのを止めたら、会社の連中ががっかりするでしょうからね」。あなたには、他人ががっかりするかどうかなんてことに気を使わずに人生最後の日々を過ごす権利が絶対にあります――と私は言って聞かせたものだ。

ある人が身につけざるを得なかった生き方が、病気になった原因のひとつかもしれないというのは、微妙な問題をはらんでいる。生活態度とそれが引き起こした病気との関係は、たとえば喫煙と肺がんとの関係では明白だ――煙草会社の重役たちは認めないかもしれないが。しかし、感情と多発性硬化症や乳がんや関節炎の発症との関係となると、証明はより難しくなる。患者は病魔に襲われたことに加えて、自分の生き方そのものを責められているように感じてしまう。「どうしてこんな本を書かれたんですか?」と乳がんの治療を受けていた五二歳の大学教授に言われたことがある。彼女は怒りをこめて、「私は遺伝子のせいでがんになったんです。自分のしてきたことのせいなんかじゃありません」と言った。

一九八五年発行の『ニューイングランド・ジャーナル・オブ・メディスン』誌の論説は告発している。「病気や死についてその人に落ち度があるように言うことは、犠牲者にさらに責めを負わせる非常に嘆かわしい態度である。患者がすでに病気という重荷を背負っているときに、それについての責任まで押しつけるべきではない」

この非難という厄介な問題についてはのちほど触れることにする。とりあえずここでは、非難とか落ち度とかいうことは問題の核心ではないとだけ言っておく。そういう言葉を持ち出すと、焦点がずれてしまう。この先を読んでもらえばわかるはずだが、苦しんでいる人に対する非難――明らかな自業自得は別として――には、科学的な根拠はまったくないのである。

先に引用した医学雑誌の論説は、非難と責任とを混同している。誰でも非難されるのは嫌だが、負うべき責任（responsibility）は負いたいと考えているはずだ。言いかえれば、誰でも人生のさまざまな局面でただ反応するのではなく、意識的に対応（respond）したいと思っている。私たちは誰でも、自分の人生の主導権は自分が持っていたい、自分が責任を負い、自分に関わることには自分で正しい判断を下したいと思っているのである。意識的でないところに真の責任はあり得ない。西洋医学的な考え方の弱点のひとつは、医師だけに権威を与え、患者は単に処置や治療を受けるだけの存在と見ることがあまりにも多いということだ。人は本当の意味で責任を負う機会を奪われてしまっている。病気や死に屈してしまった人は、けっして責められるべきではない。それはいつでも、誰にでも起こりうることだ。しかし、自分についてより多くを学ぶことができれば、受け身の犠牲者になる可能性はそれだけ低くなるはずなのだ。

心身のつながりを知ることは、病気を理解するだけでなく、健康について理解するためにも必要である。トロント大学精神科のロバート・モーンダー博士には、病気における心身の相互作用について書いた論文があるが、博士は私とのインタビューで、「ストレスの問題をとりあげて解明しようとするほうが、その問題を避けるよりも健康のために望ましいと思う」と語っている。治癒をもたらすには、どんなに些細な情報も、どんなに小さな真実も、大きな意味を持つかもしれない。感情と生理作用との間につながりがあるのなら、患者にそれを知らせないことは、強力な武器を奪うことになるだろう。

ここで、言葉の問題がもちあがってくる。心とからだのつながりと言うだけでも、ふたつの別個のものがあって、それらが何らかの方法で互いに結びついているかのように感じられる。だが生命とは、そのように分割できるものではない。心のないからだは存在せず、からだのない心も存在しない。そこで、実体を正しく伝えるために心身という言葉を使うことが推奨されてきている。

　西洋においても、心身をひとつとする考え方はまったく新しいものというわけではない。プラトンの対話篇の中でソクラテスは、あるトラキア人の医師がギリシア人の医師について批判した言葉を引用して、「これほど多くの病の治し方をギリシアの医師たちが知らぬのには理由がある。彼らは全体を知らぬのだ。人のからだを治すのに、心をからだと別物として扱うのは大きな間違いだ[*3]」と語っている。からだから心を切り離すことはできない、とソクラテスは言っているのである。精神神経免疫内分泌学が生まれる二五〇〇年近く前に！

　私にとって本書の執筆は、メアリーの強皮症を扱った記事で初めて書いた内容を補強する以上の意味があった。私は多くを学んだ。そして心身相関という未踏の地に踏み込み、その地図を描いてきた何百人もの医師、科学者、心理学者その他の研究者たちの業績に深い敬意を抱くようになった。本書を書くことはまた、私が自分の感情をどのように抑圧してきたかを知るための内的な探究でもあった。私にこの内的な探究の旅を始めさせたきっかけは、ブリティッシュコロンビア州がん対策局の、あるカウンセラーからの問いかけだった。私はその場所で、患者による感情の抑圧ががんにおいて果たす役割を調査していた。そして悪性腫瘍を持つ患者の多くには、精神的、肉体的な苦痛や、怒り、悲しみ、拒絶といった不快な感情を無意識に否認する傾向があることがわかった。そのとき、カウンセラーが私に問いかけたのである。「あなた自身はこの問題とどんな関わりがあるんですか？　この問題に特に興味を持ったのはどうしてですか？」と。

そう問いかけられて、私は七年前の出来事を思い出した。ある晩、私は老人施設で暮らしている当時七六歳の母に会いに行った。母は進行性筋ジストロフィーを病んでいた。わが一族に遺伝的に伝わる、筋肉が衰えていく病気である。補助なしではベッドに起きあがることもできない母は、もう家では暮らせなくなっていた。彼女が亡くなるまで、三人の息子とその家族が交代で見舞いに通っていたが、亡くなったのはちょうど私が本書の執筆にとりかかったころである。

施設の廊下を歩く私は、軽く足を引きずっていた。その朝、傷めた膝の軟骨の手術をうけたばかりだったのだ。それというのも、コンクリート舗装の道をジョギングするたびに、からだが痛みという形で私に訴えていたことを無視してきた報いなのだが——。しかし母の部屋のドアをあけると、私は無意識のうちにいつもどおりの何気ない足どりでベッドに近づき、母に声をかけたのである。意識して足の具合が悪いことを隠そうとしたわけではない。自分でも気づかないうちにそうしていたのだ。後になってやっと、どうしてあんな無意味なことをしたのだろう、と不思議に思った。五一歳の息子が膝の手術の一二時間後に足を引きずっていたとしても、母は騒ぎ立てることなく受け容れたはずだ。何も隠す必要はなかったのだ。

それならいったいどうして？　知られたところでどうということはないのに、母に自分の苦痛を知らせまいとした私の無意識の衝動は、私の中にプログラムされていた反射的な行動であり、そのとき私たちのどちらかがそれを望んでいたかどうかは関係なかった。私が痛みを抑圧したのは、物心もつかないうちに私の幼い脳に刻み込まれたひとつのパターンがよみがえり、そのパターンが再び私をつき動かしたからに他ならない。

私はナチスドイツによる大量殺戮の時代に、ナチ支配下のブダペストで幼いころのほとんどを過ごし、生き残った子供である。母方の祖父母は、私が生後五カ月のときにアウシュビッツで殺され、叔母は強制移送されたまま消息不明である。父はドイツ‐ハンガリー軍の強制労働部隊に入れられていた。母と私はブダペストのゲットーで、やっとのことで生きていたのだ。飢えと病気による確実な死から私を救うため、母はやむなく私を残して数週間どこかへ行っていたこともあった。こうした中での母の精神状態、母が日常的に向き合っていた過酷なストレスを思えば、発育期の幼い子供が心に安心感と無条件の愛を刻み込むのに不可欠な、やさしい微笑みやひたむきな思いやりを与える余裕がなかったのも無理はない。げんに母は私に、この子の面倒を見なければという気持ちがなければ、絶望のあまりベッドから起き出すこともできない日々がたくさんあったと語っている。私は幼くして、気にかけてもらうには努力がいること、母にできるだけ心配をかけないようにすること、自分の不安や苦痛は隠しておくのがいちばんいいということを学んだのである。

健全な母子関係では、子供が何もしなくても、母親は子供に愛情を注ぐことができる。私の母は、その無条件の慈しみを私に与えることができなかった――母は聖女でも完璧な人間でもないのだから、私たちの家族を襲った恐怖がなかったとしても、そうした母の役割を完全に果たせたとは限らないが。

私が母の保護者になったのは――自分が痛みを感じていても、まず第一に母を守ることを考えるようになったのは――こうした状況があったからだ。幼児が無意識の防衛法として身につけた生き方は、やがて強固なパターンとして性格に組み入れられ、五一年後になっても私に、母の前でほんのちょっとしたからだの苦痛でさえ隠そうとさせたのである。

私は、こうしたことを考えたうえでこの本を書こうと思ったわけではない。あくまでも知的な探究、人間の健康と病気について説明できる興味深い理論を追究するために書くつもりだった。これはすでに先人たちが歩んだ道ではあるが、まだ知るべきことは多い。だが、がん対策局のカウンセラーの問いかけにより、私は自分自身の人生における感情の抑圧という問題に直面したのである。不自由な足のことを隠したのは、私の抑圧のほんの一例にすぎなかった。

そういうわけで私は、他の研究者や専門誌から学んだことだけでなく、自分の中に発見したことも本書に書いている。抑圧の力は私たちすべての中に働いている。私たちはみな、程度の差こそあれ自分を否定したり、裏切ったりするものだ。そしてほとんどの場合、私が足の痛みを隠そうと「決めた」ときにそうと意識していなかったのと同じように、誰もが気づかないうちにそうしているのである。病気と健康の問題について言えば、抑圧の影響は程度の問題にすぎない。病気にかかりやすいかどうかに関係する他の要素——たとえば遺伝や環境の影響——のあるなしも同じことだ。だから抑圧はストレスの主要な原因であり、病気の大きな原因だと主張しても、私は誰かを「自分で自分を病気にした」と咎《とが》め立てするつもりはない。この本を書いたのは、人々にもっと多くを知ってほしい、もっと多くの人が治癒してほしいと思うからであって、私たちのまわりにすでに嫌というほどある非難と羞恥心をあおるためではない。私は非難の問題に少し過敏になりすぎているだろうか。だがそれを言えば、ほとんどの人がそうなのだ。羞恥心というのは「ネガティブな感情」のうちでも最も根深いもので、なんとしても避けたいものである。恥を恐れる気持ちがどうしても捨てきれないために、私たちの現実を見る力が損なわれているのは残念なことである。

多くの医師たちが最善を尽くしたにもかかわらず、メアリーは発病の八年後、強皮症の合併症によりバンクーバー病院で亡くなった。心臓の働きが弱まり、呼吸が苦しくなっても、彼女は最後までやさしい微笑みを絶やさなかった。最期を迎えた病院でも、彼女は時々私に、ゆっくり話をしたいからまとまった時間をとってほしいと言ってきた。ただおしゃべりがしたかったのだ。深刻な話でもちょっとした話でもいいから。「私の話をちゃんと聞いてくれたのは先生だけです」と彼女はいつだったか言っていた。

メアリーが子供のころ、話をきちんと聞き、見守り、理解してくれる人間が、虐待され、おびえ、幼い妹たちを守るのが自分の務めだと思っていた彼女のそばにいたとしたら、メアリーの人生はどうなっていただろう、と私は時々考える。頼りになる人がいつもそばにいれば、自分を尊重すること、気持ちをはっきり口に出すこと、物理的にせよ精神的にせよ、誰かが彼女の嫌がることをしたら怒りを伝えることができるようになっていたかもしれない。もしそうなっていたら、彼女は今も生きていたのだろうか？

第2章　いい子すぎて本当の自分を出せない女の子

ナタリーにとって一九九六年の春と夏は、ストレスだらけと言うだけではとても言い足りないものだった。三月、一六歳の息子は半年間入っていた薬物依存症患者のリハビリテーション施設を追い出された。息子は過去二年間薬物摂取と飲酒をくりかえし、何度も停学になっていた。「あの子を治療施設に入れることができてラッキーでした」と五三歳の元看護師ナタリーは言う。「夫が病気になって、それから私が発病したのですが、その間あの子はほんの短い間しか家にいませんでしたから」。夫のビルは七月に腸のがんの手術を受けた。その後、夫妻はビルのがんが肝臓に転移していることを告げられた。

ナタリーは時々、疲労、めまい、耳鳴りを感じていたが、そうした症状は長くは続かず、特に治療しなくても消えてしまっていた。しかし発病する前の年には、疲労感が一段と強まっていた。六月に激しいめまいに襲われたためCTスキャンを受けたが、異常は見つからなかった。ところがその二カ月後に脳のＭＲＩ（磁気共鳴映像法）を撮ったところ、脳に多発性硬化症を示す典型的な特徴が発見されたのだ。神経細胞の軸索を囲む脂肪組織ミエリンに炎症があり、いくつもの箇所が大きな損傷を受けていたのである。

多発性硬化症（英語の multiple sclerosis はギリシア語の「堅い sklēros」に由来する）は、中枢神経系の細胞の機能を損なうミエリン破壊疾患と呼ばれるものの中で、最も一般的な疾患である。症状は、炎症および損傷がどこに起こるかによって違ってくる。損傷が起こる主な箇所は脊髄、脳幹、視神経——視覚情報を脳に伝える神経繊維の束——である。脊髄のどこかに損傷が起これば、手足や胴体にしびれや痛みなど不快な症状が出る。筋肉が痙攣することもあれば、筋肉に力が入らないこともある。脳の下部のミエリンが損傷を受けると、物が二重に見えたり、言葉がもつれたり、からだのバランスがとれなくなったりすることがある。視神経炎——視神経の炎症——を起こした患者は、一時的に視力を失う。いずれの場合も共通して疲労感があるが、これは普通の疲れのレベルをはるかに超える極度の消耗感である。

ビルが手術後の療養生活に入り、一二週間の化学療法を受けていた秋から初冬にかけて、ナタリーは看護しながらずっとめまいを感じていた。ビルは退院後しばらくは不動産仲介の仕事を再開していた。そして一九九七年五月、ビルの肝臓からがんを取り除くため、二度目の手術が行なわれた。「肝臓の四分の三を切り取る手術を受けた後、ビルの門脈（腹部の臓器から肝臓へ血液を送る主要な静脈）に血栓ができました。そのときは死の一歩手前まで行ったんですよ。彼はすっかり取り乱して、攻撃的になりました」とナタリーは語っている。ビルは一九九九年に亡くなったが、それまでの間にさらに予想もしなかった精神的苦痛をナタリーに与えたのだった。

　コロラド大学の研究者たちが行なった、症状が消える時期と突然の再発とが交互に起こる再発－寛解性多発性硬化症の患者一〇〇人を対象にした調査がある。ナタリーの病気もこのタイプである。調査によれば、人間関係に深刻な問題がある、あるいは経済的な不安を抱えているなど、質の上から見て過酷なストレスを負った患者は、再発率が四倍だった。[*1]

「一九九六年のクリスマスが過ぎるまでは、まだ何度もめまいが起きていました。でもその後は、すっかりよくなっていたんです」とナタリーは言う。「少し足もとはふらついていましたが。ビルの肝臓手術の後、いろいろありましたが――七月から八月の間に四回もビルを救急病棟へかつぎ込んだりして――、でも私は大丈夫でした。ビルは快方に向かっているようだったし、ふたりとももう合併症はないだろうと思っていました。そうしたら私が再発したんです」。再発は、ナタリーがやっと一息つけると思ったとき、彼女の奉仕が必要になる緊急事態はもうないだろうと思ったときに起こった。

「私の夫は、自分がやりたくないことはやらなくていいと思っている人でした。ずっとそうなんです。病気のときには、それこそ何もしようとしませんでした。ソファに座り込んで、指をパチンと鳴らしたものです。彼が指を鳴らすと、私はビクッとしました。子供たちまで、そんな彼にだんだん苛立つようになってしまって。それで、秋になって病気もよくなってきたようだったから、お友達といっしょに二、三日どこかへ行ってらっしゃいと彼を送り出したんです。『どこかへ出かけることも必要よ』と言って」

「あなたには何が必要だったんでしょうね?」と私はたずねた。

「私はもう、うんざりでした。『彼を連れ出して二、三日ゴルフでもやってきて』と頼んで、そのお友達に迎えにきてもらったんです。そうしたらその二時間後に、私の病気が再発したんです」

彼女はこの経験から何を学んだのだろう？　「そうですね……」ナタリーはためらいがちに言う。「緊急援助モードから抜け出すべき時を知る必要がある、ということでしょうか。でも私にはできません。誰かが助けを必要としていたら、手を差しのべずにはいられないんです」

「あなたがどうなっても、ですか？」

「そうです。五年たっても、まだ私は自分のペースを落とすことができません。私のからだはしょっちゅう〝ノー〟と言っているのに、そのまま突っ走ってしまうのです。本当に懲りない人間ですよね」

結婚生活をとおして、ナタリーのからだには「ノー」という理由がいくつもあった。ビルは大酒飲みで、よく彼女を困らせた。「ビルは飲み過ぎると、嫌な人間になるんです。理屈っぽくなって、攻撃的になって、かんしゃくを起こしたものです。いっしょにパーティーに行っても、何か気に入らないことがあると人前でわけもなく誰かをののしったりして。私は知らん顔をしてその場を離れます。でもそうすると味方をしなかったと言って私を怒りました。多発性硬化症と診断された四八時間後には、ビルは私を支えてくれないだろうとわかっていました」

ゴルフ旅行から帰ったビルは、その後数カ月間は体調がよかった。彼は家族どうしのつきあいだったある女性と浮気をした。ナタリーは言う。「思いましたよ、これほど尽くしたのにって。私は自分の健康を犠牲にした。一夏ずっとつきっきりで支えてあげた。あなたが死にかけたときには、病院で七二時間もあなたが生死の間をさまようのを見守っていた。退院してきたときも面倒をみた。そのお返しがこれなのね、こんなひどい仕打ちを受けるのねって」
精神的ストレスが多発性硬化症にかかるリスクを高めるという考え方は、目新しいものではない。フランスの神経科医ジャン＝マルタン・シャルコーは、初めて多発性硬化症について臨床的見地から詳細に報告した医師だが、彼は一八六八年の講演で、患者の「長く続いた悲しみや悩み」と病気の発生との間に結びつきが見られると語っている。その五年後にはあるイギリス人医師が、やはりストレスと関連した症例を報告している。「病気の原因を考えるとき、この気の毒な患者が看護師にこっそりもらしたもうひとつの打ち明け話――彼女の夫が別の女性とベッドにいるところを見つけたのが病気になった原因だという――に注意を向けることが重要である」[*2]
私は本書を書くために九人の多発性硬化症の患者にインタビューしたが、そのうち八人は女性だった（この病気にかかる人の六割は女性である）。そしてナタリーの話に見られたような感情のパターンは、必ずしも彼女の場合ほど劇的ではないにせよ、全員に共通していた。
一連のインタビューから得られた証言は、公表された研究論文の記載とも一致する。「この疾患を研究している多くの人々は、実際に患者に接した印象として、精神的ストレスが何らかのかたちで発症に関係していると語っている」と一九七〇年に書かれた論文にある。[*3] 親との精神的結びつきが過剰であること、精神的な独立を果たしていないこと、愛情への過度の欲求があること、怒りを感じたり表現したりできないこと、これらは多発性硬化症の発生にかかわる可能性のある要素として以前からとりあげられてきた。一九五八年に発表された論文には、症例の九〇パーセント近くで「症状が発生する前に（……）患者は彼らの『防衛システム』を脅かすようなトラウマ的な出来事を経験している」[*4]

と書かれている。

一九六九年に行なわれた研究は、イスラエルおよびアメリカの三二人の多発性硬化症患者を対象に心理的プロセスの役割を調査している。患者の八五パーセントは、最初の症状が現れる少し前に大きなストレスとなるような出来事に遭遇していた。ストレスの種類はさまざまで、愛する人の病気や死もあれば生計の道がとつぜん脅かされたというのもあったが、要するに人生を永久に変えてしまうような、自分では対処も適応もできないような出来事があったのだ。長期におよぶ夫婦間の対立もあれば、仕事上の責任が重くなったこともあった。論文の著者は書いている。「共通する特徴は（……）、困難な状況に対処する能力が欠けていることに少しずつ気づいてきたことで、（……）それが無力感や挫折感を呼び起こしたのである」[*5]このようなストレスは文化が異なっても共通するものである。

多発性硬化症患者と、健康な人から成る対照群とを比較した研究もある。多発性硬化症患者では、脅威となる深刻な出来事は一〇倍、夫婦間の不和は五倍多く見られた。[*6]

私がインタビューした八人の患者のうち、最初の結婚が長続きしていたのは一人だけだった。それ以外の人たちは別居や離婚を経験していた。四人は発症する前にパートナーから肉体的あるいは精神的な虐待を受けていた。それ以外の人たちはパートナーとの精神的なつながりが希薄で、会話がなかった。

ジャーナリストのロイスは一九七四年、二四歳のときに多発性硬化症と診断された。物が二重に見えるなと思っていたら、数カ月後には脚にチクチクする痛みを感じるようになったという。それに先立つ二年間、彼女は九歳年上の男性とともに北極圏にある先住民の小さな集落で暮らしていた。相手の男性は芸術家で、今思い返してみれば精神不安定な人だった、とロイスは言う。のちにその男性は躁うつ病で入院している。「私は彼を偶像視していたようです。彼には才能があって、私のほうは何もできない人間だと思い込んでいました。彼を少し怖がっていたかもしれません」

ロイスにとって北極圏での生活はとてもつらいものだった。「ウェストコースト出身の世間知らずの女の子にとっては、地の果てへ行くようなものでした。後になってかかった精神分析医に、『生きて帰ってこられてよかったですね』と言われました。あそこには、酒と死と殺人と孤独が嫌というほどありました。道路なんてありません。私にとって彼は……、彼を怒らせることは、肉体的な脅威でした。ほんの二、三カ月の間だけの一夏のロマンスだったはずなのに、二年も続いてしまって。私は必死で彼にしがみついていようとしましたが、結局追い出されてしまいました」

生活環境は劣悪だった。「トイレは家の外にありました。マイナス四〇度、五〇度の中でそこへ行くのは大変なことです。彼もやっと譲歩してバケツを――肥桶と呼ばれていたけど――置いて、夜はそこで用をたしました。女は男よりトイレの回数が多いですからね」

「それが譲歩と言えますか?」と私は訊いた。

「でもそうだったんです。あとで荷車に載せて捨てに行くわけですが、彼はそれを嫌がっていました。ある晩とうとう、彼はバケツを雪の降る外に放り出して、外のトイレを使えと言ったんです。水くみも私の仕事でした――水道がなかったから、やるしかありませんでした。彼といっしょにいたいなら、我慢するしかなかったんです。

なんでもいいから、とにかく私を認めてほしい、と彼に言ったことがあります。なぜだかわからないけど、私にとってはそれがとても重要だった。そうしてほしいばかりに、いろんなことを喜んで我慢したんだと思います」

認められたいという切なる願いは子供のころからあった、特に母親に認めてほしかった、とロイスは言う。「私は彼の上に、ずっと私の生活を支配していた母を投影していたんだと思います。母は私の着る物を決めて、私の部屋の模様替えにしても一から十まであれこれ指図する人でした。私はわがままを言えない、いい子でした。自分を認めてもらいたいがために、自分が本当に望んでいることを抑えつけていたんだと思います。私はいつも、両親が望むとおりの子になろうと一生懸命でした」

バーバラはサイコセラピスト——とても有能だという評判だ——で、慢性疾患を抱える多くの人の相談にのっている。じつは彼女自身も多発性硬化症を抱えている。だがバーバラは、幼少時の体験による抑圧傾向が、病気をもたらした炎症や傷と関係しているかもしれないという指摘に対しては、断固として異を唱えている。

バーバラの発症は一八年前にさかのぼる。最初の症状が現れたのは、彼女が矯正施設で担当していたある社会病質者〔訳註・人格異常のため社会的に好ましくない行動をする〕の男性を、二週間自宅に受け入れた直後だった。「彼はずいぶん長く治療を受けていたから、新しいことに挑戦するチャンスを与えようというつもりでした」とバーバラは言う。ところがこの患者は、バーバラの家庭と結婚生活に大きな混乱と打撃を与えたのだった。問題を抱えた人物を自宅に招き入れたのは、他人との境界についての認識があなたに欠けていたからではないですか、と私は訊いてみた。

「ええ、イエスでもあるしノーでもあります。大丈夫だと思ったんです、二週間だけということでしたから。でももちろん、もう二度としません。今では他人との境界については賢くなったから。クライアントのひとりは私のことを境界の達人と呼んでいるほどです——じつは彼女もセラピストで、私たちふたりの間ではその話を冗談の種にしているんですよ。痛い思いをしなければわからなかったのは残念ですけどね。多発性硬化症になったのは、馬鹿な自分への罰だったと思うこともありますよ」

このように病気を罰だと考えることは、重要な問題を提起する。慢性疾患を抱えた人たちは、まるで自業自得だと言わんばかりに人から責められたり、自分で自分を責めたりすることが多いのだ。抑圧とストレスという観点が、本当に「病気は罰だ」ということになるのなら、私はその観点に異を唱えるバーバラは正しいと思う。しかし科学的な探究とは、人の生き方について説教をしたり批判したりすることとは相容れないものだ。問題を起こすかもしれない人物を無分別にも自宅に招き入れたことがストレスを呼び起こし、発症の一因になったと言うのは、たんにストレスと病気の関係を指摘しているにすぎない。それは起こり得ることについて、罰としてではなく、生理学的な現実として議論するためなのである。

両親とはお互いに愛し合っており、非常に健全な関係にあったとバーバラは断言している。「私と母はとてもうまくいっていましたよ。いつも仲良しでした」

「私たちは、他者との境界ということを成長期に学びます。あなたはどうして大人になってから、それも痛い思いをして学ばなければならなかったんでしょうね?」と私は言った。

「私は境界を知っていた、でも母にはわかっていなかったんです。私たちの喧嘩の原因はほとんどいつもそれでした——どこまでが彼女の領分で、どこからが私の領分か、ということ」

研究者たちは、バーバラが精神的に不安定で危険な人物を自宅に招き入れたことを大きなストレス要因と見なすだろう。しかし、それ以前からあった境界意識の欠乏からくる慢性的なストレスについては認識されないことが多い。子供時代に心理的境界が不鮮明なままであることが、やがて大人になってからの生理的ストレスの大きな原因になる。それはからだの内分泌系と免疫系に常に悪影響を及ぼしている。個人としての境界が不鮮明な人は、ストレスと共に生きているからだ。そういう人たちにとっては、他者に侵害されることが常に生活の一部なのである。しかし彼らは、その現実に目をつぶることが身についてしまっている。

「多発性硬化症の原因はまだわかっていない」[7]と内科学の権威ある教科書には記されてある。特定のウイルスが名指しされることもあるが、ほとんどの研究者は感染症説を否定している。遺伝の影響はあるかもしれない。特定の人種——北アメリカのイヌイットや南アフリカのバントゥー族など——にはこの病気が見られないからだ。しかし誰がなぜこの病気にかかるのか、遺伝説では説明がつかない。「多発性硬化症にかかりやすくなる遺伝子を引き継ぐ可能性はあるが、この病気自体が遺伝することはない」とカリフォルニア大学ロサンジェルス校（UCLA）の多発性硬化症クリニックの元院長、神経医学者のルイス・J・ロスナーは書いている。「そうした遺伝子のすべてを引き継いでいる人でも、発症するとは限らない。この病気は環境的要因によって引き起こされると、われわれ専門家は確信している」[8]

ＭＲＩや解剖によると、多発性硬化症の症状をまったく示していない人の中枢神経系にも、この病気の特徴である髄鞘脱落が見られるが、この事実が話をさらに複雑にしている。神経病理学的には多発性硬化症の特徴を備えているのに、発症する人としない人がいるのはなぜなのか。

ロスナー博士が示唆する「環境的要因」とは何なのか。

博士が書いた多発性硬化症の入門書は他の点では非常に優れているのに、精神的ストレスを発症の一要因とみなす観点をあっさり切り捨てている。そして自己免疫を原因と見るのがいちばん妥当だと結論している。「自分の身体組織にアレルギーを起こすことで抗体ができ、それが健康な細胞を攻撃するのだ」と博士は説明している。彼は、自己免疫のプロセス自体がストレスおよび患者の性格と密接につながっていると主張する多くの医学論文を無視している。しかしこのつながりは非常に重要であり、この本でも後に詳しく触れることにする。

一九九四年、シカゴ大学病院神経科が、神経系－免疫系の相互作用と、その作用が多発性硬化症に影響を与える可能性について研究を行なっている。[*9] その研究で、人工的に自己免疫疾患を誘発したラットの「闘争か逃走」反応〈訳註・ストレスに対する緊急避難的な反応〉を阻害すると、その疾患がさらに悪化することが証明された。反応が阻害されていなければ、ストレスに反応するラットの正常な能力が疾患の悪化を防いだはずである。

ストレスの観点から多発性硬化症を検討した論文に実例としてあげられた患者たち、そして私がインタビューした患者たちは、この研究で用いられた不運なラットたちと非常によく似た状態にあったといえる。彼らは子供時代の条件づけのせいで慢性的なきびしいストレスにさらされ、必要な「闘争か逃走」反応を起こす能力を損なわれていたのだ。根本的な問題は、いろいろな論文が指摘している人生上の一大事件など外部からのストレスではなく、闘争あるいは逃走するという正常な反応をさまたげる無力感、環境によって否応なく身につけさせられた無力感なのである。その結果生じた精神的ストレスは抑圧され、したがって本人も気づかない。ついには、自分の欲求が満たされないことも、他者の欲求を満たさざるを得ないことも、もはやストレスとは感じられなくなる。それが普通の状態になる。そうなればその人にはもはや戦う術がない。

ヴェロニークは三三歳。三年前に多発性硬化症と診断された。「はっきりした症状が出ていたのに、それがこの病気の症状だとは知らなかったんです――両足に痛みがあって、しびれとチクチクした痛みが胸の上まで走って、今度はまた足に向かって痛みが走るということが三日間続きました。からだが冷たくて――そこをつついても、何も感じなかったんです」と彼女は語った。そしてとうとう友人のひとりに、医者へ行きなさいと説得されたのだという。

「足から胸の上までしびれと痛みがあったのに、誰にも言わなかったんですか？　それはまたどうしてですか？」

「人に言うほどのことじゃないと思って。誰かに、たとえばうちの両親なんかに言ったら、あの人たちはきっと困ってしまうだろうと思いましたし」

「でも、他の人が足の先から胸までしびれと痛みがあると言ったら、あなたは無視しますか？」

「とんでもない。すぐに医者へ行けと言います」

「他の人にはしてあげることを、どうして自分にはしないんでしょうね？　わかりますか？」
「さあ……」
発病する前に何かストレスを感じるような出来事がなかったか、という問いに対するヴェロニークの答は非常に示唆に富んでいる。「必ずしも悪いこととは言えないと思いますが」と彼女は話し始めた。「私は養女なんです。一五年間ずっと養母にせかされていたので、嫌でしたが、ついに実の家族を訪ねてみました。母と言い合いをするより、はいはいと言いなりになっているほうが楽でしたから――今までずっと！

で、とにかく実の家族を見つけだして会いに行きました。最初に思ったのは、うわっ、こんな人たちと血がつながっているなんて、ということでした。生みの親のことを知ってしまって、たまらない気持ちになりましたよ。自分が身内どうしのレイプで生まれた子だったらしいなんて、知りたくありませんでした。どうもそういうことだったらしいんです。誰もはっきり口にはしなかったし、生みの母という人は何も言わなかったけど。

当時、私は失業していて、失業保険の申請中でした。その二、三カ月前にはボーイフレンドを追い出していました。彼はアルコール依存症で、私はもう我慢の限界だったんです。こちらがおかしくなりそうで」

これだけのストレスを評して、この若い女性は必ずしも悪いこととは言えないと言うのだ――彼女が嫌がっているのに、まともとは言えない実の家族を捜し出して会いなさいと言い続けてきた養母、身内どうしのレイプ（相手は従兄で、生みの母はそのとき一六歳だったという）の結果生まれたという事実をつきつけられたこと、経済的な困窮、アルコール依存症のボーイフレンドと別れたことを評して。

養父には親しみを感じていた、とヴェロニークは言う。「彼は私のヒーローでした。いつも私の味方をしてくれて」

「それならお母さんがあなたの嫌がることをさせようとしたとき、どうして彼に助けを求めなかったんです?」

「父とふたりきりで話すことは絶対できませんでした。必ずといっていいぐらい母があいだに入ってくるから」

「あなたがこんな目にあっているとき、お父さんはどうしていたんですか?」

「黙って見ていました。でも父は、好き好んでそうしていたわけではありません」

「あなたがお父さんに親近感を持っていたことは、私も嬉しく思いますよ。でも新しいヒーローを見つけようとしたほうがいいかもしれませんね。自己主張のお手本を見せてくれるような。癒しを得るためには、あなた自身が自分のヒーローになったほうがいいですよ」

才能あふれるイギリスのチェリスト、ジャクリーヌ・デュプレは、一九八七年、多発性硬化症の合併症で四二年の生涯をとじた。姉のヒラリーは後になって、ストレスが妹の病気をもたらしたのではないかという疑問を持ったが、そう問われた神経科医は、ストレスは無関係だと断言した。

医学界の主流的見解は、当時からほとんど変わっていない。トロント大学の多発性硬化症クリニックが最近発行したパンフレットには、患者へのアドバイスとしてこう書いてある。「ストレスは多発性硬化症を起こしません。しかし、この病気の患者はストレスを避けることが望ましいのです」——わかりにくい表現である。ストレスは多発性硬化症を起こさない——当然である。単独でこの病気を起こすような要因はない。多発性硬化症の発症は、いくつもの要因の相互作用によって起こるのである。しかし、ストレスは発症に大きく影響することはない、と言ってしまっていいのだろうか。多くの研究報告やこれまでにあげた人々の人生を見れば、ストレスの影響は明らかではないだろうか。ジャクリーヌ・デュプレの生涯もそれを証明している。彼女の発症と死は、感情の抑圧によるストレスの破壊的な影響を明白に描き出している。

デュプレのコンサートでは多くの人が涙を流した。彼女が聴衆に与える感動は「息をのむほどで、誰もが魔法にかかったようだった」との評ももっともである。彼女の演奏は情熱的で、ときに耐えられないほどの激しさをむき出しにした。煌々《こうこう》と輝く光線が彼女から発して、聴衆の心を一直線に貫くかのようだった。私生活での彼女とは違って、ステージ上の彼女にはまったく何の制約もないようだった。髪をふり乱し、からだをゆらす彼女の姿は、クラシック音楽の抑制よりむしろロックミュージックの荒々しさを思わせた。ある人が言っている。「彼女は清らかで慎み深い乳搾りの乙女のように見えるのに、いったんチェロを手にすると何かに取り憑かれたようになった」[*10]

録音されたデュプレの演奏のいくつか、特にエルガーのチェロ協奏曲は今も比類のない名演奏であり、これから先もその評価は変わらないだろう。エルガーのチェロ協奏曲は、この偉大な作曲家の主要な作品としては最後のもので、第一次世界大戦勃発の暗い雰囲気の中で生まれた。「善きもの、心地よいもの、清らかなもの、さわやかなもの、愛らしいものは、すべてどこかへ行ってしまって、二度と戻らない」とエドワード・エルガーは一九一七年に書いている。当時彼は六〇代で、人生の黄昏《たそがれ》にさしかかっていた。「人生の晩秋期にある男の気持ちを表現するジャッキーの能力は、驚異的で説明できない才能のひとつだった」[*11]と姉ヒラリーはその著書『風のジャクリーヌ――ある真実の物語』(邦訳、ショパン社)に書いている。

驚異的? ――確かに。説明できない? ――そんなことはないだろう。自分では気づいていなかったが、二〇歳のころには彼女自身も人生の秋にたたずんでいたのだから。その数年後、やがて彼女の音楽家人生を断つことになる病気が襲いかかることになる。彼女が語ることのなかった心の軌跡には、悔恨と喪失感とあきらめが、あふれるほどあったのだ。同じ苦しみを共有していたからこそ、ジャクリーヌはエルガーを理解できたのである。エルガーの肖像画はいつも彼女の心をかき乱した。「エルガーは不幸な人生を送ったのよ、ヒル。そのうえ病気だった。それでも彼の魂は輝いていた。私、彼の音楽にそれを感じるの」とジャクリーヌは姉に語ったという。

彼女は、誕生の時にさかのぼって自分を語っている。母のアイリスはジャクリーヌを産んでまだ産院にいるときに、自分の父親の死にみまわれた。そのとき以来、ジャクリーヌと母親との関係は互いに依存しあう共生じみたものとなり、どちらもそこから抜け出すことができなかった。ジャクリーヌは子供でいることも、大人に成長することも許されなかったのだ。

ジャクリーヌは傷つきやすく内気でおとなしい子供で、ときには茶目っ気もみせたという。チェロを演奏するとき以外は、物静かな子供だったらしい。ある音楽教師は六歳の彼女を「おそろしく礼儀正しくて、しつけのいい子だった」と語っている。世間には感じのいい、従順な顔を見せていたのだ。彼女が通った女子中学校の事務長の記憶では、明るく陽気な子だった。高校の同級生のひとりは「人なつこくて陽気な子で、みんなと仲良くやっていた」と言う。

しかし、内面はまったく違っていた。妹はある日、「学校の子はみんな、私のことが嫌いなの。ひどいのよ。私のことをみんなでからかうの」と言ってわっと泣き出したことがある、とヒラリーは書いている。ジャクリーヌはあるインタビューで自分について、「他の子がいじめたくなるような子供でした。みんながよってたかって私をはやし立てたものでした」と語っている。彼女は不器用な子供で、人づきあいが苦手で、勉強には興味がなく、口数も少なかった。姉のヒラリーによれば、ジャクリーヌはいつも自分の気持ちを言葉で表現することが苦手だったらしい。「注意深い友人たちは、ジャッキーの明るい外面の裏には憂うつのきざしが見られたと語っている」[*12]と伝記作家エリザベス・ウィルソンはその著書『ジャクリーヌ・デュプレ *Jacqueline du Pré*』に書いている。

ジャクリーヌは病気になるまでずっと、母親には自分の気持ちを隠していた。ヒラリーは子供のころジャクリーヌが声は低いものの激しい口調で「ヒル、ママには言わないでね、でも……あたし、大人になったらきっと歩くことも動くこともできないわ」と言った恐ろしい言葉を覚えているという。この恐るべき予言をどう解釈したらいいのだろう。何か超自然的な予感なのか、それとも心の奥の無意識のレベルで、まだ子供のジャクリーヌがすでに感じていたこと——自由に行動することができないこと、束縛されていること、生気のある自分自身というものが麻痺してしまっていること——の反映だったのか。そして「ママには言わないでね」とは？　自分の心の痛みを、恐れを、不安を――心に巣くう暗い影を――子供の心を受けとめることのできない親に伝えようとしても無駄だとすでに気づいていた人間のあきらめだったのか。のちに多発性硬化症に襲われたとき、それまで積もり積もっていたジャクリーヌの母親に対する恨みは、抑えきれない激しい怒りとなって一気に噴出する。従順な子供は、深い敵意を抱く大人になったのである。

ジャクリーヌはチェロを愛し、心からチェロを必要としていたが、それと同じくらい彼女の中の何かが、チェロの名演奏家としての役割に抵抗していた。名演奏家としての仮面が、本当の彼女自身を押しつぶしていた。彼女はその仮面をかぶったときだけ感情を伝えることができ、母親の関心を自分に向けることができたのだった。彼女にとって多発性硬化症はその仮面を捨てるための手段になった――彼女のからだがノーと言ったのである。

ジャクリーヌ自身は、世間の期待をきっぱり拒絶することはできなかった。一八歳にしてすでに注目を集めていた彼女は、当時音楽家として苦況に陥っていたある若いチェリストをうらやましがって友人にこうもらしたという。「あの子はラッキーだわ。そうしたければ音楽をやめればいいんだもの。私はやめられない。大勢の人が私にたくさんのお金を注ぎ込んでいるから」。チェロのおかげで彼女は想像もつかない高みに駆け上がることができたが、同時に足かせをはめられてもいたのだ。音楽家としてのキャリアによって負わされた重荷におびえ、彼女は自分の才能と家族の要求という重い負担に圧倒されてしまった。

ヒラリーは、ジャッキーの「チェロの声」について述べている。幼いころから感情を表現する直接的な手段を押さえつけられてきたため、チェロが彼女の声になったというのだ。彼女は演奏に自分のすべての激情と痛みとあきらめと――すべての怒りを注ぎ込んだ。彼女がまだ一〇代だったころ、あるチェロ教師が鋭く見抜いたように、彼女は自分の中の攻撃性を、演奏によってチェロに語らせていたのである。音楽に没頭しているときの彼女は、人生の他の部分では希薄な、あるいはまったくないような感情によって生命を吹き込まれていた。だからこそ、彼女の演奏は見る者をあれほど釘づけにし、聞く者にあれほど痛切な感じを与えたのだ――「怖いくらいだ」とロシアのチェリスト、ミーシャ・マイスキーが語ったように。

子供のころにデビューして二〇年後、多発性硬化症を発症したジャクリーヌは、初めてステージに立ったときの気持ちを友人に語っている。「そのときまでずっと、目の前にレンガの壁があって、外の世界とはコミュニケーションできない感じだったのね。でも観客の前に立って演奏を始めたとたん、壁が消えて、やっと話すことができると感じたの。いつ演奏しても、この感覚がなくなることはなかったわ」。やがて大人になった彼女は、気持ちを言葉にできたことは一度もない、音楽をとおしてだけ気持ちを表現できる、と日記に書くことになる。

多発性硬化症に襲われ演奏活動を断念するまでの彼女の人生で、最後の局面を支配したのは夫ダニエル・バレンボイムとの関係だった。バレンボイムはアルゼンチン生まれイスラエル育ちのユダヤ人で、チャーミングで教養のある国際人であり、すでに二〇代そこそこで世界的に知られた音楽界のスーパースターになっていた。コンサートピアニストとしても室内楽奏者としても人気者で、指揮者としても名をあげつつあった。ふたりの音楽による会話は、当然のように出会った瞬間から刺激に満ちた情熱的なものであり、神秘的なものでさえあった。愛が芽生え、結婚に至ったのも当然の成り行きである。おとぎ話のようなロマンスに見えた。クラシック音楽界の華麗なカップルの誕生だった。

しかし不幸なことに、ジャクリーヌは結婚生活においても、生まれ育った家庭にいたときと同じく本当の自分ではいられなかった。彼女をよく知る人々はすぐに、彼女が奇妙な、「どこのものとも知れない」英語と米語が混じったようななまりのある言葉で話すようになったことに気づいた。夫の話し方を無意識に真似てしまったということは、彼女のアイデンティティが他の、より支配的な人格に取り込まれてしまった証拠だろう。ジャッキーはまたしても、他者の要求と期待に応えようとしていた、とヒラリーは書いている。「ジャッキーが内に秘めていた渇望は、音楽を通じて以外はほとんど表現されることはなかった。彼女はまわりが望むとおりのジャッキーでいなければならなかったのだ」

まだ診断はされていなかったが、すでに始まっていた進行性の神経疾患が体力の低下や転倒といった症状を起こし始めていたときも、彼女はそれまで続けてきた「沈黙」という対処法にしたがった。夫に異常を伝えるかわりにそれを隠し、別の理由で調子が悪いようなふりをした。

「そうね、別にストレスには感じられないとしか言いようがないわ」。結婚後まもないころ、ヒラリーが、旦那さんと公私を共にしていればストレスもあるだろうけど、どう解消しているのとたずねたとき、ジャクリーヌはこう答えたという。「私は幸せよ。私は音楽を愛し、夫を愛していて、両方に費やす時間がたっぷりあるんですもの」。しかしこの後まもなく、彼女は夫も音楽も捨てる。彼女は夫が、自分と本当の自分自身との間に立ちふさがっていると信じるようになる。そして一時的に夫の許を去り、自分の不幸を義理の兄との情事という形で表現するのだ。これもまた、彼女の心の境界がはっきり形成されていない証拠である。うつ状態になった彼女は、しばらくはチェロに手を触れようともしなかった。そしてやっと夫と音楽の許へ戻ったと思ったら、多発性硬化症に襲われたのだ。

ジャクリーヌ・デュプレのチェロの声は、彼女の唯一の声であり続けた。ヒラリーはそれを妹にとっての救済と呼んだ。だがそうではなかったのだ。聴衆には救済となっても、ジャクリーヌ自身の救済にはならなかった。人々は彼女の情熱的な演奏を愛したが、本当に聴いてほしい人は誰も耳を傾けてはくれなかった。聴衆はすすり泣き、批評家は声をそろえて賞賛したが、彼女の言葉に耳を傾ける者は誰もいなかった。さらに悲劇的なことに、彼女自身も本当の自分の声に耳をふさいでいた。芸術表現自体は感情を表出するひとつの形にすぎず、感情のすべてを解消することはできないのだ。

妹が世を去ったあと、ヒラリーはBBC放送が一九七三年に録音したズビン・メータ指揮によるエルガーの協奏曲のテープを聴いた。それはジャクリーヌがイギリスで聴衆を前に演奏した最後のものだった。「少しチューニングをして、一呼吸おいて、それから弾き始めた。私は突然はっとした。彼女はテンポを落としていた。もう何小節か聴くと、そのことはますますはっきりしてきた。私には何が起こっていたかわかった。ジャッキーはいつものように、チェロを通して話していた。私には、彼女の言葉をはっきり聞き取ることができた……。彼女の頬をつたう涙が見えるような気がした。彼女は自分に別れを告げていた。自分のためにレクイエムを演奏していたのだ」

第3章　ストレスと感情コンピテンス

「有史以前の大洋に生命が誕生して以来、生物とそれを取り巻く無生物の間、あるいは一個の生命と他の生命との間には〝ギブ・アンド・テイク〟の相互交渉が果てしなく続いてきている」[*1]とハンス・セリエはその著書『現代社会とストレス』に書いている。他者との関わり合い――特に精神的な関わり合い――は、私たちの生活のほとんど一瞬ごとに、ほとんど意識されないまま、私たちの生物としての機能に無数の影響を及ぼしている。この本のいたるところに書いてあるように、そうした影響は私たちの健康にとっての重要な決定要因である。健康な生活をおくるためには、私たちの精神の働き、周囲の感情的な状況とからだの機能との関係における複雑なバランスを理解することが不可欠なのだ。セリエは書いている。「われわれの細胞に起こる変化（たとえば炎症）とわれわれの日常生活との間に関係があるとは思われないから、これは奇妙なことに思われるかもしれない。しかし、私は奇妙とは思わない」[*2]

セリエの先駆的な研究以後、科学者には六〇年もの探究の時間があったにもかかわらず、感情がからだにおよぼす生理学的影響はまだ十分に評価されているとはとても言えない。医学は今も、からだと心は別個のもので、それらが存在する環境からも切り離されたものだという見解をとり続けている。ストレスの定義が極度に単純化された限定的なものであることも、誤解をさらに大きくしている。

医学ではふつう、ストレスとは非常に厄介ではあるが単独の出来事、確かにこうした大事件は多くの人にとって破綻、大切な人の死などの出来事だと考えられている。確かにこうした大事件は多くの人にとってストレスの原因になり得るが、もっと目立たない、しかしからだにもっと長期的な害をあたえるような日常的なストレスがあるのだ。心の中から生じたストレスは、外からはまったく正常であるように見せかけながら、からだにしっかり悪影響を与えるのである。

心の中に生じたストレスに幼いころから慣れてしまった人々は、ストレスがないと不安になり、退屈で生きる意味がないような気がしてくる。これをセリエは、アドレナリンやコルチゾールといったストレスホルモンへの嗜癖《しへき》が身についてしまうせいだと考えた。そのような人にとってストレスは望ましいものであり、なくなっては困るものなのである。

人がストレスを感じると言うとき、ふつうは過度の要求——多くは仕事や家庭や人間関係や金銭や健康に関しての要求——を与えられたときに経験する神経の興奮をさしている。しかし神経の緊張を感じることがストレスというわけではないし、厳密に言えば、ストレスがあるときには必ず神経の緊張を自覚する、というわけでもない。私たちの定義では、ストレスとは主観的な感覚とは別のものだ。

ストレスとは、脳、内分泌器官、免疫系、その他多くの身体器官が関与する、客観的で測定可能な一連の体内の生理学的変化なのである。動物も人間も、その存在を意識することなくストレスを体験することがあるのだ。

「ストレスは単なる神経性緊張ではない」とセリエは指摘している。「ストレス反応は、神経系を持たない下等動物にも発現する（……）。事実、ストレスは麻酔下の無意識な患者や生体外にとりだした組織培養の細胞にも起こり得るのである」[*3]。同様に、完全な覚醒状態にあっても、無意識の感情にとらわれている人やからだの反応に無自覚な人にもストレスは大きく影響する。動物実験や人間を対象にした研究が明らかにしているように、ストレスの生理作用は、明らかな行動の変化や主観的な知覚がなくても起こると考えられるのだ。

それなら、ストレスとは何なのか？　セリエは現在使われているような意味でこの言葉を最初に使い、そのまま「デル・ストレス」「ル・ストレス」「ロ・ストレス」となってドイツ語、フランス語、イタリア語になったと冗談めかして自慢しているが、そのセリエは、ストレスとはひとつの生物学的プロセス、体内の広範な作用の総体であり、原因や自覚のあるなしは無関係だと考えた。ストレスとは、ある有機体がその存在や健康への脅威を知覚したときに起こる、体内の変化――目に見えるかもしれないし見えないかもしれない――なのである。神経の緊張はストレスのひとつの構成要素かもしれないが、緊張を感じることなくストレスを受けることもある。反対に、緊張を感じてもストレスの生理的メカニズムが始動しないこともあり得る。

セリエは実験で観察した身体的変化を表現するにふさわしい言葉を探していて、「たまたま〝ストレス〟という言葉を思いついた。それは昔から日常的に使われていた言葉で、特に工学関係では、抵抗に対して作用する力を意味していた」。彼は引っ張られて伸びた輪ゴムに起こる変化や、荷重をかけられた鋼鉄のバネに起こる変化を例にあげている。こうした変化には肉眼で見えるものもあれば、顕微鏡で見なければわからないものもある。

セリエのあげた例は、重要なポイントをわかりやすく示している。ある有機体に課せられた要求が、その有機体が通常満たすことのできる能力を超えているとき、過酷なストレスが発生するということである。輪ゴムなら切れてしまう。鋼鉄のバネなら変形してしまう。ストレス反応は、感染や負傷によってからだがダメージを受けたときに起こる。さらに心理的なトラウマによっても、そうしたトラウマを負う恐れがあると感じただけでも――それが想像にすぎなくても――ストレス反応が誘発されることがある。生理的なストレス反応は、脅威が外的で知覚可能なものでも、たとえ本人は「いいストレス」だと信じているときでも起こりうるのである。

数年前、四七歳のエンジニアであるアランは食道がんと診断された。アランはがんに襲われる前年に自分がおくっていた、我とわが身を駆り立てるような過酷な生活について話すとき、「いいストレス」という表現を使った。その「いいストレス」は彼の健康をむしばんだだけでなく、彼の生活におけるつらい問題から気をそらせる役目もはたしていた。そうした問題自体が、彼のからだに起きている変調のそもそもの原因だったというのに。

アランは食道の下部と、すでにがんが広がっていた胃の上部の切除手術を受けた。がんは腸の外のいくつかのリンパ節にもひろがっていたので、五回にわたる化学療法も受けた。そのため白血球の数が激減し、それ以上の化学療法を受ければ生命の危険があるということだった。

アランは酒も煙草もやらず、健康的な生活を送っていると自認していただけに、がんと診断されたときはショックだった。しかし、よく考えてみると「胃が弱かった」ことに思いあたった。彼はよく消化不良や胸焼けを起こしていた。これは胃酸が食道に逆流する症状である。食道の内壁は、胃から分泌される塩酸の腐食作用に耐えるようにはできていない。食道と胃の間にある筋肉の弁と、神経系の複雑なメカニズムによって、食物は喉から胃へと下りていき、胃酸が逆流しないようにできている。慢性的に逆流があれば食道の下部は損傷を受け、がんになる可能性が高まる。

アランは愚痴をこぼすたちではなかったので、医師にはそうした異常について一度話しただけだった。彼は頭の回転が速く、早口で、何でも機敏にやった。彼は、実際あり得ることだが、自分の早食いの習慣が胸焼けの原因だと信じていた。しかし、ストレスによる酸の過剰分泌と自律神経系からの神経指令の乱れも胃酸の逆流に一役買うのである。自律神経系は意識的なコントロールを受けることなく働くシステムで、その名の示すとおり心拍、呼吸、内臓筋の収縮など自動的な身体機能をつかさどっている。

私はアランに、がんになる前の時期に何か生活上でストレスはなかったかとたずねた。「ありました。確かにストレスを感じていました。でもストレスにも二種類あるでしょう？　悪いストレスといいストレスが」。アランが言う「悪いストレス」とは、一〇年になるシェリーとの結婚生活に愛情が欠けていることだった。彼は、ふたりの間に子供がないことがその原因だろうと考えていた。「彼女はいくつか深刻な問題を抱えているんです。私が求めても、彼女はロマンチックな気分になることも愛情を示すこともできません。そのせいで、がんになったころは結婚生活への不満がピークに達していました。私はずっと、これが最大の問題だと思っています」。一方、アランの言う「いいストレス」とは仕事に関連したものだった。がんになる前年、彼は毎日一一時間、週に七日働いていた。私は、あなたは何かでノーと言ったことがありますか、とたずねた。

「一度もないですね。頼まれれば嬉しい気がします。イエスと言って後悔したことはほとんどありません。私は何かをすること、何かを引き受けることが好きなんです。誰でも私に頼みさえすれば願いはかなうわけですよ」

「がんになってからはどうですか?」

「ノーと言うことを覚えました——しょっちゅう言ってますよ。生きていたいから。よくなるためには、ノーと言うことが大切なんだと思っています。四年前、医者から生存率一五パーセントだと言われたんです。私は絶対に生きたいと思いました。だから五年から七年の間あたりに目標ラインを引いたんです」

「どういうことですか?」

「五年生存が目安と言われてますよね。でもそれは確たる根拠があってのことじゃないでしょう? 私は余裕をみて、もう二年生きようと思ったんです。そうやって七年たったら……」

「七年たったら、また前のめちゃくちゃな生活に戻ろうと言うんですか?」

「そう、たぶんね。まあ、どうなるかわかりませんが」

「とんでもないことですよ！」

「そうかもしれませんね。まあそれは先のことです。とにかく今のところはいい子にしていますよ、いや本当に。みんなにノーと言いまくってね」

ストレス体験には三つの構成要素がある。第一の要素は出来事——肉体的にせよ精神的にせよ、その生物が脅威と感じる出来事である。これはストレス刺激とかストレッサーと呼ばれる。第二の要素は、ストレス刺激を受け、その意味を解釈する処理システムである。人間の場合、この処理システムとは神経系の、特に脳である。第三の要素はストレス反応である。これは知覚されたさまざまな脅威に対する反応としての生理面、行動面での適応反応をさす。

何をストレッサーとみなすかは、出来事の意味を解釈する処理システム次第だということはすぐにわかるだろう。地震のショックは多くの生物にとって直接的な脅威だが、細菌にとってはそうではない。失業によるストレスは、退職金が割り増しされる重役よりも、毎月の給料でやっと家族を養っているサラリーマンのほうが大きいだろう。

同様に、ストレス刺激を受ける人物の性格と現在の精神状態も大きく影響する。重役だったから職を失っても経済的に困らないとはいっても、自尊心や目的意識が会社での地位と密接に結びついていた人なら、家庭生活や社会との関わり、あるいは精神的な営みに重きをおく人と比べて、より深刻なストレスを感じることだろう。失業はある人にとっては重大な脅威と感じられるかもしれないが、別の人にとっては絶好の機会と思えるかもしれない。ストレッサーとストレス反応との関係は、一律でも普遍的でもないのである。また、ストレス体験はどれも独自のものであり、今現在感じられているものだが、過去からの余韻を引きずっている場合もある。ある人が感じるストレスの強度とそのストレスの長期的な影響は、その人特有のさまざまな要因によって変わってくる。各人の気質と、そしてそれ以上に各人の人生経験によって、ストレスの受け取り方が違ってくるのである。

セリエは、ストレスの生理的影響はおもに体内の三種類の器官に働くことを発見した。内分泌系では副腎に目だった変化が起こる。免疫系では脾臓、胸腺、リンパ節が影響を受ける。そして消化器系では腸の内壁が影響を受ける。ストレスを与えたラットを解剖すると、副腎の拡大、リンパ組織の縮小、腸の潰瘍が見られたということである。

こうした変化はすべて、中枢神経系とホルモンの作用で起こる。体内には多様なホルモン――いろいろな器官、組織、細胞の働きに作用する溶解性の化学物質――がある。ある器官から分泌された化学物質が体内を循環して他の器官の働きに影響を与えるとき、その物質は内分泌ホルモンと呼ばれる。何らかの脅威を知覚すると、脳幹の視床下部は副腎皮質刺激ホルモン放出ホルモン（corticotropin-releasing hormone＝ＣＲＨ）を出す。ＣＲＨは少し移動して、頭蓋下部の穴に収まっている小さな内分泌器官、下垂体に到達する。下垂体はＣＲＨの刺激を受けて副腎皮質刺激ホルモン（adrenocortico-trophic hormone＝ＡＣＴＨ）を放出する。

ＡＣＴＨは血流に乗り、腎臓上部の脂肪組織に隠れた小さな器官、副腎に到達する。ここでＡＣＴＨは、それ自体も内分泌腺としての機能を持つ薄い外皮組織である副腎皮質に刺激を与える。すると副腎皮質は副腎皮質ホルモン（コルチコイド）を放出するのだ。副腎皮質ホルモンのうち、最もよく知られているのがコルチゾールである。コルチゾールは、体内のほとんどすべての組織——脳から免疫系、骨、腸まで——に何らかの方法で働きかける。コルチゾールの働きは、からだが脅威に反応するために備えている複雑精妙な生理的チェック機能およびバランス機能の重要な部分を占めている。コルチゾールの直接的な機能は、免疫系の活動を安全な範囲内に保ち、ストレス反応をしずめることである。

視床下部－下垂体－副腎は一連の機能の流れを形成するひとつの軸と考えられる。この視床下部－下垂体－副腎の軸が、ストレスに関わるからだの仕組みの中心である。この軸は、これから見ていく多くの慢性疾患と関わりを持っている。視床下部は、感情を処理する脳の中枢と双方向的なコミュニケーションを行なっているので、視床下部－下垂体－副腎の軸こそが、感情が免疫系その他の器官に直接的な影響を与える経路なのである。

したがって先にあげたセリエの言うストレスの三大影響、すなわち副腎の拡大、リンパ組織の縮小、腸の潰瘍は、それぞれ副腎に対するＡＣＴＨの亢進効果、免疫系に対するコルチゾールの抑制効果、腸に対するコルチゾールの潰瘍発生効果によるものだったのだ。たとえば喘息、大腸炎、関節炎、がんなどの治療でコルチゾール系の薬を処方されている多くの人は、腸からの出血の危険があるため、腸壁を保護するための別の薬剤も摂る必要があるだろう。また、このコルチゾールの影響によって、慢性的なストレスが腸のがんになるリスクを高める理由の一部は説明できるだろう。さらにまた、コルチゾールは骨密度を低下させる働きもする。うつ状態の人はコルチゾールの分泌が多いので、閉経後にストレスを抱え、うつ状態にある女性には、骨粗鬆症と大腿骨骨折が多いわけである。

もちろん以上のような大まかな説明では、ストレス反応を語るにはまるで不十分である。ストレスは事実上体内のすべての組織に影響を与えるのだから。セリエはこう書いている。「ストレス反応を概観するには、脳や神経、下垂体、副腎、腎臓、血管、結合組織、甲状腺、肝臓、白血球細胞などを調べるだけでなく、それらの間の多重相互関係をも示すことが重要であろう」[*4]。ストレスは免疫系の多くの細胞や組織にも作用するが、それらの多くはセリエがその先駆的な研究をした当時はまだ知られていなかった。さらに、脅威に対する緊急警告反応には、心臓、肺、骨格筋および脳の感情中枢が関係している。

私たちは、体内の安定を維持するためにストレス反応を展開する必要がある。ストレス反応は非特異的である。物理的、生理的、化学的、精神的――いかなる攻撃に対しても反応し、また意識するしないにかかわらず、攻撃あるいは脅威だと知覚しただけでも反応は起こる。この場合の脅威とは、体内の恒常性《ホメオスタシス》――生き物が生存し、機能することができる比較的せまい範囲の生理的条件――を乱す可能性のことである。闘争または逃走するためには、内臓から筋肉に血液を送り込む必要があり、そのためには心臓はより速く拍動しなければならない。脳は、食欲や性欲を一時忘れて、今ある脅威に集中しなければならない。体内に蓄えられていたエネルギーは、糖分子の形になって活性化される必要がある。免疫細胞が活性化されなければならない。アドレナリンやコルチゾールをはじめとするストレスホルモンが、こうした作用を担うのである。

しかし今あげたような働きはどれも、度を越してはいけない。血中の糖濃度が高すぎれば、昏睡状態に陥ってしまう。免疫系が活性化しすぎると、有害な化学物質を作りだしてしまう。したがってストレス反応とは、脅威に対するからだの反応というだけでなく、脅威にさいして体内の恒常性を保とうとする働きでもあるといえるだろう。アメリカの国立衛生研究所で開かれたストレスに関する学会では、この体内の恒常性という概念を用いて、ストレスを「調和がくずれた状態、すなわちホメオスタシスが脅かされた状態」[*5]と定義した。この定義にしたがえば、ストレッサーとは「恒常性を乱す可能性のある、現実または知覚のみの脅威」[*6]ということになる。

すべてのストレッサーに共通していることは何だろう？ 結局のところ、ストレッサーはすべて、生き物が生存のために不可欠だと感じているものが欠けていること、あるいはそれがなくなるかもしれないと恐れていることなのである。食べ物がなくなるかもしれないという脅威は重大なストレッサーである。愛を失うかもしれないという脅威も——人間にとっては——やはり大きなストレッサーだ。セリエは書いている。「躊躇なく言えることは、人間にとってのいちばん重要なストレッサーは情緒的なものである（……）」[*7]

セリエの論文では、一般にストレスを招く要素として、〝不安〟〝情報の欠如〟〝主導権の喪失〟の三つをあげている。[*8]慢性疾患を抱えた人の生活には、これが三つともある。多くの人は人生の主導権を自分が握っているという幻想を抱いているが、後になって、それまで気づいていなかった何らかの力が長い間、彼らの決断や行動に影響を与えていたことに気づくのだ。私自身もそれに気づいた。病気になって初めて、自分に主導権があるという幻想が打ち破られる人もいるのだ。

ガブリエルは五八歳、地域の強皮症患者の会で活動している。生まれつき大きかった目は、顔の皮唇がぴんと突っ張っているためいっそう大きく見える。きれいな白い歯を囲む唇の、ほとんど気づかないほどの動きが彼女の微笑みである。細い指はロウのように半透明で、これは強皮症の典型的な特徴だが、同時に慢性関節リウマチによる変形も見られる。何本かの指が途中から曲がり、関節部には腫れがある。ガブリエルは一九八五年に強皮症に襲われた。この病気はふつう、いつかかったのかわからないほどゆっくり進行するのだが、ガブリエルの場合はインフルエンザなみの急激さだった。おそらく、強皮症より全身に広がりやすい慢性関節リウマチを伴っていたからだろう。「一年近い間、本当にものすごく具合が悪かったんです」と彼女は言う。

「最初の五、六カ月はほとんどベッドから出られませんでした。起きあがって何かをするのも大変で。からだ中の関節が痛むんです。抗炎症薬のタイレノール3は三、四週間は効きましたが、だんだん効かなくなったので他の方法を試しました。食べることもできませんでした。五週間で一三キロ痩せたんですよ。たった四〇キロになってしまった……いくつかの記事に、強皮症にかかる人は、自分で何でも仕切らないと気がすまないタイプだと書いてありました。確かに、それまで私は何でも引き受けていた。それがこの病気になったとたん、自分ではもう何もコントロールできなくなってしまったんです」

生きていくために不可欠な生理的メカニズムであるストレスが病気の原因になる、というのは矛盾していると思われるかもしれない。この点を理解するためには、〝急性ストレス〟と〝慢性ストレス〟とを区別する必要がある。急性ストレスとは、脅威に対して即座に、短時間だけ起こる身体反応だ。慢性ストレスのほうは、ある人がストレッサーの存在に気づかない、または気づいても逃れようがないために継続的にストレッサーにさらされ、ストレス・メカニズムが長期的に活動を続けている状態である。

神経系からの電気信号の発信を促し、ホルモンを放出させ、免疫系の活動を変化させるのが「闘争か逃走」反応で、これは直接的な危険から私たちを守ってくれる。このような生物学的反応は、危機に適応できるよう自然が与えてくれたものである。しかし同じストレス反応も終わることなく慢性的に続けば害になるし、ときには回復不可能な損傷を与えることもある。コルチゾール濃度が慢性的に高ければ体内組織が破壊される。アドレナリン濃度が慢性的に高ければ、血圧があがって心臓に害を与えるのである。

慢性的なストレスが免疫系の働きを抑制することは、多くの研究が明らかにしている。一例をあげれば、アルツハイマー病の配偶者を介護している人々のグループと、介護していない同じ年齢、同じ健康状態の人々からなる対照群で、免疫細胞のひとつであるナチュラルキラー（NK）細胞の活性度を比較した研究がある。NK細胞は侵入してきた微生物と戦ったり、悪性に変異した細胞を破壊したりする能力があり、感染症やがんとの戦いの最前線にいる細胞である。この研究の結果によると、アルツハイマー病の配偶者がいる人のNK細胞の機能は著しく抑制されていた。介護していた病人が三年も前に亡くなっているケースでさえそうだった。社会的な支援の不足を訴えた介護者たちも、免疫系の活動は非常に強く抑制されていた――前にあげた、孤独な医学生ほど試験のストレスによって免疫系が損なわれた例と同じである。

同じような介護者を対象にした別の研究では、インフルエンザの予防接種の効果を比較調査している。この調査では、介護ストレスのない対照群の八〇パーセントはインフルエンザウイルスに対する免疫を獲得していたが、アルツハイマー病患者を介護していたグループでは、わずか二〇パーセントの人にしか免疫が形成されなかった。絶え間ない介護からくるストレスが免疫系の機能を抑制し、インフルエンザにかかりやすくしていたのだ。[*9] ストレスによって体内組織の修復が遅くなることもわかっている。アルツハイマー病患者の介護者の怪我は、対照群の人々と比べて、治るのに平均して九日長くかかったということである。

ストレスのレベルが高ければ、それだけ視床下部－下垂体－副腎の軸によって放出されるコルチゾールの量も多くなる。コルチゾールは傷の治癒にかかわる炎症細胞の活動を抑制する。歯学部の学生たちが、免疫学の試験中と休暇中の両方で硬口蓋にわざと傷をつけたところ、全員が休暇中のほうが早く治ったという。白血球が作りだす治癒に不可欠な物質の量が、ストレス下では少なくなっていたのである。

ストレスと免疫系の機能不全と病気との間にしばしばつながりが認められることから、ハンス・セリエの言う「適応症候群」という概念が生まれた。「闘争か逃走」反応は、大昔の人間が自然界における肉食獣その他の危険に対処しなければならなかった時代には不可欠のものだった。文明社会ではもはやそうした生存にかかわる脅威に直面することはないのに、必要性も有効性もない状況で「闘争か逃走」反応が起きてしまう。からだに備わったストレス・メカニズムはしばしば間違って始動してしまい、それが病気につながるわけだ。

別の見方もある。「闘争か逃走」反応は、人間の進化が当初に意図したのと同じ目的、つまり生存のために今も存在するというのだ。問題は、私たちがこの緊急システムのために備えていた直感力を失ってしまったことである。からだはストレス反応を展開しているのに、心は脅威に気づいていないのだ。生理学的に見れば自分のからだをストレス下においているのに、ほとんどあるいはまったく苦痛を意識していないということだ。セリエが指摘したように、現代のほとんどの人間の生活では――少なくとも産業化社会では――主要なストレッサーは精神的なものである。逃げることのかなわない実験動物と同じように、人々は健康に有害なライフスタイルと精神生活から抜け出すことができなくなっている。経済が発展すればするほど、私たちは自分の本当の感情に鈍感になってしまったように思われる。私たちはもはや自分のからだの中で何が起こっているかを感じることができず、したがって自分を守る行動をとることができない。ストレスのメカニズムが私たちのからだを蝕むのは、それがもはや必要のない過去の遺物だからではなく、私たちのほうに、それが伝えようとしていることを受け取る能力がなくなったからなのだ。

ストレスがそうだったように、感情という概念も正確な内容がわからないまま使われている。ストレスと同じように、感情にもいくつかの要素がある。心理学者のロス・バックは感情には三つのレベルがあるとして、私たちが意識する程度によってレベル1の感情、レベル2の感情、レベル3の感情に分類している。

レベル3の感情は自分の内部から発する主観的な体験である。私たちがどう感じるか、ということだ。これを体験するときは、怒り、喜び、恐れなどの心の状態と、それにともなうからだの感覚は意識されている。

レベル2の感情は、私たちがそれを意識しているかどうかにかかわらず、他者がそれと見てとった感情である。それはボディーランゲージによって伝えられる――「言葉によらない信号、独特の行動様式、声の高低、動作、顔の表情、軽くさわること、何かをするタイミングや言葉と言葉のあいだの間《ま》の取り方によってさえ伝えられる。〔それらは〕生理学的な影響をおよぼすこともある――多くの場合、本人たちはそれを意識していない[*10]」。自分が何らかの感情を伝えていることに気づいていないのに、周囲の人間はそれをはっきり読みとっている、ということは往々にしてあるものだ。レベル2の感情表現は、私たちの意図には関わりなく、他者に影響を与えることが多い。

両親にとって、子供が表現したレベル2の感情が彼らの不安をかきたてる種類のものだと、その感情を許容することは非常に難しい。バック博士が指摘していることだが、両親によってこのような感情の行動化を禁止されたり、それによって罰せられたりした子供は、その後同じような感情を抑圧するように条件づけられてしまう。自分で抑えつければ、恥ずかしい思いをしたり、拒絶されたりすることはないからだ。そういう条件づけをされると「感情的な能力は損なわれる（……）。その子供は将来、感情やそれに伴う欲求を適切に処理することができないだろう。その結果、一種の無力感を抱くようになる[*11]」

ストレスに関する文献には、無力感が――現実のものであれ想像上のものであれ――身体的なストレス反応を誘発する可能性についての報告が数多く見られる。後天的に身につけた無力感とは、ストレスを感じる状況から、たとえ物理的には抜け出すことが可能でも、抜け出すことができないという精神状態である。人はよくこの精神状態に陥る。たとえば崩壊した関係、あるいは暴力すらふるわれる関係から逃れることができないとか、ストレスの多い仕事や本当の自由を奪われた生活から抜け出すことができないと感じている人は多い。

レベル1の感情とは、感情からの刺激によって起こる生理的な変化のことで、たとえば脅威に対する「闘争か逃走」反応をもたらす神経系、内分泌系、免疫系の活動がこれにあたる。このような反応は意識的にコントロールされたものではなく、外からは直接見ることはできない。ただ起こるだけである。本人の自覚も感情の表現もなしに起こる場合もある。そうした反応は緊急の脅威に対応するには適しているが、その人が知覚した脅威に何らかの方法で打ち克ったり、それを避けたりできないまま、いつまでも続けば害を与えることになる。

ロス・バックは書いている。「自己規制は、ある程度は〝感情コンピテンス〟の獲得に関係してくる。感情コンピテンスとは、自分の感情や欲求に適切な方法で十分に対処する能力である」[*12]。感情コンピテンスを獲得するにはある種の能力が必要だが、そうした能力は、「冷静」であること――感情が欠如していること――が優れた価値として広く認められているような、「そんなに感情的になるな」とか「そう神経質にならないで」という言葉を子供たちがしじゅう聞かされているような、論理的であることが感情的であることよりも望ましいと一般にみなされているような今の私たちの社会には、欠けていることが多い。『スタートレック』に出てくる感情の欠如したヴァルカン星人ミスター・スポックこそ、今や理想的な合理性のシンボルなのである。

感情コンピテンスを獲得するには次のものが必要である。

・ストレスを受けていると気づくための、自分の心の動きを感じとる能力。
・自分の要求を主張し、心の境界を守るために、感情を効果的に表現できる能力。
・目の前の状況にふさわしい精神的な反応と、過去を引きずっているだけの反応とを見分ける能力。
私たちが世間に望み、要求することは、子供のころに満たされなかった無意識の要求ではなく、いま現在必要としていることでなければならない。過去と現在との区別が明確でないと、実際には経験していないうちから喪失感や喪失への脅威を感じてしまう。
・本当に満たす必要のある、心からの要求に気づくこと。他者からの受容や承認を得るためにそうした要求を抑えつけてはいけない。

今あげたような要件が欠けるとストレスが発生し、からだの恒常性がくずれることになる。その状態が続けば健康がそこなわれる。この本でとりあげている患者の物語のひとつひとつを見ると、感情コンピテンスのひとつまたはそれ以上の要件が、たいていは本人が気づかないままに著しく損なわれていることがわかる。

健康を危険にさらすような隠れたストレスから自分を守りたければ、感情コンピテンスを育てることが必要である。またそれは、すでに病気にかかっている人が回復するために取り戻さなければならないものでもある。子供たちの中にも、病気を予防する最良の薬として、感情コンピテンスを育てる必要がある。

第4章　生きたまま埋葬される

アレクサは夫のピーターとともに、セカンドオピニオンを求めて私のところへやってきた。アレクサが受けた不治の病の宣告を、私に取り消してほしかったのである。

アレクサは四〇代はじめの小学校教諭だった。私のところへ来る前の年、彼女の両手の小さな筋肉が縮んだようになり、物をつかむことが難しくなったのだという。さらに、わけもなく転ぶことも多くなった。そこで彼女は、教育関係のカウンセリング業務を通して知り合っていたブリティッシュコロンビア州の高名な発達心理学者、ゴードン・ノイフェルト博士に相談した。原因は「単なるストレス」だと信じていたアレクサは、医師の診断を仰ごうとは思わなかったのだ。

アレクサは教員の仕事を続けようと必死でがんばった。限界を超えてまで日常業務をこなそうと奮闘した。それは、たいていの人が自分のからだを考えて線を引く限界をはるかに超えていた。「彼女は信じられないほど長時間働いていたし、あれこれ手を広げすぎていたんだ」とノイフェルト博士は語っている。「彼女みたいに自分を駆り立てている人は見たことがない」とも。ペンや鉛筆を握ることもほとんどできなくなっていたアレクサは、子供たちの毎日の宿題を採点するために夜中遅くまで起きていることもしばしばだった。朝は五時半に起きて早めに学校へ行き、チョークをにぎりこぶしでつかんでその日の授業内容をあらかじめ板書しておいた。しかし症状がさらに悪化するにおよんで、彼女はやっと筋萎縮性側索硬化症（amyotrophic lateral sclerosis ＝ ＡＬＳ）の国際的な権威であるアンドルー・アイゼン博士の診断を受けることに同意したのである。アイゼン博士は電気生理学的な検査と臨床的な検査を行ない、その結果から彼女がＡＬＳにかかっていることを確信した。この時点で、ピーターとアレクサは私のところへ再診断を求めてきたのである。ひょっとしたら専門医の診断をくつがえすことができるのではないか、もっと正確にいえば、単にストレスからくる症状だという彼らの確信を裏づけてくれるのではないか、という期待を抱いて。だが診断をくつがえすことはできなかった。アイゼン博士の言ったとおり「典型的な」症例だったのだ。

ＡＬＳという病気にかかると、筋肉を動かしたりその動きをコントロールしたりする神経細胞である運動ニューロンが徐々に死んでいく。神経からの電気信号がなければ、筋肉は衰えていく。ＡＬＳ協会のウェブサイトはこう説明している。「A-myo-trophic という言葉はギリシア語に由来する。Ａは否定語で、myo は筋肉、trophic は栄養という意味である。つまり『筋肉に栄養がない』ということだ。筋肉は栄養がないと、萎縮（atrophy）する。側索（Lateral）とは人間の脊髄の中の、筋肉に栄養を送る神経細胞がある位置を示している。この部分が退化すると、そこに傷つまり硬化（sclerosis）が起こる」

脊髄または脳幹のどの部位を病気が最初に襲うかによって、最初に現れる症状は異なってくる。筋肉が痙攣《けいれん》することもあれば言葉がうまくしゃべれなくなることも、あるいは物を呑み込むことが困難になることもある。最終的には、歩くことや手足を動かすことができなくなり、話すことも呑み込むことも、呼吸することもできなくなる。回復の報告例もわずかにあるが、ふつうは程なく死を迎える。五〇パーセントの患者は五年以内に死亡する。しかし、予想以上に長生きする患者もある。イギリスの天体物理学者で『ホーキング、宇宙を語る』(邦訳、早川書房)の著者スティーヴン・ホーキングは、この病気にかかってから何十年も生きている。その理由は、彼の人生を知ることで浮かび上がってくるだろう。他の進行性神経疾患と違い、ALSの患者は筋肉のコントロールは失っても知性は何の影響も受けない。カルガリーの心理学者スザンナ・ホーガンは、その論文に「話を聞いたほとんどの患者は、損なわれていない知性と機能を失った肉体とを持って生きることのつらさを訴えている」[*1]と書いている。

ALSによる神経の退化がなぜ起こるのかはわかっていない。免疫の役割をになう神経細胞の機能不全など、免疫系の関与を疑わせる症例はいくつか明らかになっている。ミクログリア(小膠細胞)という細胞は脳を保護する役割を務めているのだが、過度の刺激を受けると逆に破壊的な行動をとる。一九九五年発行の『サイエンティフィック・アメリカン』誌には、ミクログリアが多発性硬化症、パーキンソン病、ALSに関与している可能性を示す予備的データをあげた記事がある。[*2]

絶望の中にあったアレクサとピーターは、なんとかこの悲劇的状況を切り抜けようと必死だった。引退したエンジニアのピーターは、難しい筋肉の電気生理現象を事細かに理解しようと一生懸命で、信憑性の疑わしい研究論文を引っぱり出してきては、専門家をぎょっとさせるような理論を作り上げた。私がアレクサに質問しているとき、ピーターはよく妻の話をさえぎった。アレクサのほうは、了解を求めるかのように夫を横目で見ながら答えるのだ。ピーターはアレクサがやがて死ぬということを耐えられない恐怖ととらえていること、アレクサは自分のためというより夫のために診断を否定したがっていることが明白に見てとれた。私はふたりの別々の人間とではなく、ふたつのからだを持つひとりの人間と話しているような気がした。「アレクサは自分ひとりの考えを持つことができなかった。自分がピーターとは別個の人間であることを明確に示すような形で、ピーターについて話すことができなかった」とノイフェルト博士は語っている。

アレクサに感情を表現する能力がないことも、痛ましいほど明白だった。自分の気持ちをはっきり表現する言葉を知らないのだ。感情に関してどんな質問をしても、返ってくるのは、混乱はしていても妙にはきはきした理性的な言葉だった。彼女は世界を体感するのでなく、抽象的な思考を通して理解しているように見えた。「あらゆる感情が凍りついているようだった」とノイフェルト博士は述懐している。

アレクサの感情を凍りつかせていたのは、捨てられることへの極度の恐怖心だった。生みの親から捨てられた彼女は、養母とどうしても打ち解けることができなかった。「つながりというものは一切なかった。親子とは言えない関係だった」と、アレクサの人生最後の三年間に彼女をよく知るようになったノイフェルト博士は言っている。「養母にはもうひとり子供がいて、その子を可愛がっていた。アレクサがいくら努力しても、それはどうしようもなかった。思春期になったときにはもう、親とは疎遠になっていた。彼女はあきらめたのだ。それまでずっと養母との関係を築こうとしてきたのにできなかった。彼女の心はからっぽだった。自我意識があるべきところに、大きな穴があいているように感じていたのだ」。アレクサの最初の結婚は長続きしなかった。彼女は、私はあらゆる人の面倒をみなければならない、と思い込んで育った。「彼女には休息がなかった」とノイフェルト博士は言う。「心の中に休息の場がなかったのだ」

一九七〇年に発表された研究論文で、イェール大学医学部のふたりの精神科医ウォルター・ブラウンとピーター・ミューラーは、これと驚くほど似通ったALS患者の印象を記している。「彼らはみな、彼らと接するすべてのスタッフに賞賛と尊敬の念を抱かせる。共通する特徴は、彼らが助けを求めまいとしていることである」[*3]。イェール大学で行なわれたこの調査は、一〇人の患者を対象にインタビュー、臨床的な観察、患者本人が行なう心理テストを用いたものである。まとめとして筆者たちは、ALS患者には長年しみついた二つの特徴があると述べ、それは、あくまでも雄々しい態度――援助を求めたり受けたりできない――と、いわゆるネガティブな、不快な感情を常に排除することだとしている。「どの患者にも、他者からの援助にたよることなくこつこつとがんばる傾向があった」と筆者たちは記している。また「(……)恐怖、不安、悲しみなどを否定したり抑圧したり、分離したりすることが習慣化しており(……)ほとんどの患者は陽気でなければならないと口にし(……)自分の衰えを軽い調子で、ときに愛想のいい笑顔をうかべて語る〔人もあった〕」。しかし、七年後にサンフランシスコのプレスビテリアン病院で行なわれた調査は、この結論を裏づけることはできなかった。ALS患者について書かれたもの、実際に観察した結果、彼らの診療にあたっている医師たちの証言はイエール大学の論文の結論とおおむね一致しているが、評決は未だ出ず、といったところである。心理学——純粋科学として認められようと懸命に励んでいる学問——の研究というのは、ある研究者が発見したいと思っているものだけを発見する傾向があるのだ。

「ALS患者はなぜいい人ばかりなのか?」これは数年前ミュンヘンで開かれた国際シンポジウムで、クリーヴランド・クリニックの神経学者が発表した興味深い論文のタイトルである。*4 その論文によると多くの臨床医の印象として、ALS患者のほとんど全員が「性格評価ランク表の〝最も感じがいい〟というランクに集中して」おり、他の疾患の患者たちと好対照をなしているということである。

ALS患者が紹介をうけてやってくることの多いクリーヴランド・クリニックでは、ALSを疑われている患者にまず電気診断テストを行なう。電気伝導性を測定することで、筋肉線維に作用する神経細胞、つまり運動ニューロンが生きているかどうかを調べるのである。論文の筆頭筆者であるエイサ・J・ウィルバーン博士は、病院スタッフが共通してALS患者の性格的特徴としてあげるのは、感じのよさだと報告している。博士によれば「そういう人があまりにも多いので、電気診断テストの技師は検査を終えて結果を届けるとき、たいていコメント「『この人はあまり感じがよくないからALSのはずがない(……)』というような」をつけてくるということだ。患者と接した時間はわずかだったはずだし、技師たちの判断基準はおよそ科学的とは言いがたいのだが、彼らのコメントはほとんど例外なく検査結果と一致している」のである。

「ミュンヘンのシンポジウムで面白かったのは、私たちの発表を聞いてみんなが寄ってきたことだ」とウィルバーン博士は言う。「みんなが『いや、まったくそのとおり』と言う。『私もそんな気がしていた――ただあまり深く考えなかっただけで』とかね。これはもう、ほとんど世界的に見られることなんだ。たくさんのALS患者を調べる研究室では常識になっている――じっさい私たちは膨大な数の患者を見てきた。ALS患者と接した者はだれでも、これは間違いのない事実だと知っていると思うよ」

私自身、開業医や緩和ケア病棟の担当医としてALS患者に接してきたが、やはり同じことを感じてきた。天体物理学者スティーヴン・ホーキングや野球の大選手ルー・ゲーリック、それにモリー・シュワルツ――人生最後の数カ月にテッド・コッペルのテレビ番組によって多くの人々の尊敬をあつめ、彼の生き方と深い英知をテーマにした『モリー先生との火曜日』（邦訳、日本放送出版協会）がベストセラーになった元大学教授――などALSにかかった有名人の人生を調べてみても、やはり感情の抑圧――多くは感じのよさという形をとっている――が見られる。カナダのALS患者ではスー・ロドリゲスが、人の手を借りて自殺する権利を断固として求める裁判を起こしたことで全国的な注目をあびた。結局、最高裁の裁定でさえ彼女の権利を奪うことはできなかった。彼女のケースも、他の患者たちの人生と同じことを教えてくれる。

ALS患者たちの人生からは一様に、子供時代における感情の欠乏または喪失が浮かび上がってくる。彼らの性格的な特徴は、自分に厳しく、自分を駆り立て、助けを求める必要を認めようとせず、精神的にも肉体的にも痛みを感じていることを認めないというものである。こうした行動や気持ちの処理のしかたは、発病するずっと前からあったものである。ALS患者の全員とは言わないまでもほとんどの人に見られる感じのよさは、本人（と周囲の人々）がもつイメージに合わせるためにみずから作り上げたものなのだ。性格が自然にできあがる他の人々と違い、彼らはひとつの役割にからめ取られてしまっている。たとえその役割がいっそう彼らに苦痛を強いるものであったとしても、である。そうした役割は、本来は強固な自我意識があるべき場所にすっぽりはまり込んでいる。感情が欠如した子供時代を送っていては、強固な自我意識は育たない。そして自我意識の弱い人には、しばしば他者との不健全な融合が起こるのである。

ニューヨーク・ヤンキースの一塁手ルー・ゲーリックの例は、その点で多くを物語っている。彼は病気や怪我のときも先発メンバーからはずれることを断固として拒否したために「機関車」というニックネームをつけられていた。十分な理学療法やスポーツ医学がまだなかった一九三〇年代に、彼は二一三〇試合という連続出場記録を打ち立て、この記録は以後六〇年間破られることはなかった。どうやら彼は、健康なときに驚異的な才能とひたむきなプレーを見せるだけでは不十分だと思っていたらしい。試合を休んではファンやチームに申し訳ないと思っていたのだ。伝記作家の言葉を借りれば、彼は「忠実な息子、チームの忠実な一員、忠実な市民、雇い主に忠実な選手という、みずからに課した役割」から抜け出すことができなかったのである。[*5]

あるチームメイトは、ゲーリックが右手中指を骨折したまま試合に出たことを覚えていた。「ボールを打つたびに痛みがあったようだ。ボールを受け取ったときは吐き気がするほど痛かったらしい。彼が顔をしかめるのがわかったよ。それでも彼は試合に出続けたんだ」。彼の両手のレントゲン写真を見ると、十本の指すべてに一度は骨折した跡が残っていた。なかには何度も骨折した指もあった。ALSにかかって引退を余儀なくされるはるか以前に、ゲーリックは手に一七カ所も骨折を負っていたのだ。「彼はまるで、へとへとに疲れるまで死の舞踏を踊り続ける人間のように、狂気じみた笑みを浮かべて試合を続けていた」と誰かが書いている。自分に対する過酷なまでの態度と他者への心づかいの対比は、ヤンキースのある新人選手がひどい風邪をひいたときの彼の行動にも明らかに見られる。ゲーリックは困り切っている監督をなだめ、その選手を自分の家に連れ帰って母親の手にゆだねたのだ。彼の母親は「患者」に温めたワインを与え、息子の部屋のベッドに寝かせた。ゲーリックはソファで寝たのである。

ゲーリックは骨の髄まで「お母さん子」だったと言われている。彼は三〇代初めに結婚するまでずっと母親と暮らしていた。母親はその結婚をしぶしぶ認めたのだという。

スティーヴン・ホーキングは二一歳で発病した。伝記にはこう書いてある。「ケンブリッジでの最初の二年間に、ALSの症状は急激に悪化した。歩くのにも多大な困難を覚えるようになり、わずか数フィート動くだけでも杖に頼らざるを得なくなった。友人たちはできるかぎり手助けをしたが、ほとんどの場合スティーヴンはどのような援助も受けたがらなかった。杖だけでなく壁や物をつたって、痛々しいほどゆっくりと部屋や共有のスペースを横切っていった。頼るものがそれだけでは足りないことも多かった（……）。いつだったかホーキングがひどく転んで大きなこぶをつくり、何日間も頭に包帯を巻いて研究室に現れたこと〔もあった〕」[*6]

ALSで亡くなったカナダ人デニス・ケイは、『笑ってくれ、私は死ぬらしい *Laugh, I Thought I'd Die*』という本を一九九三年に出版した。この本の読者は、著者の運命を知りながらも、腹を抱えて大笑いした——まさにケイのねらいどおりに。本を出版した他の何人かのALS患者と同じように、彼も手や指を使わずにものを書くという途方もない肉体的な困難にもくじけなかった。「最初に言いたいのは、ALSは心の元気を奪うものではないということだ」。「病気の弱者のライフスタイル Lifestyles of the Sick and Feeble」と題する章の冒頭に彼はこう書いている。「実際のところ、挑戦を心から楽しむ人にしかこの病気はお勧めできない」。ケイは、額にしばりつけた棒でコンピューターのキーを押しながらこの本を書き上げた。彼が見た「ALS患者特有の性格」は「『のらくらする』とか『なまける』とかいう言葉はALS患者について書いたものにはまず出てこない。じつはALS患者に共通する特徴のひとつは、過去に非常にエネルギッシュだったことなのだ。ほとんどの患者は、典型的ながんばり屋か慢性的な仕事中毒者だった（……）。私は仕事中毒と言われていた。それが当たっているかどうかはわからない（……）が、確かに私は朝から晩まで働いてばかりだったが、厳密に言えば、それは仕事中毒というよりむしろ、退屈するのが嫌だった、もっと言えば退屈を軽蔑さえしていたからなのだ」[*7]

もうひとり、カナダ人のALS患者の例を見てみよう。イヴリン・ベルはレーザー光線の発光体を組み込んだ特別な眼鏡をかけ、文字板の文字を苦労してひとつひとつ指し示してはボランティアの人に書き取ってもらうという方法で、その著書『沈黙者の叫び *Cries of the Silent*』を書き上げた。彼女の場合も、ひとつの目標をめざして必死でがんばったのはこれが初めてではなかった。イヴリンは人生を「狂ったようなスピード」で生きてきたと述懐している。彼女は仕事でも立派な成果をあげつつ、三人の子供を育てていた。「主婦業、親としての務め、会社の仕事、庭の手入れ、インテリア装飾、子供たちの送り迎えの運転手役をうまくこなすのは大変だったが、私はそういう役割を楽しんでやっていたし、どれも精一杯やっていた（……）。子育てをしていたころは私の栄養食品関係のビジネスも大規模になってきて、社有車が増えていくことやしょっちゅう海外出張に行くことを楽しんでいた。ビジネス上の目標を次々にクリアして、何年間もカナダ一の成功者の地位にあった。子育てでも何でも、あらゆることの成功者になりたいと思っていた」。イヴリンは無意識だったろうが、彼女がこうして過去を振り返って書いたのは皮肉なことに、「お金はいつでも取り戻すことができるが、健康や結婚生活はそうはいかない」[*8]と書いたすぐ後なのである。

　人は病気になると、それまでとは違う目で自分を見るようになる。それまでの人生を別の視点からふりかえるようになる。先にあげたデニス・ケイはある日、それまで自分が何の疑問も抱かずにやっていた仕事を父親とふたりの雇い人がやっているのを――「表面上は満足そうに」――見ていて、突然あることを悟ったという。彼はこう書いている。「すぐにその満足は落胆に変わった（……）。私が成し遂げてきたことのほとんどは、私の野心ではなく、私の父の野心を満たすことだった。『オプラー・ウィンフリー』〔訳註・人気のＴＶショー番組〕の告白を気取るつもりはないが、夏休みの計画をたてていた子供のころからずっと、私は父の目標と義務を満たす手助けをしてきたのだ。一〇代後半の数年を除けば、私はそれまでの一四年間を他の人間の期限に間に合わせるために生きてきた（……）。そして突然、自分が三〇歳を目前にしており、自分の期限――それも究極の――に近づいていることにはたと気づいたのだ」

　私が最近出会ったＡＬＳ患者のローラにも、同じような他者への義務感が明白に見て取れる。六五歳の元ダンス教師であるローラは、いかにも雑誌に載っていそうなウェストコースト風の木とガラスの家の玄関で私を出迎えた。からだを支えるために歩行器によりかかっていてさえ、バレエダンサーの上品さと優雅さを備えた人だった。彼女は四年前、乳がんの化学療法を受けていたときにALSにかかった。「コンサートに行っていたときのことですが、突然拍手ができなくなったんです。手の指がしびれて、いつものように動かなくなって。化学療法を受けるとよけいに悪くなるようでした。ひどく転んだことも何回かあったわ。一度なんか頬と目のまわりの骨が折れてしまってね」と彼女は言った。話し方はたどたどしかったが、ほとんど一本調子に聞こえる語り口の中にも、生き生きとしたユーモアと人生への愛情をまだ聞き取ることができた。

彼女のからだに異常が現れたのは、ふたり目の夫ブレントと暮らしていた家で、朝食付きの民宿を始めようと熱心に働いた翌年のことだった。「ずっと民宿を開きたいと思っていました。それでこの場所を見つけたのですが、私たちが用意できる以上のお金が必要になってきて、それがストレスになっていました。私が始めたことなのにブレントにお金を出してもらうことになって、申し訳ないとも思っていました。最初の年は大変でしたよ。部屋の改装があったから。別棟も建てました。民宿を経営しながら別棟を建てて、その内装をして。実質的には引っ越す一年前でした、私がしこりに気づいたのは」。そしてその数カ月後、彼女はALSに襲われたのである。

ローラの話を聞くと、からだが反乱のきざしを見せても、自分に課した責任をいつまでも放棄できないというALS患者の性格がよくわかる。ちょうど私がインタビューしていたとき、民宿の仕事をするために雇っている家政婦のハイジはヨーロッパへ行っていた。ローラは言う。「お客の七割は何度も来てくださるお得意様で、ほとんどお友達みたいなものです。だから、ハイジがいない月はお泊めできませんと言うのはとてもつらいんです。どうしてもノーとは言えなくて、先週末は三つの部屋にお客様を受け容れてしまいました。お得意様だし、私もお会いするのが楽しみだから。来週も、もう一〇回以上来てくださっている方をお泊めすることになっています。会社の用事で来るお客様なの」

私は提案する。「こう言ってみてはどうですか。大切なお客様、私にはこういう事情があって今とても大変なんです。人様をお世話できるような状態ではないんです、って」

「言うことはできるでしょうね。でも、あのお嬢さんは来ることになっているんだし、私もお会いするのが嬉しいの。ちゃんと私の状態はわかっていて『部屋の掃除は自分でするし、朝食はシリアルですませるから』と言ってくれました。皆さんそうおっしゃいます。でも、そうはいかないでしょ。朝ごはんにシリアルだけ出したことなんて、今まで一度もありませんから」

「今回だって、あなたが出すわけじゃありません。お客が自分で勝手に食べると言っているんですよ」

彼女はやさしく笑った。「あなたが言うとずいぶん簡単に聞こえるわね。私はセラピーを受けるか、それともいっそあなたにカウンセリングをしてもらったほうがいいようだわ」

他者の要求を敏感に感じ取り、それに応じないと罪の意識を持つという性格は、ローラが幼いころに教え込まれたものだった。ローラの母親はローラが一二歳のとき乳がんにかかり、その四年後に亡くなった（ローラの家系には乳がんの遺伝子が引き継がれている。彼女の妹も、ローラより六カ月前に乳がんと診断されていた。乳がんについては別の章で扱う）。思春期のころから、ローラは五歳年下の妹と一〇歳年下の弟の面倒をみなければならなかったのだ。だがそれ以前からすでに、ローラには両親の要望をあらかじめ汲みとる習慣が身についていた。

「母がダンス教師だったので、私もまだほんの子供のころからずっとダンスを続けていました。ロイヤル・ウィニペグ・バレエ団に入ったのですが、身長が高くなりすぎたのでやめたんです。それからは友達とダンス教室を開いて、子供たちに教えてきました」

「バレエを続けるのは大変なことです。子供のころ、バレエは楽しかったですか?」

「楽しいときもありました。バレエを恨んだこともあったけど。土曜日の午後にお友達と映画や何かに行けなかったり、いつも誰かのお誕生会に行けなかったりしたので、そういうときはバレエが憎らしかったわね」

「そんなときはどうしたんですか?」

「母は私の好きなようにしなさいと言いました。でも私は、『お母さんは私がバレエの練習に行くことを望んでいるのだから、そうしよう』と思ったんです」

「あなた自身は、どちらを望んでいたんでしょうね?」

「きっとお友達と遊びたかったんだと思います」

母親の死後、ローラは一家の主婦の役割を引き受けた。妹と弟の面倒をみるだけでなく、父親の話し相手もつとめた。「父はよく『ローラ、今晩は何をするんだね?』と訊きました。私が『コニーとショーを見に行くの』――コニーというのは私の親友です――と言うと、父は『ああ、それならベビーシッターをたのんで私もいっしょに行こう』と言うんです。私の友達はみんな父と仲良しになって、家へ遊びに来たものです。父は本当に、誰とでも仲良くなる人でした」

「お父さんがあなたやあなたのお友達といっしょに出歩くことを、あなたはどう思っていたんです?」

「だって、父親がまつわりついてくるのを喜ぶティーンエイジャーなんているわけないでしょう！」

「『お父さん、私は友達とだけ行きたいの』と言ったことはないんですか？」

「ないですね……嫌だったけど、父の気持ちを傷つけたくなかったから」

ローラが家から逃げ出すために結婚した最初の夫はとんでもない女たらしだった。彼はローラが三人目の子供を妊娠していたときに彼女を残して出ていったまま、経済的援助を一切しなかった。ふたりは幼なじみだった。

「彼は浮気していたんですね？　あなたはどれくらいの間我慢していたんです？」

「四年間。子供がふたりいたし、結婚というものを信じていたから」。ローラはゆっくりとナプキンを持ち上げ、涙をぬぐって言った。「こんなことを話したのは初めてです」

「あなたにとって今もつらいことなんですね」

「どうしてかしら、ずっと昔のことなのに……ごめんなさい、感情的になってしまって」

「感情的になると、あなたはどんな気がしますか？」

「恥ずかしい気持ち。感情的になっても何もいいことはありませんから」

「感情的になるということは、あなたの人生にとって不安なことなんでしょうか？」

「だって、感情的になるのはたいてい何か悪いことや悲しいことが起こったからでしょう？　だったら感情的になりたいなんて思うわけないですよ」

ある意味では、確かにローラの言うとおりだ。子供のころのローラにとって、彼女の悲しみや怒りを受けとめ、なぐさめて気持ちを静めてくれる誰かがそばにいなければ、そうした感情を抱くことはなんの救いにもならない。何もかもを、自分の中に〝固く〟おさめておかなければならなかったのだ。ALSにかかってからだが〝固く〟なってしまったのは、きっとそのせいなのだろう。彼女の神経系はたぶん、外に出たいと叫んでいる感情を抑えつけるのに全エネルギーを費やしてしまったのだ。この病気にかかりやすい素質を持つ人の場合、ある限界までいくと神経は再生する能力を失ってしまうのではないだろうか。ALSは、神経系が疲れ切って再生力を失った結果なのではないだろうか?

「ほとんどのALS患者は驚くほど人に好印象を与えるという事実についての研究は、どうして今までなかったのだろう?」とクリーヴランドの神経学者たちはミュンヘンのシンポジウムで問いかけた。「おそらく、それが主観的な評価に基づいたもので科学的に証明する方法がないのが大きな理由だろう。クリーヴランド・クリニックの同僚の精神医学者たちも、『感じのよさ』を定量化するのは非常に困難だと言っている」。研究者がもっと注意深く患者の生活歴を把握すれば、今は見逃されている有益な情報が出てくるかもしれない。この章にあげた実例がその可能性を示している。

うわべの感じのよさの下には、激しい怒りと苦悩が存在している。たとえ本人がどれほど、そのうわべの姿を本当の自分だと思い込んでいたとしても。「母はまだ健在で、私は母を心から愛しています」と二年前にALSにかかったある男性の姉は言う。「でも母は横暴で、感情を表面的にしか理解できなくて、他の人間の希望とか要求には鈍感なんです。私たちに自分というものを持たせてくれない。ああいう母親がいると、自分のアイデンティティを見つけるのは難しいですね。弟の病気のことを考えると、私たちはみんな、ひとりの人間としての自分を見つけようと私たちなりにがんばってきたんだと思います。とても大変だったけど、私たちはそれをやりとげました。でもなぜか弟だけは、それができなかった。このあいだ私がここへ来たとき——私は五四歳で、弟は四六歳ですが——、弟は言いました。『母さんなんて大嫌いだ』って。それなのに、弟は私たちの中でいちばん母にやさしいんです。彼は母のところへ行くでしょうね、ALSにかかってほとんど歩けなくても、母のところへ顔を出すと思う。母の前では、弟はかわいい坊やなんです——いつもかわいい良い子。私はそうじゃありませんでした」

ジョアンは黒い髪と悲しげに輝く青い瞳を持つ三八歳の美人だった。彼女は亡くなる数カ月前に私たちの緩和ケア病棟に入院してきた。もとはダンサーだということだった。ダンスフロアで、突然手足が思うように動かなくなった。彼女にはわけがわからなかったが、それはALSの最初の症状だった。自由自在にクリエイティブな動きをすることのできる天賦の才能を誇りに思っていただけに、彼女にとってこの病気に襲われたことは最悪の打撃だった。「恐ろしいがんにかかって死ぬほうがましです」と彼女は言った。病気はすでに末期状態にまで進んでいたので、そのときがきたら殺すと約束してほしいと私にせまった。私は、痛みや呼吸困難で彼女を苦しめることはしないと約束した。それは緩和ケアにたずさわるほとんどの医師と看護師が従う安楽死の拒否という原則に反することなく、私の良心に従ってすることのできる約束だった。

死を目前にした人々の世話をしていると、短い間にその人を深く理解できるようになる。ジョアンと私はずいぶんいろいろなことを話した。彼女は一度こんなことを言った。「子供のころから、生きたまま埋葬される夢を何度も見ました。私は地面の下の棺に横たわっていて、蓋がしてあって、息ができきない。三年前この病気にかかったとき、私は情報がほしくてALS協会の事務所に行ったことがあります。そうしたらそこの壁に、ポスターが貼ってあって『ALSにかかるのは、生きたまま埋葬されるようなものだ』と書いてあったんです」

ジョアンがくり返し見た悪夢が、偶然の一致、あるいは何か超自然的な予感だったとは私には信じられない。ひとりぼっちで閉じこめられ、絶望し、運に見放され、誰にも声を聞いてもらえないというイメージは、まさに彼女の少女時代の精神状態そのものだったのだ。彼女は両親やきょうだいたちとの関係において一度も、生き生きと自由に生きることができなかった。彼女の家系のどれだけの世代にわたって、どれほどのストレスにさらされたために彼女が今の状況に置かれることになったのか、私には推測することしかできない。しかし、げんに両親もきょうだいも末期状態の彼女の病室を一度も訪れていないのである。彼女のこの世での最後の数週間に付き添い、息をひきとるのを見守ったのは、新しい家族となった献身的な看護人たちだった。死を迎えるまでの数日、彼女は深い昏睡状態にあった。私は約束を守った。彼女は苦しむことなく逝ったのである。

裁判所に認められないまま、カナダ国会の議員の立ち会いのもとで自殺を強行したヴィクトリア州の女性スー・ロドリゲスも、家族から精神的に孤立していた。彼女の伝記を書いたジャーナリスト、リサ・ホッブス＝バーニーは、スーがALSと診断された日のことをこう記している。

スーは膝から力が抜けて、両脚が溶けてしまったように感じた。天体物理学者スティーヴン・ホーキングのドキュメンタリーを見たことがあったので、彼が今どんな状態か、ＡＬＳがどんなものか知っていた彼女は、これからの自分の生活を想像してみようとした。起きあがることも、歩くことも、話すことも、笑うことも、書くことも、自分の子供を抱きしめることもできない（……）。そんな肉体に閉じこめられて生きる生活を。スーは壁にもたれかかった。恐ろしい声が聞こえた。それは傷ついた動物があげる叫びのような原始的な響きの、今まで聞いたこともないような声だった。通り過ぎていく人たちの脅えたような表情を目にして、スーはやっとその声が自分の口から出たものだと気づいた（……）。

スーは母ドーと継父ケン・サッチャーに電話で診断を知らせた。ドーは言った。「ケンも私もそうじゃないかと思っていたわ」。スーは突き放されたような気がして、抑えようのない悲しみに襲われた。[*9]

スーは一〇年の間に両親がもうけた五人の子供の、上から二番目だった。いつものけ者だった。母親はなぜかスーがそれを望んだのだと思い込んでいた。「まるで生まれた瞬間から、あの子には他の子のような家族の一員という気持ちがなかったみたいなの。病気はそれをもっとひどくしたというだけのこと」とドーは語っている。スーが亡くなる前の数カ月間、母娘の接触はときたま電話で話すことだけだった。スーも他の人たちも、ドーについて「世話を焼くタイプではない」と評していた。

伝記作家ホッブス＝バーニーは書いている。「スーが病院から電話して診断を知らせたときの母親のそっけない反応は、母であるドーに人の面倒をみる能力が欠けていることだけでなく、この母娘の間の関係がどんなものだったかということもよく示している。スーの病気が進行していっても、こうした状況は変わらなかった」。スーより一歳と二カ月年下の弟によれば、感情のこもったコミュニケーションというのは、ロドリゲス家にとってはまるで別世界のものだったという。この弟は、死を目前にしたスーを定期的に訪れた唯一のきょうだいだった。家族のほとんどの者は感情を表に出すことを嫌っている、と彼は言う。

だが彼らは、風変わりな、情のない人間たちの集まりなのではない。問題は感情の欠如ではなく、解消されないままの痛ましい感情があまりにも多くあったことなのだ。ロドリゲス家の人々は、抑えつけるという方法で傷ついた感情に対処していた。何世代もの事情が積み重なった結果として、彼らはそういう方法をとるようになったのだ。スーの実父トムは、飲酒が原因の肝硬変で四五歳で亡くなっているが、彼もまた、心の痛みを抱えすぎたことによる犠牲者だった。自尊心が低く、人の言いなりになる人生を送ったのである。

末期的な状態の病人で幼い子供の母でもあったスー・ロドリゲスに、肉体的にも精神的にも最後の力をふりしぼり、残り少ない生命をさらに削ってまで、多くの人の目にさらされる法廷闘争とマスコミを通じてのキャンペーンを行なわせた原動力はいったい何だったのだろう? 魅力的な人柄と美しい微笑みを持ち、言いたいことをはっきり言う彼女は、多くの人から不屈の勇気と根性を持つ戦士として見られ、彼らの英雄になった。彼女は人々から、自分の決めた時に自分の決めた方法で死ぬ権利を求めて闘っている人間と見られていた。

スー・ロドリゲスの物語の中で、広く大衆の心に訴えかけたのは死に対する自己決定権の問題だが、それ以上のものも含まれていた。自信と決意に満ちた戦士という表向きの顔の後ろには、支える人がほとんどおらず、別居中の夫とも実家の家族とも疎遠になっている孤独で不安な彼女がいたのだ。物語は幾重にも重なっていたのである。よくあることだが、最も大衆の目に触れていたのは、いちばん表面的な部分でもあったのだ。

伝記作家は、スー・ロドリゲスのことを「強い信念と強力な自我意識を持った女性である。常に自分の人生の主導権をにぎってきて、死についても主導権を持ちたいと願っていた」と思い込んでいる。しかし、他のすべてのＡＬＳ患者と同じように、彼女の場合も現実はもっと複雑だった。強い信念は必ずしも強力な自我意識の現れではない。多くの場合、その正反対なのだ。強固に抱かれた信念とは、心の奥底にある大きな穴を埋めるために自我意識を打ち立てたいという、その人の無意識の苦闘にすぎないのである。

根深い問題を抱えたスーの人間関係を見ると、彼女は一度も自分の人生の主導権を握ったことがないように思われる。彼女は本当の自分にふれることなく、いろいろな役割を演じてきた。法廷と大衆に問いかけた彼女の苦悩に満ちた言葉――「私の人生は誰のものですか？」――は、彼女の存在そのものについての問いかけだったのである。死への主導権を求めた闘いは彼女にとって最後の、そして最大の演技だった。裁判が開かれるころには「スー・ロドリゲスは急速に全国的に名を知られるようになった。彼女はその配役にするりとはまった。まるで彼女のそれまでの全人生はそのための準備だったかのように。いや、実際にそうだったのだ」と伝記作家リサ・ホッブス＝バーニーは書いている。

ＡＬＳと診断され絶望のさなかにあったとき、スー・ロドリゲスは自分の置かれた状況と、同じＡ

LS患者であるスティーヴン・ホーキングの、彼女の目から見れば恵まれている点とを比較せずにはいられなかった。ホッブス＝バーニーは書いている。「彼女は緩和ケアについてのパンフレットを渡されていた。そこには『愛する家族に囲まれた』患者や『豊かな内面生活』を送ることに喜びを見出している患者の例が載っていた。愛する家族って何よ？　と彼女は思った。豊かな内面生活ですって？　そんなものはスティーヴン・ホーキングみたいな天才に任せればいい。でも私はだめ、もしからだを動かすことができないのなら、私には人生なんてない」

現代のアインシュタインというホーキングの評価に疑問をさしはさむ科学通はいるにしても、彼の知性、アイディアの独創性、知的な大胆さについては誰も否定しないだろう。二〇歳の若さで言葉がわずかに不自由になりALSの最初の兆候が現れたとき以来、彼の生活と研究を支えてきた不屈の意志は世界中の人々から賞賛を浴びている。一九六三年に発症したとき、ホーキングは医師から長くてもあと二年の命だと告げられた。実際少なくとも一度は死にかけている。スイスへの旅の途中で、肺炎から昏睡状態に陥ったのだ。しかし発症から約四〇年たった今も、からだは麻痺して車椅子生活になり肉体的には完全に人の手に頼るしかなくなっても、彼は二冊目のベストセラーを出版している。休むことなく世界中を旅してまわり、自分の声では一言も話すことができなくても、講演の要請はひっきりなしである。科学の分野で多くの賞を受けてもいる。

例外はあるものの、ALSという病気の進行は予測しやすい。大部分の患者は発症後一〇年以内に死亡する。それよりずっと早く亡くなる人も多い。ALSらしき病気から回復する人もごく稀にいるが、この病気を抱えたままホーキングほど生き続け、仕事を続けるばかりか高いレベルでそれをこなしているのはきわめて異例のことである。彼はどうして医師の予測と残酷な統計的事実を裏切ることができたのだろう？

ホーキングの状態を、彼の生活をとりまく状況や人間関係と切り離し、特異な医学的現象としてとらえることはできない。彼が生き続けているのは、明らかに病気に負けまいという断固とした決意のあかしである。しかし私は同時に、スー・ロドリゲスが苦い思いで比較したふたりの違いも確かにあると思う。若きホーキングには、たいていのＡＬＳ患者にはない目に見えない強みがあった。からだの機能は破壊するが知性には影響しないというＡＬＳの特徴を考えれば、抽象的な思考を重ねるのが仕事の人間は「豊かな内面生活」を送るのに理想的な立場にある。ロッククライミングやマラソンをしていたスー・ロドリゲスやダンサーだったローラやジョアンと違って、ホーキングにとってからだの衰えは自分が選んだ生き方を損なうものではなかったのだ。それどころか、病気によっていっそう思考を深めることができたと言えるかもしれない。発病して肉体が衰弱する以前は、彼は素晴らしい知性を持ちながら確たる目標を持てずにいたのである。

ホーキングはもともと並外れた理解力と数学的能力を持ち、それに自信を持ってもいたが、自分の肉体を持て余しているようなところがあった。「彼はエキセントリックでぎこちなく、ガリガリにやせたチビだった」とマイケル・ホワイトとジョン・グリビンは彼らの著書『スティーヴン・ホーキング――天才科学者の光と影』に書いている。「制服はいつもくしゃくしゃで、友人たちによれば、父親ゆずりで少々舌がまわらず、明瞭に話すのではなく早口でぺちゃくちゃしゃべった（……）。クラスの変わりもの、からかわれたり、ときにはいじめられたりし、ひそかに尊敬している者もいるが、たいていの子からは敬遠される――彼はまさにそういった種類の人間だった」。彼はその才能を見抜いた者が抱いた期待を実現しそうには見えなかった。スティーヴン少年は、父親の満たされなかった野望を背負わされていたらしい。父親は自分では得られなかった教育と社会的地位を息子に手に入れさせようと固く決意していた。父親の目標のひとつは、イギリスでも名門といわれる私立学校のひとつに通わせることだった。一〇歳のスティーヴンは、ウェストミンスタースクールの奨学生試験を受けることになった。「しかし、試験の日に、スティーヴンは病気になった。彼は入試を受けることができず、結局、イギリスの最高学府のひとつに籍を置くことはできなかった」

もちろん、このタイミングの悪い病気はまったくの偶然だったと考えることもできるだろう。だが、これは子供が親からのプレッシャーに「ノー」と言うための唯一の方法だったと見ることもできる。ホーキングの家族はプライバシーを公にすることを好まないので、本当のところはわからない。私たちにわかっているのは、後に家を出て自由を手にしたホーキングが好んだのは、学問より社交だったということである。スティーヴンはちょっぴり怠惰で、少しばかり酒を飲み、授業や勉強をさぼるという、大学生なら珍しくもない消極的な反抗の姿勢を示した。そうこうするうちに彼の学究としてのキャリアは危うくなり、一時は公務員になることも考えた。彼がそのたぐいまれな知性を研究――宇宙の本質を解明し、アインシュタインの相対性理論と量子力学との理論的ギャップに橋渡しをするという研究――に注ぎ込むようになったのは、発症してからのことなのだ。病気のおかげで彼は他の科学者が課せられている教育や事務的な仕事の多くを免除された。先にあげた伝記によれば、「宇宙論における彼の大きな成功はこのように頭が自由に使えるようになったためだという見方もあれば、彼の才能が開花した転換点は発病したときであって、それ以前の彼は平均的なよくできる学生以上のものではなかった、という人たちもいる」のである。

　後者の意見は納得しにくいかもしれないが、ホーキング自身も何かに集中して努力しはじめたのは、病気になってからだと認めている。「私は（……）一生懸命やりはじめた。そんなことは生まれて初めてだった。驚いたことに、そうすることが自分でも好きなことがわかった。それを仕事とか勉強と言うのは適当ではないだろう。誰かが言っていたように『科学者と売春婦は自分の好きなことをやってお金をもらっている』というわけだ」

　娼婦の話はともかく、ホーキングが身体的には大きな制約を受けながらも、本当にやりたいことをとことん追求できる非常に恵まれた立場にあることは明らかである。

　もうひとつ、ホーキングにはあってスー・ロドリゲスにはなかった忘れてならない要素は、愛する人から無条件に与えられる精神的な支えと実質的な介護だ。ホーキングにそうした支援を与えてくれたのは妻――今は離婚してしまったが――のジェーン・ホーキングだった。彼女は心から、スティーヴンのために自分の人生を捧げる決意をしていた。だがそれは彼女にとっては大きな犠牲を払うことであり、やがて彼女はその犠牲の大きさを思い知ることになる。ふたりが出会ったのはスティーヴンがＡＬＳを発症する直前で、結婚したのは発症の直後だった。彼女はそれまでの自分の生き方のおかげで、献身的で無私な看護人になる心構えができていた。私はここでわざと無私という言葉を使った。ジェーンの中には独立した自我意識が育っていなかったのだ。だから彼女はスティーヴンの看護人、母親、守護天使としての役割と完全に一体化してしまった。「私は存在するための目的を見つけたかったのだ」と一九九三年に出版された手記『星の音楽 *Music to Move the Stars*』にジェーンは書いている。「そして彼の世話をするという道にそれを見つけたと思った」。はたしてその重荷に耐えられるだろうかと彼女が不安になったとき友人たちは、「彼があなたを必要としているのなら、やるべきよ」と言った。彼女は重荷を引き受けた。

若いふたりは対等な人間どうしとして結婚という関係を結んだのではなかった。ふたりはひとつに融合したのだ。からだも心も魂も一体となったのである。ジェーンが自分の人生を彼に捧げ、孤軍奮闘していなければ、スティーヴンはあれほど輝かしい成功をおさめることはもちろん、生きることさえできなかっただろう。「ジェーンの助けがなかったら、彼はまず間違いなく続けることはできなかった、あるいは続けようという意志を持つことができなかっただろう」とホーキングのふたりの伝記作家は書いている。

この関係は、ジェーンが自分を捨てた立場を受け容れ、精神的エネルギーの妻から夫への一方通行を受け容れている間だけ続くことができた。ふたりは愛し合っていたが、ジェーンは次第に燃え尽きたような気持ちになっていく。彼女は一九六五年、まだ婚約中だったスティーヴンのアパートへ行ったときのことを回想している。そのとき彼女は腕を骨折していた。「彼は私の秘書としての腕前を使って就職のための書類をタイプさせるつもりだった。私が部屋に入っていったとき、白いギプスをつけた左腕のふくらみをコートの上から見て、彼の顔が一瞬うろたえたのがわかった。その顔を見て、ほんの少しでいいからいたわりの言葉をかけてほしいという私の願いは打ち砕かれてしまった[*10]」

このエピソードはふたりの関係をよく物語っている。彼女はいつ何を頼んでも黙ってやってくれる母親または乳母の役割をになっており、彼女の奉仕は当然のこととしてあてにされ、それが得られなくなって初めて意識されるようなものだったのだ。彼女は夫とともに世界中を回ったが、それは数え切れないほどの困難と出会ってはそれを克服する毎日だった。そうした困難はずっと後になって彼が世界に名を知られるようになり、本を書いて多くの収入を得るようになってやっと――そのときでさえ部分的にだけ――避けられるようになったのである。彼女は個人としての自分が次第に消滅していくのを感じた。からからに干からびて、「ぽろぽろ割れるクッキーみたいに、乾いた貝殻みたいになって、独りぼっちで無防備に」なっていくのを感じた。自殺したいとまで思った。一方ホーキングのほうは、ひとりの人間として生きたいという彼女の奮闘を軽蔑のまなざしで見ていたが、やがては母親に見捨てられた子供のような怒りをあらわにするようになった。結局ホーキングの妻の座はひとりの看護師によって引き継がれた。その女性は彼と結婚するために前の夫と離婚したのである。ジェーンも新しい恋をしていた。結婚生活の終わり近く、離婚するまでの間ジェーンが最後までホーキングの世話が続けられたのは、その新しい恋のおかげだった。

仕事と妻からの惜しみない援助の他にも、ホーキングの寿命を延ばすのに一役買ったと思われることがある。病気によって彼の攻撃性が解放されたことだ。ほとんどのALS患者が示す「感じのよさ」は、その人が生来もっていた善良さや優しさ以上のものである。それは死に臨んで得られる感情である。それは強引な自己主張を強く抑制することで、普通のレベル以上に高まっている。

自分の境界を守るための自己主張は攻撃的ととられることもあるし、必要なら攻撃的であるべきだ。

自分の知性に対するホーキングの自信は、特に肉体的な衰えが始まった後は、そうした攻撃性が現れる下地となった。ジェーンは手記に書いている。「不思議なことに、彼の足取りが弱々しくなるにつれて、彼の学問的主張はより力強く、挑戦的になっていった」

今まで見てきた他のALS患者と同じように、ホーキングの性格も強い精神的抑圧という特徴を持っている。彼の育った家庭は、あけっぴろげの態度とか精神的な交流とかいうこととはまったく無縁だった。夕食の席で家族は誰も口をきかず、うつむいて何かを読んでいた。彼の育った家庭では、家族は事実上お互いに無関心で、それはちょっと変わっているというレベルを超えていた。つまり、両親は家庭というものに無関心だったのだ。伝記にはこう書いてある。「母イザベルも父フランクも家の状態についてはあまり気にしないようだった。カーペットや家具はぼろぼろになるまで使われた。古くなってはがれた壁紙がそのまま垂れ下がっていた。そして廊下やドアの後ろなどいたるところで、漆喰がはがれて壁に大きな穴が開いていた」

伝記作家のホワイトとグリビンは、スティーヴンの父親を冷たい人間だったと語り、「スティーヴンの青少年期を通じて、父のフランクは不在であることが多かった」と書いている。ジェーンの証言では、両親は「感情を表に出したり、口に出してほめたりすることは弱みを見せることであり、支配権を失うこと、自分たちの権威を否定することだと考えていた（……）。おかしなことだが、彼らは少しでも温かみを見せては恥だと思っているようだった」

スティーヴンとジェーンが結婚すると、家族はスティーヴンの介護から完全に手を引いた。ジェーンはそれを快く受け容れることはもちろん、彼らの気持ちを理解することもできなかった。ジェーンは夫の世話だけでなく、三人の子供の面倒もひとりで見なければならなかった。スティーヴンは自分の病気のせいで彼女が大変な苦労をしていることを認めようとせず、――彼女のほうもそういう夫の態度におとなしく従っていたので――、ジェーンには休息というものがなかった。ジェーンはこう回想している。「私は限界だった。でもスティーヴンは病気に少しでも譲歩するような提案に対しては、絶対に拒否した。受け容れていれば私や子供たちが少しは楽になるような申し出はいくつもあったのだが」。どんな問題があっても、スティーヴンはそれについて相談することを断固として拒んだ。そしてその結果生じてくるストレスは、ジェーンが黙って引き受けてくれるものと信じていた。「彼は感情に訴えるようなことを嫌った。そうした感情は、私の性格の重大な欠点、理性的でない点だとみなしていた」とジェーンは書いている。夫の家族に助けを求めようとしても相手の態度は冷たく、彼女の苦境を理解するどころか敵意さえ示された。一度など義母はジェーンにこんなことを言った。「あのね、あなたを心から好きだと思ったことは一度もありませんよ。あなたはうちの家風には合わないの」。これが、自分を犠牲にして息子に何十年も奉仕してくれた人間に対して言った言葉なのである。

この章を読んでALSは感情の抑圧によって起こる、あるいは少なくとも促進されるということがおわかりいただけただろうか? ALSは子供のころの感情的な孤立、あるいは感情の喪失に根ざしているということが。一般に――必ずとは言えないにしても――何かに駆り立てられているような生活を送っている人が、そして周囲から「いい人」と評価されている人が、この病気にかかりやすいということが。心身複合体に関する理解がさらに深まるまではこれは魅力的な仮説にすぎないわけだが、反駁するにはそれなりの例外を見つけてくる必要があるだろう。これほどの数の心身のつながりを示す実例を、単なる偶然の一致とみなすのはあまりにも強引な主張と言わざるを得ない。

心身相関的な視点は、ALSにかかりながらも非常につらい現実をひるまずに直視しようとする人々を、助けることができるかもしれない。わずかではあるが、ALSと診断されながらもその症状を克服しているように思われる人はいる。そうした例を調査して理由を知るのは大いに価値のあることだろう。クリスティアーヌ・ノースラップ博士はその著書『女性のからだ、女性の知恵 *Women's Bodies, Women's Wisdom*』でひとつの例を報告している。

研究者であり看護師の資格も持つ私の友人ドナ・ジョンソンは、自分のからだのあらゆる面を尊重することで、なんとルー・ゲーリック病を克服した。

発症して数年後、彼女はからだの他の部分だけでなく、呼吸筋まで衰えてきた。呼吸が困難になってきたことで、彼女は死が近いことを悟った。しかし彼女はそのとき、せめて死ぬまでに一度くらいは自分を無条件に愛したいと考えたのだ。自分のことを「車椅子に乗ったふにゃふにゃのゼリー」みたいと言いながらも、彼女は毎日一五分間鏡の前に座り、毎日自分のからだの一箇所を選んではそこを愛するということを続けた。まず両手から始めた。それだけは、彼女が本当に無条件でほめてやることのできる部分だったからだ。そして毎日、違う部分に進んでいった（……）。

彼女はそれと並行して、自分がその過程で考えたことを記事としてある雑誌に寄稿した。そして子供のころから、人の役に立ち、人に受け容れられ、価値のある人間になるために、自分の望みは犠牲にしなければならないと信じてきたことに気づいた。命を脅かすほどの病気になってやっと、彼女は自己犠牲による奉仕の行き着く先は死の袋小路だということを学んだのだ。*11

ノースラップ博士によれば、毎日意識的に自分を見つめ、自分を愛することで、からだのそれぞれの部分が少しずつ「解凍」されていき、治癒したのだという。これを読んだのが医学部を卒業したてのころだったら、私は深く考えずに忘れてしまったことだろう。今でも、私の中にいる科学的な教育を受けた医師の私は、この実例のALSという診断は間違いなかったというはっきりした証拠を見せてほしいとまず考える。緩和ケア病棟にいるとき、「介護者の休息のための一時的入院」をしてきた患者がいた。彼女は自分にも友人たちにもALSにかかっていると言い張っていたが、電気診断テストや神経学的検査を何度行なっても結果は完全に正常と出ていた。彼女の友人たちは、あなた方が根気強く世話をしている病人は、厳密な医学的見地から見れば、あなたたちとまったく同じぐらい健康なのだ、と私が言ってもまるで信じようとしなかった。

今の私は、ノースラップ博士の報告が信じられないとは思わない。博士の報告は、ALSについて私が理解したことと一致している。本章のはじめにあげた小学校教諭アレクサの話の中で、夫のピーターがどうしてもALSの診断を受け容れようとしなかったことは興味深い。おそらく、そのあたりに何かがあるのではないだろうか。心理学者のノイフェルト博士は一度だけ、夫抜きでアレクサと二人きりの面談をしたことがあった。それについて博士はこう書いている。「彼女は明らかに感情を縛りつけられ、生命力を失っていた。ピーターがいない間に二時間の面談をしたのだが、彼女はそこで自分の人生と病気について激しい悲しみをあらわにした。それは彼女に大きな変化をもたらした。面談の直後に彼女をみた理学療法士は、筋肉の状態が非常に改善されているといって驚いていた。しかし二人きりで会うことはもう二度とできなかった。彼女をそのときのような状態にすることは二度とできなかった。窓は閉じてしまったのだ」

第5章　もっといい子になりたい

ミシェルは七年の間、乳房にしこりがあるのを感じていた。それは周期的に大きくなったり小さくなったりしていたが、彼女も彼女のかかりつけの医師も気にしていなかった。「ところが突然、それが固くなって熱を持ち、ほとんど一晩のうちにとても大きくなったんです」とバンクーバーに住む三九歳の彼女は言った。生検の結果は悪性腫瘍と出た。ミシェルは原因に心当たりがあった。ストレスである。「猛烈にショックな事件の後のことなんです、しこりに変化があったのは。仕事をやめて、収入がなくなって（……）当時の精神状態はひどいものでした。いろいろなことが一度に起こってきました。経済的なことだけでなく」。ミシェルは乳がんの摘出手術を受け、リンパ節には転移していなかったと聞いて一安心した。手術に続いて化学療法と放射線治療が行なわれたが、がんになる前にどんな精神的ストレスがあったのか、人生に今も未解決の問題があるかと彼女に訊いた医師はいなかった。

乳がん患者の多くは、担当の医師は個人としての彼女たちや、彼女たち患者の置かれた社会的、精神的な環境について積極的な関心を示すことはなかったと報告している。そうした要素は、乳がんの発生にも治療にも大した役割を果たすことはないと考えられているのだ。心理学的調査による理解が浅いものにとどまっていることも、そうした態度に一役買っている。

『ブリティッシュ・メディカル・ジャーナル』に掲載されたある記事は、離婚や近親者の死のようなつらい体験ががんの再発の原因になるかどうかを調べるために、乳がんにかかった二〇〇人以上の女性を対象に五年間行なった調査の結果を報告している。論文の筆者たちは「乳がんにかかった女性は、ストレスを与える出来事ががんの再発を招くことを恐れる必要はない」と結論している。[*1] トロント大学教授で、〝ユニヴァーシティ・ヘルス・ネットワーク〟の女性問題委員長でもあるドナ・ステュアート博士は、この調査結果は「納得できる」とコメントしている。

ステュアート博士は二〇〇一年刊行の『サイコオンコロジー（精神腫瘍学）』誌に掲載されたある論文の筆頭筆者である。この調査では乳がんの病歴を持つ四〇〇人近い女性に、あなたのがんの原因は何だったと思うかとたずねている。四二パーセントはストレスと答えた——食生活、環境、遺伝子、ライフスタイルなどの要因よりもはるかに高い率である。[*2] これに対し博士は、「これは社会全般の風潮を反映したものと考えられる。人々は何でもストレスが原因だと思う。しかしストレスが原因だという証拠は比較的少ない。むしろホルモンと遺伝の影響を裏づける証拠が多い」と述べている。

それでも、自分の乳がんとストレスとの強い因果関係を疑っているミシェルやその他の多くの女性の考えを支持する科学的、臨床的な見解もある。がんの中でも、乳がんほど発病と精神的な影響について詳しく研究されているものは他にない。これまでに動物実験や人間の臨床例から多くの証拠が得られており、感情的なストレスが乳がんの原因のひとつだという患者たちの印象を裏づけている。

トロント大学の研究者たちが断言しているのとは反対に、「遺伝の影響を裏づける」証拠はそれほど多くはない。遺伝的に乳がんにかかるリスクの高い女性はそれほど多くなく、遺伝が原因で実際に乳がんにかかる女性は少数派——患者全体の約七パーセント——にすぎない。遺伝的素因を持つ人であっても、環境的な要素が影響しているはずである。というのは、乳がんに関係するとみなされている三つの遺伝子のうちのひとつを持っている人でも全員が実際にがんになるわけではないからだ。男性でも女性でも、乳がんにかかった人の大多数で遺伝はほとんどあるいはまったく関係していない。

そもそも、ホルモンと感情は互いに無関係であると考えること自体が不自然なのだ。ホルモンが悪性腫瘍の促進あるいは抑制に積極的な作用をすることは明らかな事実だが、そのホルモンの作用がストレスと無関係だと考えるのは事実に反している。実際、感情がどのように生物学的な影響を及ぼしてがんを発生させるかと言えば、それはもっぱらホルモンの作用を介してなのである。ある種のホルモン——たとえばエストロゲン（卵胞ホルモン）——はがんの成長を促進し、また別のホルモンはがん細胞を破壊する免疫系の働きを弱めることで、がんの成長を助けている。

ホルモンの産生には精神的なストレスの影響が強く作用する。女性は昔から感情的なストレスが卵巣の機能と月経周期に影響を与えることを——過度のストレスを受ければ月経が止まってしまうことも——知っていた。

人間のホルモン系は、感情を経験し処理する脳の中枢と複雑につながりあっている。さらに種々のホルモン分泌器官と脳の感情中枢は、免疫系および神経系とつながっている。これらは四つの別個のシステムではなく、ひとつのユニットとして働くスーパーシステムであり、全体として外部からの侵入物や体内の生理的状態の混乱からからだを守る機能を果たしているのである。どんなストレス刺激も、慢性的であろうと急性のものであろうと、このスーパーシステムのどれかひとつにだけ作用することはあり得ない。ひとつに起こったことは全体に影響するのである。このスーパーシステムの働きについては、第7章で詳しく見ることにする。

感情は免疫系にも直接作用する。アメリカがん研究所の研究では、怒りを正直にぶつけ、闘争心を持ち、社会的支援を多く受けている乳がん患者では、ナチュラルキラー（ＮＫ）細胞——前にも出てきた重要な働きをする免疫細胞のひとつ——がより活発に活動していることが明らかにされている。ＮＫ細胞はガン細胞を攻撃して破壊することができる。したがってそういう患者は、あまり自己主張しない人や周囲からの援助が少ない人と比べて、がんが拡大する率が著しく低くなる。この研究によれば、生存のためには感情的要因や社会とのつながりのほうが、病気自体の重さよりも大きな役割を果たすということである。*3

多くの——たとえば『ブリティッシュ・メディカル・ジャーナル』で報告されていたような——論文は、ストレスは外部からの刺激だけではなく個人の反応のしかたの問題でもあるということを見逃している。ストレスは、現実の生活において現実の人間に生ずるものだ。現実の人間は、それぞれ生まれもった気質、生育歴、感情のパターン、肉体的および精神的な力、受けられる社会的、経済的支援などが大きく異なっている。第3章で指摘したように、万人共通のストレス要因などというものはないのである。

乳がんのケースで言えば、ほとんどのストレスは表面に出てこない慢性的なものである。それは子供時代の経験や、幼いころ植えつけられた感情パターン、あるいは無意識的な対処のしかたから生じている。そうしたものが長い間に積もりつもって、その人を病気にかかりやすくするのだ。

ミシェルはアルコール依存症の両親の下で育った。彼女は今では、がんになったのは自分の生き方を決定づけた幼いころの体験と関係があると信じている。彼女は無意識のうちに、自分が背負うストレスを増やすような生き方を何年も続けてきた——たとえば自分の欲求よりも他者の気持ちを優先するというような。彼女はこう言っている。「私はずっと自分を見失っていました。私のがんはそのことと関係があると思うんです（……）。両親は彼らなりに精一杯私たちを愛してくれていたと思うし、そう信じていますが、ふたりともアルコール依存症だったし今もそうだから、親子関係も家庭環境もとても複雑でした。愛はあっても、態度で示してくれないんです」

子供時代に両親と精神的に断絶していたとか、そうでなくても成長過程で何らかの不安を抱えていた人、感情とくに怒りを抑圧する傾向のある人、大人になってから周囲に助けてくれるような人間関係がない人、利他的で人の面倒を見るのが義務だと感じるような人——このような女性が乳がんにかかりやすいということは、もう何十年も前から研究者の間で言われてきた。病院へ乳がんの生検を受けに来た患者を対象に検査結果が出る前に心理学者が聞き取り調査をするという研究があった。ここにあげたような心理的要因だけをたよりに検査結果を予測したところ、九四パーセントの確率で本当にがんにかかっている人を当てることができたということだ。[*4] これに類似した研究はドイツでも行なわれている。乳がんにかかった四〇人の女性と、同じ年頃でそれまでの健康状態やライフスタイルも似通っているががんではない四〇人の女性からなる対照群に対して、同じような聞き取り調査をしたのである。ここでも、研究者たちは九六パーセントの確率でがん患者とそうでない人たちとを区別できたということである。[*5]

メルヴィン・クルーは男なのに乳がんと診断されて最初は呆然とした（クルー氏はすでに男性の乳がん患者としてマスコミにとりあげられている。したがって他の女性患者のように実名を伏せる必要はないと判断した）。しかし「ただ手をこまねいて病気をのさばらせるのは無意味だ」と考えた。乳房切除と化学療法と放射線治療を終えて数年過ぎた今、彼はそれを冗談のたねにしている。「少なくとも転んだときに仰向けにひっくり返る心配はないよ。おっぱいは一個しかないからね」と言って。〔訳註・仰向けにひっくり返ることを go tits up ＝ふたつのおっぱいを上にする、という〕

クルーは一九九四年、五一歳のときにがんになったが、その直前に非常に大きなストレスを感じた時期があった。どんなことかと言えば、漁業に関する法律違反をめぐってのいざこざとそれに伴う社会的な恥辱、職場での不面目な思いと雇い主からの大きなプレッシャーなどである。彼は他の一〇人の同僚とともにボートに乗っていて、魚を三匹釣り上げた。その件で水産庁の役人が家に事情聴取にやってきたので、彼は供述に応じたのだ。

「他の二人と私が矢面に立つことになりました。残りの連中はやってないと言ったようです。新聞に名前を書き立てられて、家族にも恥ずかしい思いをさせました。〝沿岸警備隊員が違法な釣りの罪に問われた〟とかなんとか書かれました。それから、今度は別の警備船に乗り組むことになって行ったら、他の隊員からは質問責めだし、さんざんからかわれました（……）。仕事の仲間はみんな、やってないって言えばよかったんだと言いました」

メルヴィン・クルーはつねづね自分の誠実さに誇りを持っていただけに、なおさらこうした心理的プレッシャーはこたえた。「仕事仲間の中には、おまえさんはこの仕事をまじめに考えすぎてると言った奴もいます。みんな、私はもっと気楽に構えたほうがいいと思っているんです」

「他の人がやるべき仕事までやっていると感じたことはないですか？」と私はたずねた。

「ありますよ。つい人の分までやってしまうんです。そういう性格なんでしょうね。いい加減な奴だと思われたくないんです」

「他の人が自分の仕事をきちんとしないとき、それをかわりにやるのはひとつの解決法ですね。でも、それを怒るという方法もあるでしょう」

「怒れば状況がさらに悪化するだけですよ。まじめに働く人間もいれば、言われたことだけ適当にやる人間もいる。ときには本当に腹が立つこともありますよ。でもそれを表に出してしまったら、職場のごたごたが増えるだけですから」

子供時代の話を聞いて、メルヴィンが良心的すぎるほど良心的な理由がわかった。

「愛情あふれる家庭でしたか？」

「もちろん。父は姉と私を誇りに思っていました。今の私たちにもね。姉は教師で、父はエンジニアでした。私も父のあとを継ごうと思っていました。エンジニアの資格をとって、航空エンジニアになったときには父は本当に喜んだものです」

「温かさや愛情は、何を成し遂げたかという結果とは関係ないんですよ。そういうこととは関係なく、ただそこにあるものなんです。ただ両親と子供の心がつながっていさえすれば。でもあなたが答えたのは成果についての話だった。どうしてなんでしょうね？」

「それは、父がいつも私たちを誇りに思っていたからでしょう」

「お母さんはどうでしたか？　お母さんからはどういう愛情を与えられましたか？」

「あまり愛情を表に出す人ではありませんでした。私たちは両親を愛していた。それに両親は確かに私たちを立派に育ててくれた。いい家庭だったと思います」


乳がん患者のうち男性は約一パーセントである。感情面で見ると、彼らは女性の患者と同じような育ち方をしている。トロントの警察官デイヴィッド・イーンドルは四回もがんにかかった。腎臓がん、乳がんそして膀胱がんが二回である。彼の少年時代も温かみに欠けるものだった。一九三六年生まれのデイヴィッドは、第二次世界大戦が始まったとき三歳だった。そして一九四〇年に妹が生まれた。

「父は倉庫係、母はキャドベリー・チョコレートで働いていました（……）。戦争の最中に育って、じつはあまり両親の顔を見ることはなかったんです。母は昼間いなかったから、私と妹は母が帰って来るまでふたりだけでなんとか過ごしていました」

「小さい子供のあなたが、妹さんの面倒を見ていたということですね」

「そうです」

デイヴィッドによれば、両親の結婚は不幸だった。「両親は愛し合ってはいませんでした。それぞれ勝手に好きなことをやっていました。父はほとんど毎晩友だちとビリヤードをやりに出かけていたな。私は母のことはあまり尊敬していませんでした。母はいつも私ができる以上のことを期待していました。私はあまり勉強ができるほうじゃなくてね。母はいつも、本当の自分は今の自分以上の人間なんだと思い込んでいました。母は労働者階級の人間です。家族はみんなそうです。だけど母は人に、うちの家族はもっといい暮らしをしているように思わせていた。みんなそれに合わせなくてはなりませんでした」

「子供のころ腹が立ったり、わかってもらえないと感じたり、気持ちが混乱したりしたときは、それを誰に話しましたか？」

「実際には自分の胸にしまっておきました。そんなとき父はいつもそばにいなかったし、母とはそういう話をしたくなかったから。だって彼女の口癖は『おまえったら、馬鹿だね』だったんです。両親に怒りを表わしたことは一度もありません。なぜかはわからないけどそうでした。だから、自分の中にたくさんの怒りをため込んでいたわけです」

「怒りを過度に抑圧すること」は、イギリスで一九七四年に行なわれた研究では乳がん患者に最も多く見られる特徴だった。この研究者たちは、乳がんの生検のために入院した一六〇人の女性を調査している。対象となった女性は全員、心理学者による詳細なインタビューを受け、さらに書き込み式の調査票をわたされた。確実を期すため、配偶者かその他の家族にも別途インタビューが行なわれた。

心理学的調査は生検の結果が出る前に行なわれたので、患者の女性もインタビューをした研究者も診断結果は知らないままだった。「調査の結果としては、乳がんであるという診断と特定の行動パターンとの関連性が大きいことがわかった。それは大人になってからも続いている感情の表出のしかたの異常さである。ほとんどの場合、この異常さとは怒りを過度に抑圧することであり、四〇歳以上の患者の場合にはそれ以外の感情の過度の抑圧が見られた」[*6]

一九五二年に行なわれた乳がんの女性たちの精神分析でも、同じような結論が出ている。その女性たちは「怒り、攻撃性、敵意を放出したり、それらに適切に対処することができない（そうした感情は「感じのよさ」という仮面の下に隠されている）」ことがわかったのだ。研究者たちは、この患者たちの解消されていない葛藤は「否認と非現実的で自己犠牲的な行動」の形で現れると感じた。[*7]

アメリカがん研究所のサンドラ・レヴィ博士のグループが、乳がん患者におけるナチュラルキラー（NK）細胞の活動と感情の対処パターンとの関係を調べるために行なった研究は、「怒りの抑圧および受動的でストイックな反応のしかたは、生物学的なリスクにつながるように思われる」と結論している。[*8]

怒りの抑圧は、それによって生理学的ストレスにさらされる度合いが高まるという現実的な理由で、がんのリスクを高める。自分が侵害されていると認識できない、あるいは侵害されていると気づいても自分を強く主張できないと、その人はストレスがもたらすダメージをくり返し受けることになるだろう。第３章に、ストレスとはその人が直接気づいているかどうかにかかわらず、肉体的または精神的な脅威を受けた際の生理的反応であると書いたことを思い出してほしい。

「確かに私は、私の知っているがん患者の誰もが抱く最初の疑問、『私が何をしたと言うの？　どうして私なの？　私が何か悪いことをした？』という疑問に苦しんでいます。私が乳がんになるはずないんです。子供たちには二一カ月になるまで母乳を与えました。煙草は若いときに少し吸っただけ。お酒を飲み過ぎることもない。運動もしている。食べ物では脂肪をとりすぎないようにしている。私にこんなことが起こるわけありません」。こう話しているのはアンナ。子供が三人いて、八年前にあやしいしこりが発見されたときには四〇代なかばだった。アンナは三つの乳がん遺伝子のうちのひとつを持っている。

遺伝ががんの要因であるわずかな症例においても、遺伝だけでは誰が乳がんになって誰がならないかを説明することはできない。ＤＮＡ検査によれば、アンナは父親からがん遺伝子を引き継いでいるが、同じ遺伝子を持ち彼女より年上の他の親族は、誰も乳がんにかかっていない。アンナは自分ががんになったのにはストレスが関係していると信じている。ビジネスマンだった最初の夫は、結婚している間ずっと彼女を精神的に虐待していた。離婚するころには、肉体的な虐待もあった。「誰かにどうしてがんになったのと訊かれたら、あの結婚生活で自分がこんなにめちゃめちゃにされるまで我慢していたせいよと答えます。何度も自殺の一歩手前までいって（……）」

「私には自尊心が足りませんでした。私がもっといい子になったら、あなたは私をもっと愛してくれる？　という感じだったんです。私は母と結婚したようなものです。彼は私の母とまったく同じタイプでした。いくらいい子にしてもまだ足りない。振り返ってみれば、どうしてあんな結婚を続けていられたのかと思います。セラピストのところでは、そのことでずいぶん泣きました。自分の魂にどうしてあんなことができたんでしょう。私は自分の魂を傷つけていた。私は私である核を傷つけたんです。それに、からだも傷つけてしまった。

しまいには、私の世界の中に私がほとんどいないような気がしてきました。うつ病と不安症と不眠症とあちこちの痛みと腸の病気のために、一日八種類の薬を飲んでいました。死ぬか逃げ出すかでした。そこまで追い込まれてやっと私の自己防衛本能が働いた。だから逃げ出したわけです」

アンナは一九五二年の乳がん患者の精神分析を行なった論文にあげられた「非現実的で自己犠牲的な行動」というパターンにぴたりとあてはまる。彼女は四人きょうだいだが、八〇代になった父親の面倒をみているのは彼女だけである。

「父を放ってはおけません。彼が困っていると、どうしよう、とあわててしまうんです。父が電話してきて『寂しいよ——今日はどこも行くところがないし、何もすることがないんだ』なんて言ったら胸が痛くなるわ。妹は、本当に嫌な女なんだけど、『そんなの父さんの問題でしょ。そうなったのも自分のせいじゃないの』って言うのよ。

一年半前に、私たちと父との間でとんだ騒ぎがありました。ひと月だけ介護施設に入ってくれと私が頼んだんです。父は入院していて、私は毎日、朝から晩まで付き添って、何時間も何時間も病室に座っていました。父が退院するころには、私はもうノイローゼ状態だったんです。そうしてわたしはがんというカードを引き当てた。これが最後の切り札だと思って、わたしはソーシャルワーカーの人たちといっしょになって父にこう言いました。『ねえ、パパ、私はがんになってしまって、自分のことで精一杯なの。今みたいにパパの世話を続けることはできないのよ。お願いだから（このころにはもう私は泣いていました、家族の中でいちばん泣き虫なんです）ひと月だけここにいて』って。父の返事はこうでした。『嫌だよ、なんでそんなことしなくちゃいけないんだ？　そんなことしたくないよ』

ソーシャルワーカーの人と介護プログラムのリーダーの人が父に、『Wさん、介護施設に入りたいと思って入る人はいません。娘さんのために入ってあげてくれませんか？　見てごらんなさい、娘さんが泣いてます。本当につらいんです。彼女には旦那さんと過ごす時間だって必要なんですよ。彼女にも休息が必要なんです』と話してくれましたが、父は、『嫌だ、なんでそんなことしなくちゃいけないんだ？』の一点張り。

両方の乳房の切除手術を受けたあと、私は弟や妹たちにしばらく父の面倒をみてくれないかと頼みました。『二、三カ月は父さんに夕飯に来てもらうわけにはいかないの。体力が回復するまで』と言って。でも一〇日もしないうちに父は私の家へ夕飯を食べに来たんです。弟も妹もだれも父の面倒をみないから。しかも、私にはなんの挨拶もなしで」

「あなたがお父さんにしているのは母親の役割ですよ。だからこそ、あなたが何をしても、当然のことと見られてしまうんです。母親に何かしてもらうのは当たり前と思われていますからね。母親というのは世界のようなもの――ただそこに存在して、与えてくれるものだと思われているんです」

「そのとおりですね。弟も同じ――私は弟の母親役でもあるんです。弟から電話がかかってくると、うちの子供たちはこう言うんですよ。『ドン叔父さん、また何か困ったことがあるんだね』って。彼はうつ病なんです。女性関係で、人様にはちょっと信じてもらえないようなゴタゴタがあって……。何か問題が起こるといつもここに来るんです。なのに私が電話しても何カ月もかけなおしてこない。よけいなことは聞きたくないんですって。

一度だけ弟がここに来たことがありました。乳がんになって、化学療法が終わった一年半ぐらいあとのことです。私は彼と座っていた。そのとき私は生まれて初めて、本当に望んでいることをはっきり口にしました。『ドン、あなたに頼みたいことがあるの。私ががんクリニックへ検査に行ったら、どうだった？　って訊いてほしいのよ。私にとってそれはとても大事なことなの。私が病院へ行ったときには、どうだった？　って訊いてね』って。弟は椅子にゆったり座りなおして、おもむろに、『僕も聞いてほしいことがあるんだ』と言いました。そして長々と、今つきあってる女の子との別れ話について話し始めたんです。私は黙って座ったまま、ああ、この子は何にもわかっていないんだ、と思いました。そう、あなたのおっしゃるとおりです――自分はママなんだとどこかで自覚していたのね」

アンナはいつも母親に見捨てられているような気がしたと言う。母親はアンナの姉を可愛がっていた。「私にはママはいなかった。ママは私に関心がなかった。そもそも私を好きじゃなかった。だから私は、どうしても父まで失うわけにはいかなかったんです。子供はけっこう賢いから、せめてどちらかひとりは親が必要だということがわかっています。でも父の愛し方は間違っていた」。思春期以後、アンナは父親が露骨に性的な目で自分を、特に胸を見ていることに気づいたのだ。

「彼から何かを感じていたんでしょう。そのことは、カウンセリングを受けるまでずっと自分の中で否定してきたけど。私の知るかぎり、父は何も変なことはしてはいないけれど、でもしたがっていた。そう見えました（……）一一歳か一二歳の女の子にとっては嫌らしかった（……）私は男性のすることに過敏になりました。ささいなことにも——でも女の子としては、父親がそういう気持ちを抱いているなんて、そう簡単には信じられないものです。本当はそうじゃないんだと自分に言い聞かせるために、一生懸命他の理由をこじつけようとするものです。でも私の姉は——けっしてTシャツ姿で父の前に出てくることはありませんでした。

私が両方の乳房を摘出したことを知らないのは、たぶん父だけでしょう。父には話してないんです。他の人も彼には話さないでしょうね。父は私ががんの手術をしたことは知っています。スティーヴ（アンナのふたり目の夫）に『何か胸に関係のある手術なのかい？』と訊いたけど、夫は、『そう、前から悪かったところのね』と答えただけ。父は私には何も言わなかった。化学療法を受けていたときも、父は何もわかっていないから、平気でひどいことを言いました。うちの玄関先で、『かつらをかぶれよ、格好が悪いぞ』なんて言われました。私は、『あのねえ、私はものすごく調子が悪いの。誰かが玄関に来たから、やっとの思いでベッドから這い出してきたの』と言いました。もっとも、こんなおとなしい言い方ではなく、ヒステリックに怒鳴ったんですけどね。

最近、父を家まで車で送ったとき、父が『聞いてほしいことがあるんだ。おまえに話すようなことじゃないんだが、他に聞いてくれる人間がいないんでね』と言って、こんな話を始めたんです。『ガールフレンドがセックスしてくれないんだ』って。父は八二歳なんですよ。『男には欲求があるんだ』ですって。そのことはずいぶん前に言われたことがあります。父ははっきり言いました——妻は夫が求めたら絶対にノーと言ってはいけない、もしそんなことをするなら、夫は別の場所でセックスをする権利があるんだ、って。セックスの相手をするのは妻の義務だって。そして今、父はセックスしたいのにガールフレンドはしたがらない、だけど彼には欲求がある、だからどうしたらいい？　と私に相談をもちかけている。で、私はじっと座って考えている。こんなの、絶対にあってはならないことです――こんな話、娘にするべきものじゃないでしょ」

「確かにそうですが、でも……『そんな話は聞きたくないわ、パパ』と言うこともできましたね」

「でも、そうしたら父は恥ずかしい思いをするでしょう。途方にくれて、何か悪いことをしたのかと不安がるでしょう。父にそんな思いをさせないのが私の務めなんです。

どの時点で『私は嫌だ』と言えばいいんでしょう？　どんな場合でも、私はそう言うことに違和感を持ってしまいます。人に嘘をつくことはあるし、電話を無視することもあります。『チベットに引っ越すからそれには参加できません』と言うことだってできる――何でもできるけど、『私は嫌だ』と言うことだけはできないんです。だから、うまい嘘が思いつけないときは何でも全部引き受けてしまう」

長い間、驚くほど多くの研究者が、子供時代の体験と大人になってからのストレスとの間に明白なつながりがあることを見逃してきた。故意に見逃してきたのかと疑ってしまうほどである。子供時代につらい経験をした人が、大人になってからも他の人より過酷な経験をするとは限らない。しかし、子供時代につらい経験をした人は、そのせいで問題の処理能力を損なわれている可能性がある。ストレスは何も下地のないところには発生しない。外部からの同じ刺激でも、それから受ける生理的影響は人によって大きく違ってくる。家族の一員の死という出来事も、感情が安定し周囲に頼りになる人がいる場合と、孤独で子供時代に植えつけられた慢性的な罪悪感に――セラピーを受ける前のアンナのように――苦しんでいる人の場合とでは、受けとり方がまったく違うだろう。

乳がん患者への自己記入式アンケートに子供時代の体験を正直に書きそうもないのは、アメリカのフォード元大統領夫人のベティ・フォードである。ミセス・フォードはその自伝『依存症から回復した大統領夫人』（邦訳、大和書房）で、自分がアルコール依存症だったこと、夫や子供たちの協力でそこから立ち直ったことを赤裸々に告白している。自分が経験した乳がんとその治療についても率直に語っている。しかし、彼女の自伝を読むかぎり、子供時代についてはまだバラ色の眼鏡を通して見ているようである。彼女は親とは幸福な関係で結ばれていたと信じたいがために、自分の本当の感情を抑圧する典型的なタイプである。

ベティ・フォードは礼儀正しいが大きな野望を抱く政治家と結婚し、夫のキャリアのために生涯をささげたが、その結婚生活は感情的には満たされないものだった。「たぶん、夫に酒を飲むようすすめたのは私だと思う。彼はとても内気で、愛してるよ、という言葉すらなかなか口に出せないほどだった。プロポーズの言葉からして、『あなたと結婚したいと思うのですが』だった」。彼女は長い間、明らかにストレスが関係すると思われる腰痛に悩まされ、「変形性関節症」と診断されて鎮痛薬と精神安定薬を処方されていた。また肉体的、精神的苦痛を忘れるために、かなりの量の酒を飲んでいた。彼女はみずからを評して、自分に自信がもてず自己主張することができなかったと語っている。

ジェリーが重要な地位を占めるようになればなるほど、私の重要性はなくなっていくような気がした。そして自分が黙って人の言いなりになっている――子供たちにとって私はそういう存在だった——ことで、いっそう自分がみじめになるのだった。私だって昔はひとかどの人間だったはずなのにと。

心の奥底では、自分が大した人間だと信じていたわけではないと思う。マーサ・グレアムのもとでダンサーをしていた私は、大スターにはなれなかった——踊りの才能はあったが、それほど偉大なダンサーではなかった——からいつも自信を持てないでいた。

ありのままの私そのものを好いてくれる人がいるとは信じられなかった。それに大学の学位がないことも引け目に思っていた（……）。

大学を出ていない。アンナ・パヴロワほどのダンサーにはなれない。女性として母の足元にもおよばない。私はとても手の届かない理想——マーサ・グレアムや私の母——と自分とを見比べて劣等感を抱いていた。アルコール依存症になるにはうってつけではないか。

母はすばらしい女性だった。強くて優しくて一本筋が通っており、けっして私を強くしかることはなかった。彼女は完璧主義者でもあって、私たち子供を完璧な人間に育てようとした。私たちに悩みを打ち明けるようなことは絶対にせず、全部自分で背負い込んだ。彼女は私の最高の目標だった。だから自分の問題を自分で背負いきれなくなったとき、私は自尊心を失ってしまった。どんなにがんばっても、私は私の理想を満たすことができなかったのだ。[*9]

元ファーストレディはこの打ち明け話の中で、あることに触れるのを避けているようだ。それは、子供時代の体験や母親との関係、それにここではほとんど語られていない父親との関係が、彼女の性格や問題処理のパターンをどう形づくったかということである。彼女は、夫の希望や要求のために自分を捨て、黙って人の言いなりになる人間になったことを、子供のころに植えつけられた性格や処理パターンのせいだとは考えていない。ベティ・フォードが子供時代に、彼女自身のせいではないのに身につけてしまった感情の抑圧、厳しすぎる自己評価、完璧主義は「アルコール依存症になるにはうってつけ」どころではない。乳がんになるにも「うってつけ」だったのである。

第6章 ママ、あなたも「がん」の一部なのよ

ベティ・クラウチックは二冊目の手記『私をしっかり閉じ込めて。さもなければ放っておいて *Lock Me Up or Let Me Go*』で、彼女の二七歳の娘バーバラ＝エレンの乳がんによる死についてこう書いている。

私が最後に偏頭痛に襲われたのは三年ほど前、緩和ケア病棟で娘の担当医師に、お嬢さんにもう死んでもいいと言ってあげてください、と言われたときだった。

「お嬢さんはあなたの許可を欲しがっているのです」と医師はやさしく言った。私たちはそのとき、私のような人間のために特に用意された個室にいた。この世でいちばんみじめな人間のための部屋。

「とんでもない！」と私は医師に叫んだ。彼の言葉はショッキングで、私は我を忘れていた。「死

ぬ許可なんてするもんですか。絶対に許さないわ……」

私はそれだけ言うと泣きくずれ、激しくすすり泣いた。医師は辛抱強く待っていた。彼はこういう反応には慣れていた。これが彼の仕事なのだ。

「クラウチックさん、バーバラ＝エレンの苦しみが刻一刻とひどくなっていることはおわかりですね」

「苦しんでなんかいません！　ただ不安なんです。あの子は姉妹たちとも、父親とも今朝話をしました。昨日だってお友達と会ったし、自分の坊やに話しかけて抱きしめた……」

「それは彼女からの贈り物なんですよ、大切な人たちへの。みんなとお別れをするためなんです。もうお別れをしたいんですよ。あなたに、もういいと言って欲しいのです……」

「お願いだから、そんなことを言わないで！　あなたはいったい何様なの？　神様だとでも？　どうして彼女はもう死ぬと言い切れるんですか？」

そして私は哀願した。「お願い、あと二、三日ください。もう一度点滴を入れて……」

「彼女はそれを望んでいないのです。お母さんはもっと強くなって、お嬢さんが今望んでいるものを与えてあげなくてはいけません。彼女は逝くのにあなたの助けが必要なのです。お嬢さんを助けるために今あなたができるのは逝かせてあげることだけです」

頭痛がひどくて、バーバラ＝エレンより私のほうが先に死んでしまうのではないかと思った。でも私は死ななかった（……）。翌日の晩までに私は（……）、「病気でいることに疲れてしまったから逝きたいと言うのなら、もう止めたりしません」と娘に言うだけの力を取り戻していた。娘は私の手を握り、これから行くところがどんな場所かはわからないけどとにかくそこでお母さんを待っているから、と言った。彼女はその朝、私の腕の中で息を引き取った。妹のマリリンも彼女を抱いていた。父親もそばにいた。[*1]

私は緩和ケアの医師としてその場にいた。バーバラ＝エレンのことはよく覚えている。エレベーターを下りて病棟に入ると、廊下の右側にある最初の部屋だった。彼女は窓に面したベッドの中でからだをちぢめていた。もともと痩せていたのだが、末期がんのせいでさらにガリガリになっていた。口数は少なく、悲しそうに見えた。私は必要な病気についての記録以外、彼女の経歴などは知らされていなかった。彼女は炎症性の乳がんで、これは若い女性に多く非常に生存率の低いがんだった。彼女はすべての医学的治療を拒否していた。状態から見てまったく不合理な決断とは言えないが、それでも非常に稀なことではあった。そのような決断には、必ず単なる医学的な問題以上のことがからんでいる。私は、この女性は強い孤立感を抱いているように――それも今までずっとそうだったように感じた。私はときどき、ただ子供をあやすようにこの女性を優しく抱いて慰めてあげたいと思うことがあった。

母親のベティがここに引用した手記に記したその日、私は朝の回診のあとバーバラ＝エレンと話をした。「あとどれくらい生きるのでしょう?」と彼女は訊いてきた。

「もうあまり時間はないと思いますよ。どんな感じがします?」

「うんざりです。私を生かしておくために何かしているんですか?」

「点滴だけです。これを止めたら一日か二日で死んでしまうでしょうね。止めてほしいですか?」

「母はそれに耐えられないでしょう」

「あなたは今までずっと、ある意味でお母さんの気持ちを大事にしてきたようですね。だから今も、自分がしたいことをするのは難しいのかもしれない。でも、もうお母さんの気持ちを優先することはありません。自分の気持ちだけ考えたら、あなたはどうしたいですか?」

「点滴をはずしてほしいわ」

「お母さんの気持ちもわかります。親にとっては非常につらいことです——どれほどつらいことか、私には想像することしかできない。でも私の患者はあなたです。私がいちばんに尊重すべきなのはあなたの気持ちです。あなたがお望みなら、私からお母さんに話してみましょう」

　私は最近、バーバラ＝エレンの生と死について、その母ベティ・クラウチックと再び話し合った。私たちはバーバラ＝エレンが亡くなった直後にも一度話をしたことがある。当時ベティは悲しみに暮れており、どうして娘がこんなに若くして死ななければならなかったのか懸命に理解しようとしていた。そのとき私は彼女に、子供のころのストレスが大人になってからがんにかかるリスクを高める可能性について、自分の考えを詳しく説明しておいた。その後まもなく、ベティの最初の手記『クレヨコット——わが心の声 *Clayoquot: The Sound of My Heart*』が送られてきた。カバーの裏には「私の本を送ります。そちらの病棟で四月三〇日に乳がんで亡くなった娘と私との関係がいくらかわかっていただけると思います」と書いてあった。それを読んだ私は、私の本を書くためにベティにぜひインタビューしたいと思った。ベティのほうも、カバーの裏にメモを書きながら私のことを考えていたということだった。彼女は私の考えに興味を持ち、もっと詳しく話を聞けばバーバラ＝エレンが最後の半年間に言っていたことを理解する助けになるかもしれないと思ったのだ。

ベティと私の会話はちょっと変わったものになった。だがそれを言うなら、ベティはそこいらにいる並の女性ではない。彼女は環境保護運動家としてブリティッシュコロンビア州はもとより、州外にもその名を知られているのだ。彼女の最初の本のタイトルは、カナダ西海岸の世界的に知られた多雨林の自然保護区で、数年前に伐採業者に荒らされそうになったクレヨコット・サウンドからとったものである。二〇〇一年九月には、七三歳のベティは別の伐採反対運動をしたあげく法廷侮辱罪で四カ月半拘禁されている。

その著書『クレヨコット』は大部分が環境保護活動家としてのベティの体験を記したものだが、同時に彼女の私生活についても正直に書いてある。彼女は四人の夫と八人の子供を持つという波瀾万丈の人生を送ってきた。今は娘のバーバラ＝エレンが亡くなったときわずか二歳だった子供、ベティから見れば孫であるジュリアンの母親がわりをしている。

ベティによると、バーバラ＝エレンは亡くなる前の半年間、母親に向かってしばしば強い怒りを見せたという。ベティが今も理解しようともがいているのはその怒りだった。

ベティ・クラウチックは南ルイジアナで生まれた。当時そこは、ベティの言葉を借りれば「ほとんどひとつの大きな沼地」だった。「私は活動家になるようには育てられなかった」と彼女は『クレヨコット』に書いている。「私は貧しい、南部の田舎の白人女だった」

記憶というのは選択された主観的なものだ。数年前きょうだいで話していて、私たちみんなが、兄も妹も私も、自分以外の者のほうが家で可愛がられていると感じていたことがわかって、面白くも何やら不思議にも思ったのだった。私は確かに、他のふたりのほうが可愛がられていると感じていた。じつは今もそう思っている。兄は最年長でひとり息子だったからいちばん大切にされていた。残りの愛情は妹に向けられていた。いちばん小さかったし、おまけにからだが弱かったからだ。私は大柄で健康でひとりで遊べる子供だったから、誰も私には特に注意を払わなかった。私としては別にそれでかまわなかった。

正直な話、父には注意を向けてほしくなかった。父の注意を引いてもろくなことはなかった。殴られたわけではないが、いつもそんな気配を感じたのだ。父は私たちの話を聞くこともなく、ただ見張っていた。私たちのほうはできるだけ見られないようにしていた。母はまた違っていた。母は温かく、愛情豊かな人だった。母が私より兄と妹を可愛がっていることはわかっていたが、母の愛情はたっぷりあったので、私もいくらかはおこぼれにありついていた。大きくなってから、私はそのことで母とやりあったことがある。彼女は驚き、傷ついた様子で、仮に他のふたりに多くの注意をはらっていたとしても、それはあなたよりふたりのほうがそれを必要としていたからで、あなたはいつも精神的に一人立ちしていたからだ、と言い張った。[*2]

外見上はそのように見えたかもしれないが、じつは子供のベティは「恐ろしい悪夢や暗闇にひそむ怖いもの」に脅えていた。彼女は「最初に目の前に現れて、経済力がありそうだった大人の男」と結婚して早々に家を出た。彼女はまもなくその男性と離婚したが、その前にすでに三人の子供を生んでいた。「彼は処女漁りに取り憑かれているような男だった。私と結婚した後もそれをやめられないようだった。結局それが限度を越えたのだ」

その後の二〇年間でベティは三回結婚し、さらに五人の子供を生んだ。バーバラ＝エレンは七人目の子供で、一九六六年、ベティが「六人のチビを抱え」、三度目の結婚が破綻する寸前の状態でカナダに移ってくる直前に妊娠したのだった。彼らはオンタリオ州カークランドレークに住んだ。ベティの夫は大学教師だったが、温かみのない仕事人間で飲酒癖もあった。ベティは書いている。「酔ったときのジョンは嫌いだった。信じられないほど独善的になって非難ばかりするようになるのだ。だから私は、最初は自分から求めていた社交的なつきあいを避けるようになっていた。そして私のうつ状態は深まっていった（……）。ジョンを見ては、この人は本当はどういう人間なんだろうと思うようになった（……）。カークランドレークでの最初の冬はいつまでも終わらず、春は永久に来ないような気がしていた。春は本当に来なかった（……）。そして存在しないその春に誰よりもみじめだったのは、私と赤ん坊のバーバラ＝エレンだったと思う」

ベティは夫の大学の学部長と恋に落ち、いっしょにカナダ西部のブリティッシュコロンビア州に移ることで、夫との関係から逃げ出した。バーバラ＝エレンはほとんどその地で育った。もっとも、その間もカナダの東部と西部の間や、アメリカとカナダの間で何回か行ったり来たりをくり返していたのだが。

ベティの四度目の結婚も失敗だった。しかし彼女はそうこうするうちに人間として、女性として、活動家としての本当の自分を見つけたのである。

バーバラ＝エレンは感受性の強い子供で、からだは丈夫ではなかった。四歳になると吐き気の発作に襲われるようになったが、何の病気なのか誰にも診断できないようだった。この発作は断続的に何年も続き、今ではベティも娘の生活にストレスがあったせいだろうと思っている。バーバラ＝エレンは思春期には麻薬性の鎮痛剤や精神安定剤を常用し、自分で注射するようになっていた。乳がんになるまでずっと、彼女はそうした薬物依存と闘っていたのだ。安定ということを知らない彼女は、ひとりの男性と親密で長続きする関係を築くことができなかった。彼女は次々に違う男性とつきあった。ジュリアンが生まれたのはバーバラ＝エレンが二五歳のときだが、直後に彼女が結婚した相手はジュリアンの父親ではなかった。「その結婚も長続きはしませんでした。マーティンは結婚生活と幼い継子を持つことに耐えられなかったんです」とベティは言う。

バーバラ＝エレンは非常に知的で感受性が鋭く創造性に富んでいた。ダンサーになって、一時は子供相手のバレエスクールを開いていた。自分のがんを発見したとき、彼女はバンクーバーでジュリアンを育てながらダンスを教えていた。

「マンモグラフィー（乳房のX線写真）を撮ったら乳房切除手術を勧められた、と私に連絡してきました。あの子はとても賢い子なので、安易にそれを受け入れるようなことはしませんでした。自分がかかったようながんについてあらゆる資料を調べて、アメリカとカナダにおける同年代の患者の治療結果を検討していた。そしてあまりいい感じを持たなかったようです。『この手の治療は受けないわ。からだに大きな負担をかけるのは嫌、からだを切り刻まれるのも嫌だわ。化学療法とかいうのもまっぴら。ホリスティックな治療で、できるだけのことをしてみようと思う』と言っていました。そしてジョンと私には、自分の決定を支持して邪魔しないでほしいと言いました」

「それを聞いてあなたはどう思いました?」

「とんでもない、と思いました。すぐに何かしなくちゃ、と。でも他の方法を選ぶように説得しようとしたら、あの子はものすごく怒り、絶対あとに引かないで私をののしりました——私を怒鳴るなんて、それまで一度もなかったのに。あの子は、そう、人生最後の半年間、ずっと私に怒りをぶつけていた。それまではずっと怒り続けるなんてことはなかったのに。私に腹を立てたときは、『いいわよママ、ママはそう思いたいのね、ママはそう思うのね』と言って、ドアを荒々しく閉めたりして、それっきり」

「それは正確に言えば、怒りの表現ではありませんね——むしろ挫折と失望に近いのではないでしょうか」

「あの子はいつも私の何かに傷ついていたようです。私には思い当たる節はないんですが。きっと私はあの子にとってひどい親だったんでしょうね。私の性格があの子を傷つけていたのかもしれません」

「あなたはここでずいぶん涙を流しましたが、そのことでまだ罪の意識をお持ちですか?」

「たぶん、罪の意識というよりはむしろ、どうしてもっと彼女にきちんと対応できる人間をつけてあげられなかったのか、という思いです。あの子は世界に対する感受性や理解力、世界への優しさが人並みはずれて優れていましたから」

「優しさですか……彼女はどんな子供だったのですか?」

「とても早熟でした。どこへ連れて行っても、みんながあの子の振る舞いと、大人の――あの子が大人のふりをしていたと言うつもりはないけど――大人の世界に通じていることに関心したものです」

「感情面はどうでした？」

「感情面？　とても可愛い、愛情にあふれた子供でしたよ。おとなしくて、誰にでも好かれて、いつも先生のお気に入りでした。でも、だからといって、他の子に恨まれることもなくて」

「誰かが彼女をいじめているような気配は、一度も感じたことありませんか？」

「一度こんなことがありました。ルイジアナにいる私の母と妹のドリスのところへ一緒に行ったときのことです。妹には男の子が四人いて、そのうちのひとりはバーバラよりひとつ年上でからだも大きかった。バーバラが一二歳くらいだったかしら。あの子は私には何も言いませんでした。でもカリフォルニアに戻ってから、姉のマーガレットに話したんです。それで私はマーガレットから聞いたわけですが、その従兄がバーバラを押し倒そうとしたんですって。たまたま家にふたりきりだったらしくて。バーバラはものすごく怒ったそうです。私は姉に、『どうして私に言いにこなかったのかしら？』と言ったのを覚えています。そうしたら、『ドリスはママの妹だから、バーバラは自分が話せばふたりの間がぎくしゃくしてしまうと思ったのよ』と言うの」

それから、私とベティはバーバラ＝エレンの病気と死について話し合った。バーバラ＝エレンがガんと診断されたとき、ベティは「緑の党」から州議会議員選挙に立候補していた。だが彼女は病気の娘との時間を過ごすために立候補を取り消した。それは彼女にとって難しいことだったか、と私は訊いた。

「べつに大したことではありませんでした。私たちはお互いを必要としているような気がしたから。でも私の性格のうちの何かが、いつもバーバラをいらいらさせるみたいでした。声が大きすぎるとか、行動が大げさすぎるとか。あの子のデリケートな性格には、私は強烈すぎた——そうとしか言えません。私はやかましすぎて、はっきりした意見を持ちすぎていて、行動が攻撃的すぎるんです。あの子の性格は正反対です。静観して、ものごとをじっくり考え、他の人の性格について全体的な見方をしようとしていました」

「お話をうかがっていると、娘さんはあなたのことを、物事の善悪を決めつけすぎだと考えていたようですね」

「あの子はいつも、物事をそう簡単に決めつけないでちょうだい、と言って私を責めました。しばらく一緒にいると、もう帰ってと言われるんです。私といるとうんざりする、私といると疲れるから休む必要がある、と言って、いつももう帰ってと言われました」

「亡くなるまでの数カ月のことですね？」

「ええ」

「どうしてそう思うんでしょう？　あなたは人を疲れさせはしませんよ。そんな人はいるわけがない」

「しばらく一緒にいると、私の性格があの子を疲れさせたんです——強烈すぎて」

「人はどんなときに疲れますか？」

「ずっと仕事をしたとき。ということは、彼女にとって私と一緒にいることは仕事だったと……」

「彼女はその仕事をがんばりすぎたんでしょう」

「なるほどね……」

「私がどうしてこんなことを言うのかと、あなたは不思議に思っていますね。こんなことを言われて黙って聞いているなんて、あなたとしては滅多にないことでしょう。でもあなたは今まで真実を追求することにすべての人生を費やしてきた人だ。私はそう思っています。だから申し上げるのですが、バーバラはあなたの人生が非常に不安定な時期にあなたの人生に入り込んできました」

「そのとおりです」

「ジョンとの生活が破綻寸前というときにバーバラを妊娠した。あなたは独りぼっちだと感じた。夫の支えは期待できない。彼は知的な面では魅力があったが精神的にあなたに寄り添う人間ではないと、あなたは気づき始めていた。彼との関係を断つためにあなたが選んだ方法は、ウォーリーと結ばれることだった。そしてあなたは子供たちを引き連れてカナダの西海岸に逃げた。ところがジョンは、他の子供たちの親権は引き受けたがバーバラ＝エレンの親権は放棄した。バーバラは生まれたときから、ものすごく大きな欠落感とともにあなたの人生に突然入り込んだのです。


ストレスというのは、必ずしも人が思っているようなものではありません。戦争だとかお金を失ったとか誰かが死んだとか、そういう外的なストレスではなく、他者に合わせざるを得ないという内的なストレスがあるのです。がんやALSや多発性硬化症や慢性関節リウマチやその他もろもろの病気は、自分を一個の独立した人間と感じることのできない人々に起こるように私は思うのです。感情のレベルでは――というのは、そういう人たちは芸術や知的な活動ではすぐれた業績をあげることもあるのですが――、でも感情のレベルでは彼らは独立した自我意識に乏しいのです。本当の自分というものを持たないまま、彼らは人に合わせて生きているのです。

バーバラが次々と男性遍歴をくり返したのは、土台となる自分をしっかりと持っていなかったからです。ひとつの関係が終わると、すぐに次の相手を見つけなければ安心できなかったのです。薬物依存になったのも同じ理由でしょう。

バーバラはあなたが特に愛情に飢え、疲れ切っていたときにあなたの人生に入り込んできた。彼女が知的に早熟だったのは、周囲から精神的な支えを得られないときに、聡明で感受性の鋭い子供に起こりがちな現象だったのだと思います。そうした子供は、知性を発達させることで自分の支えとするのです。だから彼らは知的に早熟で大人の気持ちを理解する能力を身につけるのです。私は子供のころ、ずいぶんしっかりした子だと言われました。確かにそうだったと自分でも思います。そういう子はしっかりして見えるものなのです。でも自分の感情面を振り返って見れば、私はずっと大人になれないでいます。私は五八歳ですが、今も大人になろうと一生懸命なんです」

「興味深いお話ですね」

「ひとつの面で発達していない分、別の面で発達するのです、もしその子にそれだけの知能があれば。バーバラは自分を安心させるために知性を非常に発達させた。それは彼女が幼いころ求めていた精神的な栄養を、あなたが与えることができなかったからだと私は思うのです」

「そのとおりだと思います」

「親のほうできちんとした関係を築くことができなければ、子供がするしかない。バーバラは自分がいい子になることでそれをしたのです。大人びたしっかりした子になること、頭のいい子になることでね。そしてある程度抽象的な思考ができるような年齢、一三歳か一四歳くらいになって頭の中でそういうことを具体的に考えるようになったとき、彼女は突如として共鳴板のように、あなたの考えることをそのまま自分の考えに反映させるようになったのです。彼女の望むことではなく、あなたはどう望むかと彼女が考えることがふたりの関係の土台になったのです。彼女を押し倒そうとした少年の事件では、彼女はあなたに黙っていることであなたの精神的苦痛を防いだのです。彼女はあなたに話さない。あなたのためを考えたのです。

彼女は一家の平和を望んだ。しかしこれは子供の役目ではありません。子供は母親のところへ駆けつけて、『こいつが私に乱暴しようとしたのよ！　一家の平和なんてくそくらえだわ！』と言うものなのです。あなたはきっとそうしてほしかったでしょうね。あなたは意図的にそういう状況を作ったわけではない。何もかもあなた自身の子供時代にその源があるのです。

じつは私自身も、あなたとバーバラの関係にそっくりなことを長男に対してしていました。でも私の長男はある時点でこう言いました。『パパ、どこまでがパパでどこからが僕なのかわからないよ』ってね。まさにそうだったんです。私はいつも、子供たちが私に腹を立てることは心配していない、腹を立てなくなることが心配だと言っているんです。

あなたはバーバラの人生最後の半年間に、彼女がやっと自分の境界を築き始めるのを見たのです。彼女はノーと言い始めた。抑えつけていた怒りが表に出てきていたのです」

「そうね……」

「これが私の考えです。私が会ったがんなどの病気の患者はみんな、ノーと言ったり、怒りを表現したりすることができない人たちでした。みんな怒りを抑えつけるか、直接口にできないで、せいぜい皮肉っぽい言葉で表現するかでした。それはすべて子供のころに親との関係を築くための、親との関係と取り組むための必要から出たことなのです。

バーバラにとって、あなたとの関係を維持するのは大変なことだったろうと私は思います。私は非常に慎重にこの話を彼女に持ちだしたことがあります。何かがあるという印象は受けましたが、彼女は多くを語りたがりませんでした。自分の中に引きこもっているような――私は彼女にとっては完全な部外者でした。私に心を開いてはくれませんでした」

「あの子にとって心を開くのは難しいことなんです。最後の数カ月、彼女はよくそばに来て、一緒にマリファナを吸いましょうと言った。そういうときにはリラックスして話ができたんですが」

「どんなふうでした？」

「よかったですよ。あの子は自分のことを話してくれた。よくこう言っていました。『私はがんがどんなものか知らないけど、でもそれはここにある。なんだか私を訪問してきたという感じがする。私はがんをからだの中に招き入れたの』。私はぎょっとして『バーバラ、何を言ってるのよ』と言いました。そうしたらあの子は、『だってね、がんが私の人生の一部のような気がするのよ、それにねママ、あなたもこれの一部なのよ。あなたは私のがんの一部なの』と言ったんです。

他にもあるわ、ガボール――バーバラは死ぬ前の夜、誰かに会ったんですって。見知らぬ男が来てあの子を連れて行こうとしたけど、まだ準備ができていないから、ってあの子は言ったらしい。次の夜、バーバラは私に、『あの人――あの人に来てほしい』と言うので、私が、『誰のこと？ お医者さんを呼んでほしいの?』と訊いたら、『違うの。私を連れに来た人。私がまだ準備できてないって言った相手』。そして、もう準備できたから、と言いました。

私はその二、三時間前に、病気でいるのに疲れてしまったのなら、もうがんばらなくてもいいのよ、と言ったばかりでした。『もう、いいのよ』と。そうしたらその男の話をしてくれたんです。そして、もう準備はできたって。翌朝の八時に息を引き取りました。あなた、キューブラー＝ロスの本を読んだことあります? 同伴者《エスコート》とかって……死ぬときに来る人のことを。本当に気味が悪かった。背中がぞくっとしました」

「どうして気味がわるいんですか?」

「どうしてって、本当に死の天使がいるとでも?」

「必ずしもそういうことではないでしょう。人は精神が何かを経験すると、それを何らかのイメージに置き換えるんです。精神の底のほうで何かが起きそうだと感じても、人はそれを思考とかイメージとしてしか体験できないのですよ」

最後にベティはこんな質問をした。「どうして親には子供の痛みが見えないんでしょう?」

「私も自分に同じ質問をしたことがあります。それは私たちが自分の痛みを見たことがないからでしょう。私はあなたの本『クレヨコット』を読んで、あなたはまだご自分の痛みに気づいていないことがわかりました。あなたにはバーバラの痛みをはっきりと見ることはできないでしょう。

あなたとバーバラの関係だけを見ていたら、あなたはもっと罪悪感を持つことになる——あなたが負うべきではない責めまで自分に課してしまうかもしれない。現実には、ある特定の育てられ方をして、ある特定の人生を送ってきたから今のあなたがあるのです。あなたの人生はずっと自分を見つけるため、そして世界の真実を見つけるためのものだった。それは大変な苦闘だった。あなたの育ち方から見れば、あなたは素晴らしい成果をおさめています。でも――本当にこの先を聞きたいですか?」

「どうぞ、続けて」

「あなたは『クレヨコット』をバーバラ＝エレンに捧げた。でも同時に『素晴らしい母』にも捧げると書いていますね。あなたのお母さんは確かに素晴らしい人だったかもしれない。でもこう書いたとき、あなたは自分がどれほどお母さんに怒りを感じ、お母さんにどれほど傷つけられていたか十分に気づいてはいなかったのですね。『母は温かく、愛情豊かな人だった。母が私より兄と妹を可愛がっていることはわかっていたが、母の愛情はたっぷりあったので、私もいくらかはおこぼれにありついていた』。この子は本当はどう思っていたのでしょう? ――これは誰の考えなのですか?」

「愛されてないと思ったことは一度もありません」

「もちろんそうでしょう。それにお母さんがあなたを愛していなかったと言うつもりもありません。でも、そこにあった痛みを閉め出していたがゆえに、愛されていないと感じることはなかった、という部分も少しはあるでしょう。あなたは書いています。『大きくなってから、私はそのことで母とやりあったことがある。彼女は驚き、傷ついた様子で、仮に他のふたりに多くの注意を払っていたとしても、それはあなたよりふたりのほうがそれを必要としていたからで、あなたはいつも精神的に一人立ちしていたからだ、と言い張った』。あなたが精神的に一人立ちしているように見せかけていたのは、お母さんをかばい自分の気持ちが傷つかないようにするための、あなたの作戦だったのです。あなたは自分の痛みを抑圧していたのですよ。

『母が私より兄と妹を可愛がっていたことはわかっていたが、母の愛情はたっぷりあったので、私もいくらかはおこぼれにありついていた』というのも、その体験についての本当の気持ちから距離を置こうとする大人の考え方です。子供はこうは見ないでしょう。本当はどう思っていたのですか?」

「確かに妹にばかり注目が集まることを恨んではいました。妹はしょっちゅう呼吸困難になっては青くなったんです。成人後は看護師になる勉強をして資格を取りました。子供は四人。でもドラッグとアルコールの依存症で、五〇歳になる前にそれのやりすぎで死んでしまった。両親は妹をちゃんとさせようと一生懸命でした……母はあの子を何とかしようと必死だったのに」

「やけにご両親をかばいますね」

「私も親ですからね」

「それは、あなたがご両親との関係で感じていた痛みから自分を守ろうとしているからだと思いますよ。あなたは嫌な夢を見た……」

「私みたいにアイスティーをたくさん飲めば、だれでも嫌な夢を見るでしょうよ……」

「悪夢は私たちの心の奥底にある不安の現れです。子供がベッドの下にいる怪物が怖いと言う。あなたは電気をつけて、怪物なんかいないことを確かめさせる。でも次の瞬間には、子供はまた怪物を怖がる。その子は本当は何が怖いのか? 守られていないこと、親と十分つながっていないことが怖いのです。親に怪物のようなところが何かあるのかもしれない……親が怒っていて、そのせいで子供は本当に怖がっているのかもしれない。子供に怖いという気持ちがあって、彼の心が怪物のイメージを作りだしたのでしょう」

「私が見た悪夢は父親の夢です。父のことは大嫌いだった。それほど前のことじゃないけど、兄と話をしたことがあります。兄は父に思いきり怒鳴られていました。でも航空エンジニアになりましたよ。ずっとアルコール依存症気味だけど、仕事はちゃんとできるし、他の人たちより優秀なくらい。で、その兄が言ったんです。『ベティ、子供のころ、僕はおまえをすごいと思っていたんだよ。おまえは怖がらずにパパに向かっていったから』って。そんなことはなかったんですけどね。父の前では、私は石みたいに固まっていた。ただちょっと抵抗しただけ。でも兄にとっては、私が自由の戦士のように見えたんでしょう。兄は父に一言も言い返せなかったから。兄はいつも勉強ばかりしていて、父に意気地なしと呼ばれていたんです」

「あなたがお父さんについての悪夢を見るもうひとつの理由は、そういう気持ちをお母さんに話すことができなかったからでしょう」

「だって母になんて言えばよかったんです？『私はパパが大嫌いよ。どうしてあんな人と一緒にいられるのかわからないわ』とでも？」

「いいえ、ただ『ママ、私はパパが嫌いよ』と言えばいいんです」

「そんなこと言えません。父と母を敬えって聖書にも書いてあります」

「お母さんがお父さんと結婚生活をしていることを悪いというつもりはありませんよ——お母さんにはお母さんの事情があるでしょう。余計な争いごとで人生をめちゃめちゃにするわけにはいかない。でも子供にとっては、母親との体験のほうが大きな傷になるものです。母親のおなかから生まれて、つながりを感じていますからね。私たちにとって母親は宇宙のようなものです。母親に裏切られるのは宇宙に裏切られるようなものなんです。父親が虐待をする恐ろしい存在になったとき、その宇宙が守ってくれるかくれないかは大きな問題です。

だからと言って、母親が悪いというつもりはない。社会における女性の地位とか、それぞれの人間関係と切り離して考えることはできませんからね。私はただ子供としての体験のことを言っているのです。もともと知らないものなら、それがなくても何とも思わないのが当然だから子供は気づかない。でもその子は現実に母親に見捨てられるという体験をしているのです。『そんなこと言えません』とおっしゃいましたが、それは本当は、お母さんはあなたの心の底にある感情に耳を傾けてくれないと言っているのですよ。それは人を傷つけるほどのことではないと私たちは思いがちですが、本当は何よりも深い傷になるんです。

ドロシー・ディナースタインが書いたフェミニズムのいい本があります。『人魚とミノタウロス *The Mermaid and the Minotaur*』というんですがね。女性だけで幼い子供を育てると、いかに子供の発達がゆがめられるかということを著者は論じています。女性は、大人になり切れていない男性と結婚すると夫の母親役も果たさなければならない、そうなると子供に向けるべき優しさとエネルギーがなくなってしまうというのです。だからお母さんの愛情を奪い合うライバルは妹さんではなくて、お父さんだったんです」

「不思議ですね。妹が亡くなる前にきょうだい三人で父について話したことがあるんです。そうしたら私が父に抱いていた憎しみなんて、兄や妹の憎しみに比べたら何でもなかった。ふたりとも、ものすごく父を憎んでいたんです。ところがそうやって父のことを話しているところへ母が入ってきて、『あのね、あなたたちが父さんのことをそんなふうに話すのを聞いていると本当に腹が立つのよ。父さんはいい人だったわ』と言うんです。そして、こうも言いました。『私はあなたたち三人に十分気を配ったとは思っていないわ。もう一回やりなおせるとしたら、あなたたちにもっと気を配って父さんへの気配りを減らしたいと思う』って」

「たぶん本心でしょうね。でも、お父さんがそれだけの気配りを求めていたからそうしたということに、お母さんは気づいていないかもしれない。もし十分な気配りをしていなかったら、お母さんはそのことで苦しむはめになっていたでしょう」

バーバラ＝エレン、薬物の過剰摂取で亡くなった彼女の叔母、アルコール依存症の伯父、彼女の勇敢な母親ベティ、そしてベティの子供たち全員が、成熟した大人になりきれず求めるばかりだったベティの父親と、真の意味での自己主張ができなかったベティの母親に、程度の差こそあれ苦しめられていた。そしてこのふたりもまた前の世代からの重荷を背負わされて苦しんでいた。誰を責めるわけにもいかない。しかし何世代にもわたる人々の人生のそれぞれに、バーバラ＝エレンが乳がんになった責任の一端があるのだ。

第7章　ストレス・ホルモン・抑圧・がん

「肺がんのほとんどは、喫煙によって摂取される発がん物質とがん促進因子によって起こる」と『ハリソン内科学』（邦訳、メディカル・サイエンス社）の第一二版に書いてある。この見解は確かに真実を含んでいるが、科学的には不正確である。

深い水に投げ込まれた人が必ず溺れるわけではないのと同じように、喫煙が必ず肺がんを起こすわけではない。溺れるのは泳げない人がなんの装備ももたずに水に投げ込まれた場合である。水泳の得意な人やライフジャケットを着けた人なら溺れる危険はほとんどない。いくつかの要因が組み合わさって初めて人は溺れるのだ。肺がんの場合も同じである。

喫煙はがんにかかるリスクを大きく高める。それは肺がんに限らず、膀胱がん、咽頭がんなどにも言える。しかし純粋に理論だけで言えば、喫煙それ自体はそれらのがんを起こすことはできない。AがBを起こすということは、AがあればBになるということだ。もしAがあってもBにならない場合があるなら、Aそれ自体はBの原因とは言えない——たとえほとんどの場合にAが主たる、そして必要な要因だったとしても、である。喫煙が肺がんを起こすというなら、喫煙者はすべて肺がんになるはずである。

数十年前、イギリスの胸部外科医デイヴィッド・キッセンは、肺がんの患者にはしばしば感情を「封じ込める」傾向が見られると報告している。[*1] 彼はいくつかの調査を実施することによって、「他の胸部疾患の患者や健康な人々と比較すると、肺がん患者は感情の表現が乏しかったり、抑圧されていたりする」[*2]という、彼自身が臨床の現場で感じた印象を裏づけた。キッセンは、感情をうまく表出する能力のない人は肺がんにかかるリスクが五倍だったとしている。特に興味深いのは、喫煙していた肺がん患者のうちでも煙を肺まで吸い込んでいなかった人のほうが、吸い込んでいた人より感情の抑圧傾向が高かった、という事実である。キッセンの報告によれば、感情の抑圧が喫煙の効果と相乗的に作用して肺がんの発症をもたらしていることになる。抑圧の度合いが高いほど、少しの喫煙でもがんにかかりやすくなるということだ。

キッセンの見解は、ドイツ、オランダ、セルビアの研究者たちが、長期的な展望にもとづき一〇年にわたって旧ユーゴスラビアのチヴレンカで行なった調査によって見事に立証された。この調査の目的は、精神的なリスク要因と死亡率との関係を調べることだった。人口一万四〇〇〇人の工業の町チヴレンカが選ばれた理由のひとつは、この町は平均寿命が短いことで知られていたからであり、さらに住人の移動が少なく継続調査が可能なことも理由のひとつだった。

町の全人口の一〇パーセント近い住人が被験者として選ばれた。男性が約一〇〇〇人、女性が約四

○○人である。一九六五年から一九六六年にかけて、好ましくない人生上の出来事、長く続いている絶望感、論理的すぎて感情を無視した対処法などのリスク要因を細かく列挙した一〇九項目にもおよぶ質問がインタビュー形式でなされた。コレステロール値、体重、血圧、喫煙歴などの身体的要素も記録された。すでに病気を持っている人は被験者からはずされた。

一〇年後の一九七六年には、被験者のうちの六〇〇人以上ががん、心臓病、脳卒中その他の原因で死亡していた。死亡者——特にがんによる死亡者——に見られた最大のリスク要因は、研究者たちの言葉を借りれば、合理的・非感情的なことだった。合理的・非感情的のカテゴリーに含まれる一一の質問は、ある性向、すなわち〝怒りの抑圧の度合い〟を測るものだった。「実際、合理的・非感情的のカテゴリーで一〇ないし一一の問いにイエスと答えた被験者は、それ以外の被験者に比べてがんにかかる確率が四〇倍だった。それ以外の被験者は平均して三項目でイエスと答えたにすぎない（……）。喫煙者でもこの合理的・非感情的カテゴリーで一〇ないし一一ポイントをとっていなければ、肺がんにならなかった。すなわち、肺がんに対する喫煙の影響は『影響を受けやすい一部の人』に限られていると思われる」[*3]

このような発見があっても、肺がんに対する煙草や煙草会社の責任がなくなるわけではない。むしろその反対である。チヴレンカの調査で肺がんによって死亡した三八人は全員が喫煙者だったのだ。この調査結果は、肺がんの発症には煙草だけでは十分ではなく、感情の抑圧が何らかの方法で煙草によるダメージを増強しているに違いないことを示唆している。それなら、どんな方法で？

精神的な影響は、からだのストレス反応に関係する各器官——神経、内分泌腺、免疫系、それに感情を知覚して処理する脳の中枢――を結ぶ経路を通ってがんの発症に決定的な生理的作用をおよぼす。

生理的作用と精神的作用は別個のものではない。どちらも、統一されたひとつの大きなシステムの機能の一面なのである。その統一体――スーパーシステム――では、もはや各構成要素を孤立した自律的なメカニズムと見ることはできない。過去二五年ほどの科学研究により、心とからだを別個ものと見る旧来の西洋医学的な考え方は、より真実に近い全体的な見方に取って代わられている。この分野でのアメリカの指導的な研究者キャンディス・パートは、「免疫学、内分泌学、心理学－神経科学という概念的な区分はもはや過去の遺物である」と書いている。[*4] 〝精神神経免疫学〟――より包括的、より厳密には〝精神神経免疫内分泌学〟という――が、私たちの行動と生理的なバランスを調整するさまざまな身体組織や器官の相互作用を研究する学問分野の名称である。

脳、神経系、免疫器官と免疫細胞、内分泌腺は、いくつかの経路でつながっている。研究が進めばさらに多くのつながりが発見されるものと思われる。この精神・神経・免疫・内分泌系の全体としての任務は、それぞれの人間の成長、生存、生殖を保証することである。このシステムの各構成要素は連携して外部および体内にある脅威を未然に察知し、それに対する反応として行動と生化学的な変化をうまく組み合わせ、最低限の労力で最大の安全をもたらす。

システムの各構成要素は神経系によって結ばれているが、その経路は一部が最近になって確認されたばかりである。たとえば免疫系の中枢器官には――これまではホルモンの作用を受けて活動するだけだと思われていたが――非常に多くの神経が密集している。いわゆる一次免疫器官は骨髄と、胸の上部で心臓の前方に位置する胸腺である。骨髄や胸腺で成熟した免疫細胞は、二次的な免疫器官である脾臓やリンパ節などに移動する。中枢神経系から出た神経繊維はこれらの一次、二次免疫器官の両方に達しており、脳から免疫器官への瞬時の情報伝達を可能にしている。ホルモンを産生する内分泌腺も、中枢神経系と直接つながっている。したがって、脳は甲状腺、副腎、精巣、卵巣などの器官と直接「会話」できるのである。

また逆に、内分泌腺から放出されたホルモンや免疫細胞が作りだす物質は、脳の活動に直接影響を与える。これらの化学物質は脳細胞の表面にあるレセプター（受容体）に取り付いて、その人の行動に影響を与えるのである。私たちは誰でも医学でいう「病的行動」を経験したことがあるが、これは免疫物質が脳に作用して起こすものである。免疫細胞から放出される一群の化学物質サイトカインは、私たちが職場に病欠の電話をかけたくなるような状態——発熱、食欲不振、倦怠感、眠けなど——を引き起こす。このような状態は苦しいものだが、こうした急速な適応行動は私たちがエネルギーを保持し、病気に打ち克つために起こるのである。しかし同じ物質が間違って放出されると、たとえば過度の疲労感や慢性的な倦怠感を起こすなどして正常な機能が損なわれることになる。

驚くべきことにリンパ細胞やその他の白血球は、脳と神経系で産生されるほとんどすべてのホルモンや伝達物質を作りだすことができる。モルヒネと同じような気分変容と鎮痛の効果を持つ体内化学物質のエンドルフィンでさえ、リンパ球からも放出されるのだ。さらに免疫細胞の表面には、脳から出るホルモンその他の物質のレセプターまである。

要するに、精神・神経・免疫・内分泌系の各構成要素は神経線維で結ばれているだけでなく、常に生化学的な会話をかわしているのである。お互いに送ったり受け取ったりしている無数の化学物質によって、システム内のそれぞれの要素は分子レベルで共通の言葉をやりとりし、同じ信号に対してそれぞれのやり方で反応しているのである。言うなればこのシステムは、同時にあらゆる方向から入ってきてはあらゆる方向に出ていく共通語のメッセージがランプを点滅させている巨大な分電盤のようなものなのだ。それはつまり、短期的あるいは長期的な刺激がこのシステムのある部分に何らかの影響を与えた場合、その影響は他の部分にも及ぶ可能性があるということでもある。

このような多方面の相互交流はどうして可能なのだろう？　顕微鏡で見ると、それぞれの細胞の表面に共通の伝達物質を受容するためのレセプターがたくさんあることがわかる。キャンディス・パートによれば、典型的な神経細胞すなわちニューロンは、その表面に何百万ものレセプターを持っている。「科学者が特定したレセプターのひとつひとつに違う色を塗っていったら、少なくとも七〇の異なった色を使った色とりどりのモザイク――ある種のレセプターが五万、別のものが一万、また別のものは一〇万といった具合に――なるだろう[*5]」

伝達物質や大部分のホルモンは、タンパク質の主要構成要素であるアミノ酸でできている。それらのアミノ酸はいくつかが鎖状につながっており、そういうものをペプチドと呼ぶ。このような化学物質はどれも、人体の特定の部位、特定の器官に限って存在するわけではない。ある高名な神経科学者は、それらを総称して「情報物質」と呼ぶことを提案している。それぞれの物質は、ひとつの細胞または器官からもうひとつの細胞または器官へと情報を伝達するからである。システムの各部分あるいは各細胞から出てくるさまざまな情報の相互作用は、多岐にわたるものと考えられる。

精神・神経・免疫・内分泌系のシステムの中心は視床下部－下垂体－副腎を結ぶ軸である。精神的あるいは肉体的刺激は、この軸を通して脅威に対する身体反応を始動させる。精神的刺激はまず大脳辺縁系の感情中枢によって評価される。大脳辺縁系には大脳皮質の一部とその周辺の部分が含まれている。入ってきた情報を脳が脅威と認識すれば、視床下部が下垂体を刺激して副腎皮質刺激ホルモンを放出させる。このホルモンは副腎皮質を刺激してコルチゾールを血中に放出させる。

こうした一連のホルモン放出と並行して、視床下部は交感神経系――「闘争か逃走」反応をつかさどる神経系――を通して副腎のもうひとつの部分である髄質にメッセージを送る。副腎髄質は「闘争か逃走」反応をもたらすホルモン、アドレナリンを産生、放出し、アドレナリンは即座に心臓血管系と神経系を刺激する。

当然のことながら、人間が精神的なストレスと認識するような刺激は、同時に視床下部‐下垂体‐副腎の作用を始動させる強力な精神的引き金でもある。「不安、葛藤、無力感、情報不足などの精神的要素は最大のストレス刺激であり、視床下部‐下垂体‐副腎の軸を強力に活性化させる。自分がコントロールできるという気持ちと完了行動は、その軸における活動を即座に抑制する」*6

完了行動（consummatory behaviour）とは「達成する」という意味のラテン語 consummare から来ており、危険を除去する、あるいはその危険による緊張から解放するような行動のことである。前にも言ったように、ストレス刺激とは必ずしも猛獣やからだに危害を受ける可能性など、外部からの客観的な脅威だけではなく、自分が絶対必要だと思うものがないという内的な認識も、ストレス刺激になり得る。だからこそ無力感や情報不足が――そしてこれから述べるように精神的な欲求（たとえば愛情を求める気持ちなど）が満たされないことも――視床下部‐下垂体‐副腎の軸を活性化させるのである。そうした精神的な要求が達成されればストレス反応は終わるのである。

精神・神経・免疫・内分泌系における生化学的、神経学的相互作用を考慮すれば、感情がいかに内分泌系、免疫系、神経系と相互作用するかは容易に理解できる。がんの発症においては、ホルモン系の乱れと免疫系の防衛機能低下の両方がそれぞれの役割を果たす。肺がんはそのいい例である。

機械論的な見方をする人は、がんは何らかの有害物質——たとえば煙草の成分——による細胞DNAの損傷によって起こると主張する。この考え方自体は間違っていないが、まったく同じ種類の煙草をまったく同じ量だけ吸っているのにがんになる人とならない人がいる理由を説明できない。ここで問われるべきは、なぜ、ある人の細胞は他の人の細胞よりもがんになりやすいのか、ある人のDNAは修復されるのに修復されない人がいるのはなぜなのか、免疫系ががんを食い止める人もいるのに、食い止められない人がいるのはなぜなのか、年齢も性別も収入も全般的な健康状態も同じで、同じ種類のまったく同じ大きさのがんが見つかったとしても、人によって治療効果やがんの進行に大きな差が出るのはどうしてなのか、ということである。

ある種のがんでは、こうした問題は遺伝子の違いによって説明できるかもしれない。しかし乳がんの例で見てきたように、遺伝子があってもがんを発症しない人が大多数なのである。特に肺がんは遺伝する病気ではなく、肺がんにおける遺伝子の損傷は遺伝によるものではない。

どんながんもいくつかの段階をへて成長する。第一段階は〝イニシエーション〟と呼ばれ、正常な細胞が異常なものに変わる段階である。がんは細胞の複製にかかわる病気といえる。細胞の分裂と細胞死のプロセスがくずれるのである。健康な子孫を残すべき細胞が暴走し、その人間の生物学的な要求を無視して分裂することで奇形の細胞を複製してしまうのである。人間の体内では毎日何百万もの細胞が死に、そしてまた新たに誕生しているから、ほうっておいてもちょっとした間違いで異常な変形をした細胞はたくさん生まれてくる。「つまり、誰でもからだの中ではこうした小さながんのもとが常に生まれているのだ」とキャンディス・パートは書いている。

喫煙は肺の細胞の遺伝物質に直接悪影響を与える。肺がんの第一段階（イニシエーション）が始まるためには、肺の細胞はそのDNAの上に一〇箇所もの病変つまり損傷を受ける必要があると考えられている。しかし、からだのどの部分であれこうしたDNAの損傷が「がんの形成にいたることはほとんどない。それは主に、損傷された部位のほとんどはそのまま放置されることはなく、すぐにDNAの修復または細胞自体の死によって排除されるからである」[*7]。言いかえれば、DNAが修復されるか、損傷を受けた遺伝物質を複製することなく細胞自体が死んでしまう、ということである。喫煙者の多くが肺がんにならないことは、間違いなくこれで説明がつくだろう。

実際にがんになるということは、DNA修復または細胞死の正常なプロセスが働かなかったということである。オハイオ州立大学医学部の研究グループが発表した肺がんへの精神的影響に関する一九九九年の論文によれば、「不完全なDNA修復はがん発症の確率を高める。ストレスはDNA修復のメカニズムに影響を与えると思われる。たとえば、強度のうつ病で精神科に入院している患者たちを調査したところ、彼らのリンパ球の細胞DNA修復能力はX線照射を受けたときと同じくらいのダメージを被っていた」[*8]。実験動物にストレスを与える実験でも、DNA修復機能へのダメージが報告されている。

〝細胞死〟（アポトーシス）というのは、健康な生体組織を維持するために必要な、生理的にコントロールされた細胞の死を意味する科学用語である。細胞死は遺伝物質が弱体化した古い細胞を淘汰し、より健康で活力のある新しい細胞にその位置をゆずらせるという組織の正常な代謝活動である。「細胞死を正常にコントロールできないことが、腫瘍形成、自己免疫および免疫不全疾患、神経変性疾患など多くの疾患のひとつの原因である」[*9]

視床下部－下垂体－副腎によって放出されるステロイドホルモンは、いろいろな経路で細胞死をコントロールしている。感情を習慣的に抑圧している人は常にストレスにさらされた状態にある。慢性的なストレスは体内の生化学的な環境を乱す。ステロイドホルモンの濃度が慢性的に高いと、正常な細胞死のプログラムが阻害される。一方、細胞死にはナチュラルキラー（ＮＫ）細胞もかかわっている。抑うつ状態――怒りの抑圧が感情機能を支配している精神状態――と喫煙が組み合わさると、ナチュラルキラー細胞の活動が低下する。[*10]

要するに、ＤＮＡが損傷されるだけではがんは発生しない。それと同時にＤＮＡ修復機能と正常な細胞死のどちらかまたは両方が損なわれなければ、がんにはならないのである。ストレスと感情の抑圧は、その両方に悪影響を与える可能性がある。チヴレンカでの調査結果とイギリスの外科医デイヴィッド・キッセンの報告は、細胞が悪性になるがんの第一段階（イニシエーション）に関して、生理学的に見て理にかなっているのである。

一九九六年の『カナディアン・メディカルアソシエーション・ジャーナル』に、精神・神経・免疫・内分泌系が健康状態に与える影響について解説した二部構成の記事がある。「健康な人の場合は、神経免疫システムが感染、傷害、がんへの中心的な防衛機能を果たし、免疫反応や炎症反応をコントロールしている。これは疾患に対する先制攻撃である」[*11]。言いかえれば疾患とは、単に外部から攻撃された結果ではなく、体内の環境が乱れて攻撃に抵抗できない状態にある人の体内で育つものなのである。

先にあげた第一段階（イニシエーション）に続くがんの段階は、〝発がん促進〟（プロモーション）と〝進行〟（プログレッション）である。悪性となった細胞はふつうならそれを排除するはずの調整機能から逃れて分裂を続け、腫瘍を形成する。この段階で腫瘍の成長が促進されるか抑制されるかは、体内の環境にかかっている。精神・神経・免疫・内分泌系のシステムがここでかかわってくるのである。それは主として視床下部－下垂体－副腎が放出するホルモンによる調整を通して活動し、がんの成長拡大に適した環境を作ったり、逆に成長を阻害する環境を作ったりする。

「ある人の長期的な精神状態は、発がんの促進において、また環境からのストレスの影響を強めたり弱めたりすることにおいて重要な役割を演じる」と、メリーランド州べセスダにある国立がん研究所医療部門で乳がん担当チーフを務めるマーク・E・リップマン博士は書いている。「人間の内分泌系は、精神とがんの相互作用にかかわる非常に重要な仲介役を提供している（……）。内分泌系を変化させるような精神的な要素が、実際にがんの生成に影響を及ぼすことは不可避だと思われる」[*12]

がんの成長と展開に対するホルモンの影響はふたつの面を持っている。第一に、多くのがんはホルモンに依存している部位、ないし卵巣や精巣などのようにホルモンの影響を強く受ける部位に発生する。ホルモンに依存するがん細胞はその細胞膜上に、細胞の成長を促進するいろいろなホルモンのレセプターを持っている。ホルモンに依存するがんの一例が乳がんである。一般に乳がんはエストロゲンに依存していると考えられており、それが乳がんの治療にエストロゲンをブロックする薬剤であるタモキシフェンを用いる根拠となっている。それほど広く知られてはいないが、乳がんの細胞にはそれ以外の多様な「情報物質」――アンドロゲン（男性ホルモン）、プロゲスチン（黄体ホルモンの一種）、プロクラミン、インシュリン、ビタミンDなど――のレセプターを持つものもある。こうした物質はすべて、視床下部－下垂体－副腎から放出されるか、もしくはそれらによる調整を受けている。

人間の経験からも動物実験からも、ストレスがホルモン機能に強い影響を与えることはわかっている。たとえばこんな実験がある。研究者たちはメスのサルの群における支配関係に操作を加え、既存の支配関係をくずした。支配的な地位にいた数匹を無理やり従属的な地位に追いやり、従属していた数匹を支配的な地位にすえたのである。

社会的な従属を強いられたサルには、視床下部－下垂体－副腎系と卵巣に関係するホルモンの機能不全が見られた。「現在支配的な地位にいるメスは、従属的な地位におかれたメスよりもコルチゾールの放出がすくなかった」のである。支配的な地位にあるメスは月経も正常で、排卵前にはプロゲステロン（黄体ホルモンの一種）濃度がより高かった。従属的な地位のサルは排卵の回数が少なく、月経周期が乱れていた。

地位を入れ替えて支配的な地位にあったメスを従属的な地位に置いてみると、その生殖機能はほとんど即座に低下し、コルチゾールの放出が増えた。従属的な地位から支配的な地位になったメスの場合も同様で、以前とは逆の状態を示した。[*13]

卵巣がんや子宮がんのような婦人科系のがんもホルモンへの依存度が高い。卵巣がんは女性がかかるがんの中で患者数は七番目だが、死亡者数になると第四位である。すべてのがんの中で卵巣がんの死亡率が最も高い。つまり治癒率が最低なのである。一九九九年にはカナダ全体で二六〇〇人の女性が卵巣がんにかかった。同じ年に乳がんで亡くなった女性は一五〇〇人である。アメリカでは毎年二万人の女性が卵巣がんになり、その三分の二近くが亡くなる。早期治療は大きな効果をあげるとはいうものの、がんと診断された時点ですでに現在の治療レベルでは治すことのできないところまで進行している場合がほとんどである。

それなのに、初期の卵巣がんを発見するための有効な検診法はまだないのが現状だ。超音波診断法とCA－125と呼ばれる血液テストは治療効果を観察するには有効だが、どちらも自覚症状が出る前に、あるいは当初の発生箇所から転移する前にがんを発見する役には立たない。保険仲介業をしていたダーリーンは、不妊の検査を受けているときに卵巣がんを発見された。「卵巣を見るために腹腔鏡検査を受けたら、がんが見つかったんです。子供を授かるかわりに、卵巣摘出手術を受けることになってしまった」と彼女は言う。

不妊は卵巣がんのリスクを示す指標のひとつだが、ホルモンが重要な要因となっていることは明らかである。ただ、事はいささか複雑なのだ。早い初潮と遅い閉経は卵巣がんのリスクを高め、妊娠と避妊ピルはリスクを低くする。この事実を見れば、排卵を多くするほど卵巣がんにかかりやすいと考えられる。ところが一方で、不妊――排卵がない――も卵巣がんのリスクを高めるのである。どうやら卵巣がんに対するホルモンの影響は複雑で微妙なものらしい。女性の生殖ホルモンについてわかっているのは、それらのホルモンが女性の精神状態や生活上のストレスに敏感に反応するということである。また二〇〇一年にピッツバーグ大学で行なわれた研究によれば、そうしたホルモンの働きはある種の性格とも関係があるという結論が出ている。

ピッツバーグ大学医学部の研究グループは、慢性的に月経がない、すなわち無月経症の女性たちと、月経周期の正常な女性たちとの性格的な特徴を比較した。特に注目したのは機能性視床下部性無月経の女性たち、つまり排卵がないことを説明できる疾患や異常が見つからない女性たちのグループである。論文によれば「機能性視床下部性無月経の女性たちは、より不安定な感情傾向を示した。それは特に認められたいという欲求に強く見られた。〔彼女たちは〕どちらかと言えばうつ病にかかりやすい人に多い傾向、すなわち完璧主義的な基準をかかげたり、他者の意見を気にしたりする傾向を（……）持っているように思われる」[*14]ということである。

ピッツバーグ大学の研究グループによる重要な発見のひとつは、無月経の女性には一見わかりにくいが明らかに摂食傷害があることである。摂食行動の異常には、未解決の子供時代の問題が密接に関係している。たとえば卵巣がんで亡くなった女性コメディアンのギルダ・ラドナーの場合がそうだ（彼女については後で詳しく語ることにする）。摂食行動を乱すようなストレスは、同時に病気にかかりやすくするストレスでもある。ピッツバーグ大学の論文によれば「機能性視床下部性無月経の女性はそうでない女性よりダイエットと体重を気にしており、体重が増えることを恐れる一方で過食傾向もある」ということである。

摂食行動は子供時代および現在のストレスに起因する精神的な問題と直接結びついている。どのように食べるか、あるいは食べないか、またどれくらい食べるかということは、私たちが経験するストレスと、人生の荒波に直面して私たちが身につけてきた対処パターンとに密接につながっている。また反対に摂食行動は、女性の生殖器官に関係するホルモンの機能に大きな影響を与える。たとえば拒食症のせいで月経が止まることはよくみられる。

バンクーバーの内分泌学者で女性の健康問題に特に関心をもっているジェリリン・プライアーは、月経周期が正常で何の症状も出ていない女性にも、ホルモンのわずかな乱れがあることを発見した。彼女は『カナディアン・ジャーナル・オブ・ダイアグノーシス』にこう書いている。「正常な月経周期を持つ健康な女性の約三分の一に排卵の乱れがある。これは生物学的な原理から見ればかなり大きな健康上のリスクになり得る[*15]」

プライアー博士の研究で最も多かった無排卵の原因は、「視床下部と下垂体から卵胞に送られる信号の乱れ」により、視床下部と下垂体が卵巣を十分刺激できないことだった。博士は、このような乱れは「ライフサイクルに関連した適応行動、体重の変化、精神社会的ストレス、過度のエクササイズあるいは病気」によって起こるとしている。

白血病やリンパ腫のような血液の（血球をつくる）システムのがんにも、ホルモンが大きく影響している。副腎で産生されるコルチゾールの影響を強く受けるからである。副腎皮質ホルモンは白血病やリンパ腫の細胞の分裂と増殖を抑制する。したがって血液のがんは一部には、視床下部－下垂体－副腎系の慢性的な乱れによって血液細胞やリンパ細胞が通常の抑制を受けないときに起こると考えられる。ある論文は、これらの疾患にかかった大人の患者の生活を見ると、精神的なストレスが大きな原動力になっていると指摘している。

ロチェスター大学の研究グループは一五年にわたって白血病またはリンパ腫の患者を調査した結果、それらの疾患は「感情の喪失や分離があり、それが不安、悲哀、怒り、絶望をもたらしているような状況で起こりやすいことを発見した[*16]」と語っている。

ストレスホルモンのコルチゾールに似せて人工的につくった化合物は、白血病とリンパ腫の治療に重要な位置を占めている。興味深いことに、白血病細胞の増殖を抑えるために必要なコルチゾール様ホルモンの量は、体内で普通に機能する量よりほんの少し多いだけでいい。白血病の場合、急激なストレスによってコルチゾール濃度が一時的に高まるだけで寛解にいたることもある。作曲家ベラ・バルトークの病気に起こったのはまさにそれだろう。

ここで、急激《いい》なストレスの際の一時的なコルチゾール濃度の上昇は健康的なことであり、必要なことでもあるということを思い出そう。健康的でないのは、慢性的なストレス下にある人の慢性的なコルチゾール濃度上昇なのである。

母国ハンガリーから亡命し白血病にかかったバルトークは、ボストン交響楽団の指揮者セルゲイ・クーセヴィツキーから新しい曲を書くよう依頼された。するとバルトークは自然寛解の状態になり、曲が完成するまでその状態が続いたのである。視床下部－下垂体－副腎系から放出されたコルチゾールと、さらにそれ以外の精神・神経・免疫・内分泌系の要素がいくつか働いて、この有名な寛解をもたらしたことは十分考えられる。そのおかげで二〇世紀の傑作と言われるバルトークの「管弦楽のための協奏曲」が生まれたのである。

ストレスに敏感な視床下部－下垂体－副腎系と脳の大脳辺縁系が調整するホルモンは、ホルモン依存性のがんに直接影響する他にも、体内の他の組織に作用してがんの生成に影響を与える。中でも最もホルモンの影響を受ける組織は免疫系である。

これまで一般に、がんはからだが――外国から攻撃された国のように――戦いを挑むべき外敵だと考えられてきた。このような考え方は単純でわかりやすいものの、現実をゆがめるものである。第一に、たとえ煙草のような発がん物質があった場合でも、がんができたこと自体は、体内のプロセスが正常に作用しなかったことも原因のひとつである。そして、多くのがんではこれといった発がん物質は特定されていない。第二に、がんの拡大が促進されるか抑制されるかを決定するうえで大きな役割を果たすのは、局所的あるいは全身的な体内環境なのである。言いかえれば、正常な細胞からがん細胞への変異のプロセスは、がんの種類と同程度に、その人の生物心理社会的状態と関係のある多くの要因によって決まるのである。

細胞の表面に正常なタンパク質とは異なる分子が現れる段階までがんが進行すると、その細胞はさまざまな免疫反応によって破壊される仕組みになっている。T細胞〔訳註・胸腺で産生される免疫細胞の一種〕が有毒な化学物質でそれらを攻撃し、抗体も作られる。がん細胞を食い尽くす白血球もある。しかし慢性的なストレス下では、免疫系は、がんを形成した細胞を見分けることができないほど混乱していたり、そうした細胞と戦うことができないほど弱体化しているのである。

がんの成長と拡大には、がん細胞自身が作り出すものも含め、局所的に産生される多くの化学物質も関係している。成長因子や抑制物質をはじめとするさまざまな伝達物質がそれである。それらの物質の複雑なバランスによって、がんは抑制されたり成長を促進されたりする。ここでは、この複雑な一連の生化学的作用は精神・神経・免疫・内分泌系によって、特にホルモンその他の情報物質を介して調整されるということだけ言っておく。

最後に、心理状態はがんの転移の促進または抑制にも多大な影響を与える。

一般に、がんは転移する前に「早期発見」することが大切だと言われている。しかし生物学的に見れば実はそうではないのだ。がんは多くの場合、発見された時点ですでに転移を始めているのである。「初期がんの大部分は、診断された時点ですでにごくわずかの転移を始めている」[*17]とイギリスの腫瘍学者バジル・ストールは言っている。ただし転移したがん細胞のほとんどは死んでしまうか、長い間休眠しているのである。

倍加時間――がんの大きさが二倍になるのに要する時間――はがんの種類によって異なるし、同じがんであっても違いは出てくる。臨床で発見できるほどになるまでには、皮膚がんや乳がんのように発見しやすい部位にできたものでも、一グラムの半分くらいの大きさで五億個の細胞を持つまでに成長している。ここまで増えるには、悪性に変異したひとつの細胞が約三〇回は分裂する必要がある。[*18]乳がんの場合、倍加時間は二、三日から一年半までの幅があり、平均は約四カ月である。「もしがん細胞がこのいちばん遅い率で成長すれば、臨床で発見されるまでに約八年かかることになる。さらに長い倍加時間としては、臨床的な発見まで一五から二〇年かかったという報告もある」[*19]

実際のがんでは、おそらく倍加時間は一定ではないだろう。そのときその患者の生活に何が起こるかによって、がんの成長率には大きな変動があるはずだ。ミシェルの話を思い出してほしい。彼女の胸に七年間もあったしこりは、あるとき大きなストレスを受けたことで急激に悪性に変化したのである。

乳がんの場合、直径が〇・五ミリを少し超えるころには転移が始まっている可能性があるため、「転移するがんなら、ふつうは臨床で発見できる時点ですでに転移している」[*20]のである。乳がんの多くは臨床的にはまだ何も異常を起こさないまま、顕微鏡でしか発見できないような転移を起こしているらしい。また別のケースでは、転移した細胞は発生箇所から離れた組織にあって何年も休眠しており、ある日突然その存在を主張して症状となって現れる。前立腺がんの場合も事情は同じである。そのため前立腺がんと診断されたときにはすでに四〇パーセントは転移している。実際のところ、その点では前立腺がんと乳がんとは驚くほど似ていて、女性の解剖を行なうと二五から三〇パーセントもの人に顕微鏡的なサイズの乳がんが発見されるのである。それは「実際に症状として現れる乳がんの数をはるかに超えている」[*21]

したがって問題なのは、がんの転移を防ぐことではなく、どんな条件下で、なぜ、ある人の中にすでに存在し休眠していたがん細胞が症状を伴うがんに変わるのかということである。がん細胞の休眠には実に多くのホルモンや免疫機能が関わっている。それはすべて精神・神経・免疫・内分泌系の機能であり、すべてが生活上のストレスの影響を受けるのである。

がんの成長率は患者によっても非常に大きな違いがある。診断上はまったく同じタイプの同じ進行度のがんを持つ患者の間でも、転移の有無や生存期間に大きな差が出ることは歴然としている。たとえば「乳がんの摘出が不完全でもまったく再発しなかった例、再発するまで三〇年間も休眠していた例は数多くある」[*22]のである。このような個人差はがんそのものの行動によるものではなく、がんの成長を抑制したり逆に促進したりするような体内環境要因によるものと思われる。そしてその体内環境は、その人の生活に作用するストレス要因と、ストレスに対する人それぞれの対処法に大きく影響されるのである。

多くのがん研究にいちばん共通してあげられているリスク要因は、感情、特に怒りに関わる感情を表現できないことである。怒りの抑圧という性格特性が病気を呼び寄せるのは、不可思議な抽象的な力が働くせいではない。それが人間にかかる生理的なストレスを増すからこそ、主要なリスク要因なのである。それは単独で作用するのではなく、それに伴うことの多い他のリスク要因——絶望感や周囲からの支援の欠如など——と一緒になって作用する。「ネガティブ」な感情を感じない、あるいは表現しない人は、たとえ友人に囲まれていても孤立してしまう。本当の自分が見えていないからである。絶望感は、心の深い部分でいつも自分に正直になれないために生じる。さらに絶望感は無力感につながる。何をやっても同じだという気になるからである。

子宮がんの定期健診で細胞塗抹標本に異常があったが、特に症状は出ていない健康な女性を対象にした研究がある。研究者たちは塗抹標本の検査結果を知る前に「七五パーセント近い確率で初期がんにかかっている人を当てることができた。使ったのは彼女たちの精神状態を知るための質問票だけである。研究者たちは『無力感を抱く傾向』あるいは過去半年間に解消されないままの絶望感と挫折感を持った女性は、最もがんにかかりやすいことを発見した」[*23]ということである。

チヴレンカの研究グループも、合理的-非感情的（怒りの抑圧）という性質と慢性的な絶望感という精神状態を基準に、一四〇〇人近くの被験者の中からがんにかかりそうな人、がんで死亡しそうな人を予測した。そして一〇年後に結果を見ると、七八パーセントの確率で当たっていたのである。この研究者たちは「多くの研究は、心身相関的なリスク要因の重要性をひどく過小評価してきたように思われる」とコメントしている。

ギルダ・ラドナーの生涯は精神的なリスク要因の影響をよく示している。彼女の母方の叔母とふたりの従姉妹は卵巣がんで亡くなっている。母親は乳がんだったが治療で完治した。ギルダには遺伝的なリスクがあったわけだ。しかしだからと言って、彼女は絶対に卵巣がんで死ぬように運命づけられていたのだろうか？　そう考える理由はない。

卵巣がんの女性のほとんどにとって遺伝はそれほど大きなリスク要因ではない。ごく一部の患者には確かに遺伝の影響が見られる。卵巣がん患者の八パーセントはリスクを高める遺伝子のひとつを持っている。それは乳がんに関係しているＢＲＣＡ遺伝子（がん抑制遺伝子）である。ＤＮＡのどの鎖が変異したかによって、ある場合は七〇歳になるまでにがんになるリスクが六三パーセント、別の遺伝子に変異がある場合には七五歳までに卵巣がんになるリスクが二七パーセントあると言われている。[*24]遺伝子の変異はないが、一親等の身内——母親、姉妹、娘——に卵巣がん患者がいた場合のリスクは約五パーセントである。ここでも、遺伝子だけですべてを説明することはできない。またリスクの高いグループであっても、全員ががんになると決まっているわけではない。

ギルダ・ラドナーは、躁病的なエネルギーと何でもやってやろうという意気込みに輝いていた。しかし彼女は非常にストレスの多い、極度に自己否定的な人生という精神的な重荷を背負ってもいたのである。彼女が苦しんだ摂食障害は、ホルモンのバランスを崩していたはずだ。さらに彼女は不妊症だったが、それはおそらくこの章で前にふれた視床下部–下垂体系の機能不全が原因と思われる。

テレビ番組『サタデーナイト・ライブ』に出ていたほっそりとしたスターは過食症だった。本人の言葉を借りれば、彼女は「不幸な、デブの、何の取り柄もない」子供だった。彼女は自分の子供時代を「悪夢」だったと言っている。回想録によれば「兄と私は食べ過ぎて風船のように太っていた」という。「私たちは首のないモンスターのようだった。両親は私を毎年サマーキャンプに送り込んだが、私は毎年いじめの標的だった（……）。『女の子の世界』にはボス的な子と可愛い子ちゃんがいるものだ。ボスの子は可愛い子を王女様にして、自分は王女様の相談役を務める。デブの子は召使いか何かの役回りで、それが私だった[*25]」

ギルダと母親との関係は非常に悪かったようで、特にどちらも父親の注意を引こうとして争っていたらしい。ギルダは父親のことを「生涯の恋人」だったと断言している。一二歳のときに父が脳腫瘍で亡くなったことは、彼女に癒しがたい喪失感をもたらした。

大人になってからは、絶望に駆り立てられるように次々と男性の愛とやさしさを求め続けた。「私の人生はほとんど私が愛した男たちに支配されていた」と彼女は書いている。ギルダはその時々の相手の男性の好みに合う女性になろうとした。

ギルダは母親ヘンリエッタに自分の本当の気持ちを打ち明けることも、はっきりノーと言うこともできなかった。すでにスターとなり、隠れて過食にふけっていたころも、彼女は食べたものについて細々とした嘘をでっちあげて、娘の食事を心配する母親の不安を和らげようとしたものだった。ヘンリエッタは、ギルダが生きている間ずっと娘の過食症を知らなかった。

ギルダは人を笑わせることによってのみ、自分の環境を支配することができた。人を笑わせることは子供時代の心からの欲求を満たしてくれた。それは父に愛してもらうための手段であり、母の心をひきつける唯一の手段、「何をやっても振り向いてくれないとき、母に近づくための手段」だった。彼女は「天性の」コメディアンになったのだ。自分の本当の気持ちを隠すことと引き換えに。

ギルダはみずから仕事中毒だと認めており、彼女の言葉によれば「ストレスとプレッシャーに大事な人生をゆだねていた」。若いころパリに旅行し、まるで自殺するかのように車道に身を躍らせたことがある。もう少しで死ぬところだった。「少なくとも私の身を案じてくれる人はいるのね」と、ギルダは歩道に引っ張ってくれた友人に言ったそうである。

ギルダは、卵巣がんの症状が腸閉塞などの肉体的な苦痛をもたらすようになっても、自分の欲求より他者を満足させることを優先していた。いろいろな人にアドバイスを求め、それをいちいち聞き入れた。困った羽目になるのはわかりきったことなのに。「突然、こんなにたくさんの人たちをどうやって満足させたらいいのかわからなくなってしまった。クエン酸マグネシウムをとればいいのね？　コーヒーで浣腸するのね？　両方やっていいのかしら？　おなかのマッサージ？　それとも結腸洗浄？お医者さんたちに他のお医者さんが言っていることを話していいのかしら？　私のからだの中では東洋と西洋が出会っている。西洋の薬が口から入り、東洋の薬はおしりから」

治療が成功したように見えたとき、ギルダは卵巣がんの啓蒙活動のためにポスターガールの役目を引き受け、『ライフ』誌の表紙を飾った。彼女は多くの勇気を人々に与えたが、回復は長くは続かなかった。子供のころの役割に縛られたままの彼女は、末期がんになって他の人たちを「がっかりさせた」自分を責めた。「私は『健康協会』のスポークスウーマンで、回復のシンボルだった。私は治療に積極的に取り組んだがん患者のお手本だった。今では、失敗のお手本のような気がする。私はとんでもない詐欺師だ、と私は思った」［強調はラドナー］

ギルダは死期が迫ってやっと、自分は世界中の人の母親にはなれないと悟った。「私はやりたかったことを全部やることはできなかった。知っているかぎりのがん患者に電話をかけ続けることはできなかった。卵巣がんにかかったすべての女性に手を差し伸べることはできなかった。それに、受け取った手紙のすべてを読むわけにはいかなかった。そんなことをすれば、私自身がぼろぼろになってしまっただろうから（……）。私は他のみんなのために涙を流すことはできなかった。自分の面倒を見なければならなかったから（……）。自分の面倒を見なければいけないと知るのは大切なことだ。まずそれをしなければ、他の誰の面倒も見られないのだから」

第8章　何かいいものがここから出てくる

エドは、ホームドクターによる定期健診の直腸指診で小さなしこりを発見された。彼は言っている。

「すぐに生検を受けました。前立腺の六カ所から組織を取られて、そのうちのひとつに異常が見つかりました。前立腺がんでした。それから、いろいろな治療法について調べました。どれもこれも、切るか、焼くか、毒を使うかです。前立腺摘出手術を受けた人の話もたくさん聞いたし、放射線治療を受けた人の話も聞きました。ほとんどの人は受けた治療に満足していませんでしたね」

「あなたは、医者の治療はまったく受けなかったんですか?」と私はたずねた。

「自然療法医のところへ行ったことはありますよ。今は催眠療法を受けています。それと、自分が今までどんな生き方をしてきたか、一生懸命、内面を見つめているところです」

エドが冗談めかして表現した「切るか焼くか毒を使うか」というのは、前立腺がんの治療に現在おもに使われる三つの方法、摘出手術、放射線照射、化学療法のことである。こうした治療を受けても特に副作用の出ない人もいるが、尿失禁や性的不能など不快な症状が出る人もいる。一九九九年に発表された一〇万件におよぶ前立腺摘出手術の総覧によると、「前立腺摘出手術のあと合併症を起こして再入院するケースは従来考えられていたよりかなり多かった」[*1]のである。

現在受けられる治療がこの病気をきちんと治し、命を救ってくれるのなら、こうしたリスクもやむを得ないかもしれない。ところが実際には、せいぜい五分五分といったところなのである。定期健診で直腸指診または前立腺特異抗原の血液検査を受けて前立腺がんを発見しよう、と呼びかける大々的なキャンペーンにも、科学的根拠があると証明されているわけではないのだ。「前立腺がんが発見されても、その治療が成功する保証はないということを、人々はもっと知る必要があると思う」と、ミネアポリス退役軍人医療センターの准教授ティモシー・ウィルトは『ニューヨークタイムズ』紙に語っている。[*2]「まさにこれが、一斉検診の難しいところなのだ。治療ができないのなら、どうしてわざわざ血液検査をしてがんを見つけるのかということになる」

積極的な医療を支持する人々は、アメリカ国立がん研究所のがん専門医であり疫学者でもあるエーティス・ブローリー博士による調査結果を見ればがっかりすることだろう。検診が広く行なわれている地域では前立腺がんの診断件数は増え、治療を受ける患者数も増えるが、それによる死亡率は変わらないという結果が出ているのである。[*3]むしろ熱心に検診を行なっている地域のほうが死亡率はわずかに高いくらいなのだ。『国立がん研究所ジャーナル』に発表された調査結果も私たちを当惑させる。それによれば、前立腺がんを積極的に治療した人は、まったく治療しなかった人に比べて他のがんで死亡する率が高いというのである。[*4]

治療を受けたほうがいい前立腺がんもあるのだろうが、現時点ではどんな場合に治療したほうがいいのかよくわかっていない。ほとんどの前立腺がんは進行が非常に遅い。だからがんの症状が出るにしても、そうなる前にその人が死んでしまうこともあり得る。また逆にがんの進行が早すぎて、診断されたときには治療しても無駄だということもある。どんな場合に治療の意味があるのか確実に知る方法がない以上、前立腺がんに打ち勝ったと言われる人は本当は何に勝ったのか――治療に勝ったのか、それともがんに勝ったのだろうか？　前立腺がんの場合、現状の医療では医学上の一般常識に簡単に当てはめることはできないのである。

世間の風潮としては、早期発見すれば治療が成功する可能性が高いという常識的な考え方が優勢である。治療したおかげで命が助かったと思い込んでいるノーマン・シュワルツコフ将軍やプロゴルファーのアーノルド・パーマーやカナダ閣僚のひとりアラン・ロックらの有名人――みんな検診で前立腺がんが見つかった――は、熱心に早期発見を呼びかけている。有名人が血液検査を呼びかけているからという理由ではなく、科学的な判断に基づいて検診や治療を受けるかどうか判断するべきだ、とオーティス・ブローリー博士は『アメリカ医師会報』で主張している。*5

科学的な結論は出ていないものの、治療への信頼感は根強い。がんの可能性を目の前にすれば、たとえ治療の効果に疑問はあっても成り行きにまかせようとする医師はほとんどいない。そして患者のほうも、たとえ十分な知識を持っていたとしても、何もしないで不安を感じているよりは「何かをする」ほうを選ぶことが多い。しかし患者は常に前立腺がんについてわかっていること――そしてこれも同じくらい重要なことだが、まだわかっていないこともすべて――を知る権利があるのだ。

前立腺がんは、人間において初めてホルモンとのつながりが明確になったがんである。卵巣を摘出した女性の乳がんが好転するのと同じように、精巣を摘出すると前立腺がんは小さくなる。男性ホルモンのアンドロゲンの量が少なくなるからである。睾丸摘出手術や、男性ホルモンの影響を抑制する強力な薬剤の投与も治療法のひとつである。この「化学的去勢」は、転移した前立腺がんの治療としては現在最も広く行なわれている。

ホルモン濃度と感情との密接な関係を考慮すれば、精神的な要素が前立腺がんの発生に及ぼす影響が医学研究や医療現場で完全に無視され、ホリスティックな治療法が避けられているのは実に不思議なことである。前立腺がんにおける性格やストレスなどの要素に関する研究はほとんどない。医学の教科書はこの問題を無視しているのである。

ストレスや感情と前立腺がんとの潜在的なつながりを無視することは、すでにわかっていることから見ればなおさら筋が通らないと言わざるを得ない。多くの男性は、三〇代になるころには前立腺にいくつかがん細胞ができている。八〇代になれば、ほとんどの男性はがん細胞を持っている。男性の四二パーセントは五〇代になるまでに前立腺がんになる可能性がある。しかしどの年代を見ても、実際にがんの症状が出るところまで進む人は比較的少ない。つまり、若い男性でも前立腺にがん細胞があるのは珍しいことではないし、年齢が進めばがん細胞を持っているのが普通だということである。実際に症状が出たり、命を脅かすところまで進行したりするのはそのごく一部なのだ。ストレスががんの進行をどう促進するのか調べてみる価値はある。どんな性格が、どんな生活環境がからだの防衛システムを乱し、すでにあるがん細胞を増殖させるのだろう?

私がインタビューのためにエドの家に行くと、顔もからだも四四歳という年齢より何歳も若く見え、しなやかなからだつきをしたエドは、ちょうど買い物に出かけようとしていた妻のジーンを振り返って声をかけた。「面倒だけど（It's a pain in the ass）、○○さんのトラックを見てやらないといけないんだ。エンジンがかからないんだってさ」

「早速ひとつ質問してもいいですか？」と私は口を開いた。

「どうぞ」

「その人のトラックを見てあげるのが面倒だと言うのに、『pain in the ass（お尻が痛い）』という表現を使いましたね。前立腺がんの人がそういう言い方をすると本当にからだのことを言っているようで、なかなか面白い比喩ですね。今までの人生を振り返ってみて、あなたにとっては面倒なだけで何の得にもならないことを頼まれたとき、きっぱりノーと断るのは大変でしたか？」

「僕は絶対にノーとは言いません。いつもなんとかして人の役に立とうとしているから」

「それが面倒なことでも？」

「もちろん。それが最高に楽しいこととは言えないとしても、本当はそれよりもっと大事なことをしていなくちゃいけないときでもね。人を助けることが好きなんです」

「そうしなければ、どんな気がします？」

「嫌な気持ちになりますね、気がとがめて」

エドはカントリーミュージック・バンドのリーダーで、以前はコカイン、メスカリン、マリファナを常用していた。「若いころは毎日二、三本やっていました。お酒も子供のころからずっと飲んでいました」。それからエドは、一〇年続いたという最初の同棲生活について話してくれた。相手は年上の女性で、彼はその女性のふたりの子供の子育てに協力し、憂さ晴らしに毎日酒を飲んでいたという。この関係は、相手の女性が浮気したことで終わった。

「もうたくさんでした。もう我慢できないって言ってやりました。僕だって浮気したいと思うことはありましたが、実行に移したことはありません。その日から一年半、酒は一滴も飲みませんでした。ジョギングを始めて、とにかく自分のやりたいことをやりました。せいせいしましたよ、重荷を下ろしたようで。やりたいことが何でもできるのが本当に嬉しかった」

「最近はどれくらい飲んでいるんですか?」

「一日にビール四本ぐらいかな。毎日」

「何か影響はありますか?」

「ジーンと結婚したことで彼女の問題が僕の問題にもなったわけだけど、それがどんどん重荷になってきて、それでまた、飲むようになったわけです」

「ということは、今の結婚生活に何か不満があるんですね」

「いちばん大きいのは、主導権の問題かな。僕はジーンの好きなようにさせています。彼女は多発性硬化症だし、前の結婚でずいぶん虐待されていたから(ジーンの多発性硬化症については第18章を参照)。何を着るかということまで、いちいち夫から指図されていたらしいんです。そのせいで僕はすっかり彼女に遠慮して暮らしているというわけです」

「だからあなたは主導権を奪われていると思っているんですね。それをどう思いますか？」

「面白くはないですね」

「その気持ちをどう処理しているんですか？」

「隠しています」

「面白くないと思っていることを奥さんに話さないんですか？」

「話しません」

「それで何か思い出すことはないですか？」

「子供のころのこと？　そう言えばそうですね」

エドは以前私に、「子供時代には何も問題はなかった」と言っていたのだが、じつは両親に抑えつけられていると感じていたこと、両親の期待に添えないと罪悪感を感じていたことがすぐに明らかになった。そして彼の言葉を借りれば「当然の体罰」を与えられていたことも。さらに詳しく訊いてみると、その体罰とは父親にベルトで打たれることで、八歳のころからずっとそうだったとエドは言う。

「親父はそれがいちばんのしつけ方だと信じていました」

「あなたはどう思います？」

「そう、今にして思えば、あれがいちばんいい方法だったとは思いませんね。でも小さな子供には選択の余地なんてありませんよ。僕は立派な人間になりたいと思っていました。子供には自分の父親がどんな人間かなんてわかりませんよ。だって子供は自分の父親は完璧であってほしいと思っているし、自分も完璧な子供になりたいと思っているんですから」

前立腺がんの不思議な点のひとつは、みんなが攻撃的な男らしさの元だと信じ込んでいる男性ホルモン、テストステロンはがんの成長を促進するはずなのに、実際にこのがんにかかるのは高齢者が多いということである。体内のテストステロンの産生は年齢とともに減少していくというのに。そのうえ、前立腺がんの男性の血中テストステロン濃度が高いということもない。どうやら乳がんとエストロゲン・レセプターの関係と同じように、前立腺がんのがん細胞もテストステロン濃度に対する感受性が変化しており、正常な濃度に反応するらしい。

副腎と卵巣におけるホルモン産生と同じように、睾丸によるテストステロン産生も脳の視床下部－下垂体系によって複雑な調整を受けている。ストレスと感情の影響を強く受けるこの調整システムが、一連の生化学的物質を血流に送り込むのだ。精神的な要素は、男性ホルモンに対して良くも悪くも強い影響を与えるはずである。卵巣から放出される女性ホルモンのエストロゲンや副腎から放出されるアドレナリン、コルチゾールその他のホルモンが精神的要素の影響を受けるのとまったく同じように。そういうわけで実は、脳下垂体の切除手術が前立腺がんの治療に効果を見せた例も、少数だが報告されているのである。[*6]

テストステロンは身に覚えのない罪をひとつ着せられている。自信にあふれた女性あるいは決断力のある女性を誉めるのに「彼女は根性（balls――つまり睾丸）がある」という表現を使うことがある。カナダのあるコラムニストは元イギリス首相、鉄の女――人によっては血も涙もない女と言うかもしれない――マーガレット・サッチャーを誉めて、彼女は「男の一〇倍もテストステロンを持っている」

と評した。一方で、男性の破壊性と敵意のこもった攻撃性は、しばしばテストステロンのせいにされる。だが実際には、ホルモンの量が増えるのは原因というよりむしろ結果なのである。

アフリカカワスズメという魚の実験では、争いの勝敗によって、ホルモンのバランスばかりか脳細胞にまで変化が現れることが証明された。「敗北した場合、この魚は性ホルモンが次第に減少し精巣が小さくなったが、それに伴って視床下部の細胞も小さくなった」。敗北した魚を人為的に支配的な地位につけると、その魚の視床下部の細胞は劇的に成長して性腺刺激ホルモン放出ホルモンを産生し、それが下垂体を刺激して精巣を刺激するホルモンを産生させる。すると精巣は大きくなり、精子の数が増える。「非常に重要なのは、この実験が（……）行動の変化（つまり支配的な地位についたこと）が生理的な変化をもたらすことを明らかにした点である」[*7]

高度な進化をとげた私たち人間としては、下等生物であるアフリカカワスズメほど簡単に、人生の浮き沈みに左右されるとは信じたくないかもしれない。だが実際に人間のホルモン量は、アフリカカワスズメの場合と同じく支配関係の変化に先行するのではなくて、その後になって変化するのである。アトランタのジョージア州立大学に籍をおく社会心理学者ジェームズ・ダブス教授は、テストステロンと人間の行動との相互作用を調査している。『ニューヨークタイムズ』紙に掲載されたその報告によれば、博士は四〇件近い調査のまとめとして、テストステロンは確かに性欲を増大させるが「攻撃性をもたらすことは証明できなかった」としている。その一方で、精神状態はテストステロンの産生量を急激に変化させる可能性があることが証明された。「ダブス博士は、一九九四年のサッカー・ワールドカップでイタリア対ブラジルの決勝戦が行なわれる前と後に両チームのファンの調査を行なった。

博士が明らかに『勝利に酔った高揚状態』と判断した状態で、勝者ブラジルチームのファンのテストステロン量は一気に増大し、落胆したイタリアチームのファンのテストステロン量は落ちていた」[*8]。もはや意外なことではないが、男性にしても女性にしても性腺の機能は精神状態に左右されるのである。うつ状態にある男性では、テストステロンなど性機能に関連するホルモンの産生量は著しく減少することがわかっている[*9]。前立腺がんなどホルモン依存性のがんは、ストレスや精神状態に関連する化学物質の影響を非常に受けやすいと考えられるのだ。

前立腺がんは男性が二番目にかかりやすいがんである。これより罹患率が高いのは肺がんだけだ。さまざまな統計があるが、アメリカでは一九九六年に三一万七〇〇〇人もの人が新たに前立腺がんにかかったと言われ、このがんによる死者は四万一〇〇〇人を数えたという[*10]。カナダでは毎年約二万人がこの病気にかかっている。

環境的な要因による影響も大きいと考えられる。ハワイやアメリカ本国に移住した日本人男性は、日本国内にとどまっていた男性よりも前立腺がんの発症率が二・五倍以上高い。しかし前立腺がんを発症していなかった人を解剖してみると、どちらに住んでいた人も同じ割合で休眠中のがん細胞が発見されている[*11]。とすればここで問題になるのは、そうした休眠中のがん細胞は、どうしてある環境では活動を開始し別の環境ではそのままなのか、ということである。前立腺がんにかかるかどうか、前立腺がんで死亡するかどうかにはストレスが非常に大きく影響していることを示唆する興味深い疫学的研究がいくつかある。

家族の病歴は前立腺がんのリスクを高めるが、ほとんどの場合それは主要な要素ではない。たとえば肺がんにおけるタバコに匹敵するような発がん性の環境物質は、このがんの場合は特定されていない。飽和脂肪が関係している可能性はある。発生に地域差が大きいことから遺伝の影響はあり得る。前立腺がんはスカンディナビア地方にいちばん多く、アジアが最も少ない。人種－民族グループで見れば、アフリカ系アメリカ人が世界中で最もリスクが高い。このグループの発症率は白人アメリカ人の二倍である。

「前立腺がんが比較的若くして発見された場合、がんの進行度にかかわらずアフリカ系アメリカ人は白人より生存率が低い」[*12]。この死亡率の高さを、アメリカの医療制度において中・低所得層および労働者階級が受けられる医療水準の低さのせいと考えることもできる。しかし前立腺がんにおける人種的差異は所得の差を超えている。いずれにせよ、医療環境に恵まれていたとしても生存の可能性が高まる保証は今のところない。こうした死亡率の違いを遺伝のせいにしようとしても、アフリカ系アメリカ人の前立腺がん発症率はナイジェリアの黒人の六倍も高いという事実にぶつかる。この場合も、臨床的に「沈黙している」がん細胞の率については両者の間に違いはないのである[*13]。

ここで、がんの成長の度合いに差が出たのはカロリー摂取量など環境的要因の影響だとすると、アメリカの白人と黒人の間に死亡率の差があってはおかしい。現状では、白人と黒人の発症率の違いで、飽和脂肪の摂取によるものと考えられるのはわずか一〇パーセントである[*14]。また遺伝的要素が原因なら、アメリカとナイジェリアの黒人同士の発症率にこれほどの差は出ないはずである。

アメリカ社会における黒人の歴史的、社会的、経済的地位は黒人のコミュニティや家庭における結束を乱し、白人アメリカ人やアフリカに住む黒人よりも大きな精神的ストレスを負わせてきた。アフリカ系アメリカ人の間に高血圧が多く見られるのも、同じ理由によるものと思われる。高血圧とストレスの関係は明らかである。類似した例としては、アパルトヘイト下の南アフリカ共和国の黒人が故郷の村から都市に移住すると、たとえ移住によって経済的に多少豊かになったとしても、自己免疫疾患のひとつ慢性関節リウマチの発症率が高まったという報告がある。それまで受けていた家族や地域社会による援助から引き離され、政府公認の人種差別によってより過酷に、より公然と自主と尊厳とを奪われる環境に暮らすことからくる精神的なプレッシャーがその大きな要因だったと思われる。

結婚している男性は、離婚したり妻に先立たれたりした男性と比べて前立腺がんにかかりにくいという事実は、先に精神的な孤立と病気との関係で明らかになったことと一致する。[*15] 特に前立腺がんをとりあげて精神的要因との関係を調査した報告はこれ以上見つけることができなかったが、対照群と比較して依存要求の強い男性――つまり自分をひとりの独立した大人と見られない人――について調査した研究がひとつある。この研究によると依存性の高い男性はより多くの疾患にかかりやすく、前立腺がんやその他のがんもかかりやすい疾患に含まれている。[*16]

もしホリスティックな視点に立った研究がもっと奨励され、前立腺がんの研究にも採り入れられたなら、現実に何が起こるだろう？　第一に、不安をかきたてるばかりの検査は、少なくともその有効性が確実に証明されるまでは中止されるだろう。一九九九年六月、アメリカ郵政公社は前立腺がんについて、「毎年検診を受けよう」と呼びかける切手の発行を計画した。『ニューイングランド・ジャーナル・オブ・メディスン』誌は、その呼びかけは「現在の医学界の知識と見解に反する」として、その暴挙を思いとどまるよう警告した。[*17] そして第二に、前立腺がんの治療につきまとう不確実性を十分に説明することなく、害を与える可能性すらある切開手術や、効果の確認されていない治療を何万人もの男性に行なうことがなくなるだろう。

血液検査や病理レポートではなく人間を中心に据えたホリスティックな医療は、それぞれの個人の生活歴を考慮に入れる。患者が直面しているひとつひとつのストレス——外的なものも自分の内側から生じたものも——を慎重に見定めるよう励ます。このような対応をとるなら前立腺がんの診断も単なる脅威ではなく、ひとつの警告となり得るだろう。どんな治療を選んでも選ばなくてもいいということに加え、人生のあらゆる点を考慮して慎重に対処するよう励まされた患者は、必ずや生存の可能性が高まるはずである。

二〇〇〇年四月、ヒラリー・クリントンとの上院議員選挙戦のさなかに前立腺がんと診断されたルーディ・ジュリアーニの場合、ひとつの変容が大きな影響を与えたようである。元ニューヨーク市長ジュリアーニは、何かに駆り立てられているような男、「疲れとも恐れとも自信喪失とも無縁のロボット市長」と称され、「『勤労は美徳』を地でいく男」[*18]と言われていた。彼は完全な仕事人間で一日四時間の睡眠しかとらず、残りの二〇時間のほとんどは働いていた。何事も自分が中心にいなければ気がすまなかったとも言われている。どんなことにも手を出し、主導権を握って「将軍みたいに命令を吠えたてた」。窮状にある個人や団体に同情を示すこともなく、行き過ぎた厳格さを示していた。がんになった後、彼は大衆に向けて注目すべき告白をした。自分ががんであることに触れ、彼はこう言ったのである。

私は病気になって、自分はいったい何者なのかがわかりました。自分にとって何が本当に大切なのか、何を大切にすべきなのか――つまり、自分がどこに核を置くべきなのかがわかりました。たぶんあまりにも長い間公務員であり政治家であったために、私はこれまで自分が拠って立つべき場所は政治の場だと思っていました……でも、そうではなかった。

病気になって良かったことがあります。いいことがたくさんあります。今までよりずっとよく自分を理解することができた。自分にとって大切なことがずっとよく理解できるようになった。まだ完全に理解できたわけではありません。二、三週間でそんなことができると思ったら大間違いでしょう。でも、私はそれに向かって進んでいると思うのです。

ホルモンと関係する男性生殖器のもうひとつのがん、精巣がんでは、前立腺がんと違って医学と腫瘍外科学が成功を収めてきた。かつてはこの比較的まれながんが若い男性のがんによる死亡の第三位を占めていたが、今では五位にも入っていない。早期発見した場合の治癒率は今や九〇パーセント以上である。トゥール・ド・フランスの自転車レースで四度の優勝を果たしたランス・アームストロングの例が示すように、進行した転移性精巣がんを持つ男性でも外科手術と放射線照射と化学療法――それに固い決意とをうまく組み合わせれば、完全に回復する望みがある。

私が緩和ケア病棟に勤務していたころ、ブリティッシュコロンビア州がん対策局のあるがん専門医に、フランシスという男性と話をしてほしいと頼まれたことがある。フランシスは精巣がんにかかった三六歳の男性で、医師が言うには緩和ケアを希望しているからではなく、希望しないから話し合ってほしいということだった。診断の時点でフランシスのがんはすでに腹部にまで広がっていたが、適切な治療をすれば完治の見込みは五割以上あった。問題は、彼があらゆる治療を拒否していることだった。がん専門医としては、私がカウンセリングで彼の心にうまく働きかけ、患者の拒否的な態度を変えさせることを期待していたわけである。

統計的に見て、治療すれば回復――あるいは少なくとも生存期間の延長――は間違いないと私が言っても、フランシスは関心を示さなかった。彼は宗教的な立場から治療を拒否していた。神がこの病気をお与えになったのだから、それに抵抗するのは不敬なふるまいだと言うのである。彼は治療が怖いわけではない、ただ治療について考えることさえ悪いことだと感じるのだと言った。私は思いつくかぎりの方向から、彼の生への頑強な抵抗の原因を探ろうと試みた。何か子供時代に犯した罪のために罰を受けて当然だというのだろうか？　フランシスは家族も親しい人間もいない孤独な人生を送っていることはわかっている。うつ病にかかっているのだろうか？　医学的な自殺をしようとしているのだろうか？

私は、宗教的なことはわかりませんがと前置きし、神の意思を知っているかのように主張するのは冒とくではないだろうかと言ってみた。神が本当にこの病気をお与えになったのだとしても、神はあなたが病気に打ち克って何かを学ぶための試練としてそうされたのではありませんかと。それに、この病気が神の与えたものだとしても、回復の可能性を高める医学知識も神が与えてくださったものではないのですか？

私はこういったことを一生懸命問いかけたが、会話の大部分は彼の話を聞くことに費やした。私が聞いたのは、自分の命を救うことをあくまでも拒否する、混乱した孤独な男の声だった。彼は断固として、自分の気持ちはどうしても譲ることのできない宗教的な信念に基づくものだと言い張った。実際には、彼の属する宗派の長老たちは彼の主張に異を唱えていたのだが。長老たちはフランシスの教義の解釈は間違いで、正統とは言えないと彼に告げていたのである。彼らは教会で治療中と予後の面倒を見るとまで言っていたのだが、それも効果はなかった。

私は、フランシスを含めても三、四人しか精巣がんの患者に会ったことがなかった。精巣がんの発症件数は増加傾向にあるとはいえ、アメリカでは毎年約六〇〇〇件しかなく、カナダではその一〇分の一ほどにすぎない。この病気の患者の精神的、個人的な経歴を研究した例は皆無で、心理学の研究がいくつかあるだけである。しかしフランシスの人生について私が知りえたわずかなことと、出版されたランス・アームストロングの自伝と、この章を書くためにインタビューした私のよく知る若い男性ロイの体験との間には驚くほどの類似性がある。

アームストロングは一九九六年の冬に睾丸が少し腫れているのに気づき、春には彼にしては珍しく息切れを感じるようになった。乳首にさわると痛みがあり、一九九七年のトゥール・ド・フランスは咳と腰痛のためにリタイアせざるをえなかった。「運動選手、とくに自転車競技の選手にとっては否定することが仕事なのだ」[*19]と彼は書いている。九月前には咳をすると血を吐き、睾丸が腫れて痛みを感じるようになったため、ついに医師の診察を受けた。そのころにはがんは彼の肺と脳にまで広がっていた。

精巣がんの場合、多少の異常を無視するのは自転車競技の選手だけではない。ロイは二〇〇〇年の中頃、三〇歳のときに左の睾丸の腫れに気づいたが、それから八カ月も医者へ行くのを延ばしていた。その間、彼は誰にもその話をしていない。「なんとなく恥ずかしかったし、それに悪い病気だといわれるのが怖かったんです」とロイは言っている。イギリスでの調査によると、この病気の場合、人に話したり医者へ行ったりすることをためらうのは珍しいことではない。「診断が遅くなるのは珍しいことではない。ただし医師が正しい診断を下すのに時間がかかるというより、患者が医師に相談するのが遅れる場合のほうが多い（……）。症状が出てから睾丸摘出手術までの期間としては、最長で三年という例があった。平均すると（……）三・九カ月かかっている」[*20]

若い男性としては、自分のからだの調子が悪いと認めるのが嫌なだけかもしれない、特に生殖器が関係している場合は。しかし冷静に考えれば、それは逆である。ことは男性機能にかかわっているのだ、若い男性なら睾丸に異常を感じたら一目散に医者へ駆け込むのが普通だろう――頭の禿げる家系の人が少しでも髪が薄くなったと感じたらそうするのと同じように。ロイの人生について訊いたり、ランス・アームストロングの自伝を読んだりしてみると、この病気だと認めようとしなかった裏には、もっと深い理由があったことがよくわかる。

私はロイが八歳のときから彼とその家族を知っている。二〇〇〇年に開業医をやめるまで、二〇年にわたって彼の一家のホームドクターを務めていたのだ。そして数カ月前、以前いたオフィスにちょっと立ち寄ったときに、ロイが精巣がんの治療を受けていることを知ったのである。たまたまその日の午後、ロイが検査のために来ていたのだ。私はすでにランス・アームストロングの著書『ただマイヨ・ジョーヌのためでなく』（邦訳、講談社）を読んでいた。ロイの人生とランスの人生には奇妙に共通するところがあった。病気に対するふたりの反応が似通っていた裏には、偶然を越えた何かがあったのかもしれない。

ランスは、がんになるずっと前から精神的な抑圧状態を見せていた。親しい友人のひとりは、彼は「氷山みたいだった。見えているのはてっぺんだけで、その下にもっと多くのものが隠れているような感じだった」と語っている。

ランス・アームストロングは実の父親を知らない。彼はその男性を、軽蔑をこめて「ＤＮＡの提供者」と言い捨てている。母親リンダ・ムーニーハムは両親が離婚しており、初めての息子ランスを一七歳で産んだときにはすでに相手に捨てられていた。リンダの父はアルコール依存症のベトナム退役軍人だったが、立派なことに孫息子ランスが生まれたその日にきっぱりと酒を絶った。

母親のリンダは活発で自立心旺盛な女性だったが、状況が状況だったために――経済的にも苦しかった――十分大人になりきっていなかった。ランスの言葉を借りれば、「ある意味、ふたりは共に成長したのである。リンダはランスが三歳のとき再婚した。継父テリー・アームストロングは「小男で濃い口ひげをたくわえ、いつも大風呂敷を広げる癖があった」とランスは書いている。継父はクリスチャンだったが、その教えにもかかわらずランスをしょっちゅう殴っていた。「彼の好みのしつけ道具はラケットだった。僕の帰宅が遅いと、ラケットで叩かれた。抵抗すると、またラケットが飛んできた。痛みを感じたのはからだだけではない。心も傷ついた。だからテリーのことは好きじゃなかった。彼は男性ホルモン過剰の虐待者だ。彼との生活の中で、僕は子供心に、宗教とは偽善者のためのものだ、と思うようになった」

思春期になると、ランスは継父が浮気していることを知った。「テリー・アームストロングのラケットはなんとか我慢できた。でもテリーに関して、我慢できないことがあった」と彼は継父の浮気について書いている。両親は離婚した。

ロイもまた長男であり、父親は怒りっぽい暴力的な人間でよく妻と息子を殴った。「父にやられたことで、ひとつ忘れられないことがあります。私の手首と足首を縛って裏庭に放り出したんです。どれくらいの時間だったかは忘れたけど、でもいちばん嫌だったのは、二階に住んでいた男が窓から私を見て笑っていることでした。どうして自分の子供にあんなことができるんだろう？　あのときのことは、間違いなく今も心に傷を残していますよ」

「そのときお母さんはいなかったの？」

「母は仕事で不在だったと思います」。ロイは母親は味方だと信じていた。彼は幼くして、父の暴力から母を守る役目を引き受けていた。

ランス・アームストロングの母親も、息子が殴られても守ることができなかった。そのような状況に置かれた子供は当然、母親に守ってもらえないことに傷つき――そして虐待する継父にだけでなく、子供を守ることができない母親に対しても怒りを感じるだろう。ランスは自分のそういう気持ちに気づいていなかった――そしてそれこそが、彼が自分の苦痛を否認し無視する性向を身に着けた原因だと私は確信している。「耐えることがすべてなら、僕にはその才能があった」。ランスはティーンエイジャーのころ耐久力を競うスポーツが好きだったことに触れてこう書いている。

先に引用した言葉からもわかるように、ランスは自分がひどい仕打ちに合うことよりも、母親が継父に裏切られることのほうが耐えられなかった。

母親の不幸を目の当たりにした子供は、それ以上母親の重荷を増やしたくないと思い、自分の苦痛を抑圧することで母親の役に立とうとするものだ。自分の面倒は自分で見て「多くを求めない」ことが彼の務めなのだ。簡単な膝の手術をしたあと、母に足を引きずる姿を見せまいとした私の行動を思い出してほしい。ランスは二五歳のときにがんと診断されたが、どうしても母親に直接それを告げることができなかった。彼は「母に病気のことを打ち明ける気力がなかった」と書いている。そして、代わりに話してやろうという親しい友人の申し出を受けたのだ。

母リンダは強い精神力と愛と勇気をもって、見事に困難を受けて立った。予後の不安に脅える日々を、途方に暮れながらも適切な治療を選ばなければならない困難を、脳の手術と化学療法の苦しさを、ランスを支えて共に乗り切ったのである。ランスが反射的に母を守ろうとした無意識の行動は、ふたりが大人になった今はもはや現実に根ざしたものではなく、幼いころの経験から彼の対処法としてプログラムされていたにすぎなかったのである。

ロイは子供のころの両親との関係がもたらした結果として、「昔はいつも自分の幸せより人の幸せを優先していたように思います。自尊心が低かったせいで、人を喜ばせれば自分を受け容れてもらえるだろうと考えながら人づきあいをしていました。人は私にこうしてほしいんじゃないか、と思うことをして、みんなを満足させようとしていました」と語っている。

「どんなふうに？」

「人にも自分にも正直な気持ちを隠すことで。いつも人がやりたいと言うことに従って。人が私を傷つけるようなことを言っても、傷ついたとは言わないでただ聞き流していました。私としては対等なパートナー二、三年前、ふたりのパートナーと組んでビジネスをしていました。私としては対等なパートナーのつもりだったのに、ふたりにはその気がなかったようで、何でもふたりで取り仕切っていました。俺たちの仕事だ、という感じで。私の意見は無視されました。そういう目にあえば傷つきますが、私は気持ちを抑えつけて、すべて胸のうちにしまって何も言いませんでした。どうしていいかわからなかったんですね」

ランス・アームストロングとロイのふたりと、フランシスとの決定的な違いは、ふたりには人生に対する愛着があり、それを手離さなかったことで闘志を生み出すことができた点だと私は思う。フランシスと違ってランスとロイはどちらも、がんになったとき、家族や友人から手厚い介護と強力な支援を受けることができたからである。

私は、精巣がんの発症には抑圧が大きな役割を果たすと思っている。この病気にかかった人たちに、それまでの人生でどんな精神的な経験をしたか、細かな聞き取り調査をするのは非常に価値のあることだろう。その際に注目すべき点のひとつは、彼らがどれくらい母親と親密に結びつき、母親と同一化していたかである。ランスの母親と妻のキークは――私には偶然とは思われないのだが――気味が悪いほど容貌が似ている。ランスの興味深い自伝に載っている三人の写真を見ると、このふたりはほとんど見分けがつかないほどである。

がんを患った経験からロイがみずから引き出した教訓は、自分の犠牲も顧みずに人を喜ばせるための行動はもう二度ととらないということだった。「今は何をするにしても、絶対に人を喜ばせるためにするのではありません」とロイは言う。「何をすれば自分は幸せを感じられるか、これは自分のやりたいことだろうか、と考えます。昔は違う生き方をしていたけど、何もいいことはありませんでしたからね」

フランシスは結局、緩和ケア病棟に入院した。がんは最後には肝臓に転移し、肝臓は痛ましいほど肥大していた。そして間もなく亡くなった。私たち医師が予想したよりもはるかに早い死だった。

第9章　「がんになりやすい性格」は存在するのか

ジミーがリンダと結婚したのは一九九〇年の晩秋だった。結婚式はバンクーバー病院の緩和ケア病棟のチャペルで行なわれた。皮膚がんが脊柱にまで転移していたジミーが亡くなる五日前のことである。花嫁は妊娠八カ月だった。ジミーの家族は父親以外の全員が式に列席するために集まり、そのままジミーの最後の数日を共に過ごした。ジミーの臨終を告げた一カ月と一日後に、彼らの娘エステルの誕生に立ち会った。リンダが前の夫との間のふたりの子供を出産したときも、やはり私は立ち会っていた。

ジミーはあまり医者にかからなかった。彼がリンダと暮らすようになって五年たっていたが、私が彼に会ったのは、しつこい腰痛が治らないといってやってきたその夏が初めてだった。やがて、それは数年前に摘出手術をした脚の皮膚がんが脊柱に転移した兆候だとわかった。彼が最初にかかった悪性黒色腫《メラノーマ》は、皮膚の色素を作る細胞であるメラニン細胞にできるがんで、命を奪う恐れもある。他の器官に転移しやすく死亡率の高いがんで、しばしば人生の盛りにある人を襲う。

私はジミーとそれほど親しくはならなかったが、初めて会ったときから非常に好感のもてる人柄に見受けられた。礼儀正しく人好きのする三一歳の男性で、砂のように明るい茶色の髪と青い瞳を持ち、色白の肌にはソバカスがあって、幅広でいかにもアイルランド系らしい正直そうな顔立ちだった。

色白の人が紫外線にさらされることは、悪性黒色腫の主要な身体的リスク要因である。ケルト系の人は特にかかりやすいが、ジミーのように髪の色が薄く、ソバカスがあり、青または灰色の瞳を持つ人はさらに危険である。皮膚の色が濃い人種には皮膚がんの危険はほとんどない――ハワイでは、白人でない人の皮膚がん発症率は白人の四五分の一である。[*1] バンクーバーの皮膚科医たちは毎夏、海岸でボランティアの「日焼け防止パトロール」を行ない、日光浴をする人たちに日焼けの危険を警告している。残念なことに、抑圧の問題は不注意な日焼けの問題ほど解決が容易ではない。悪性黒色腫については、抑圧とがんとの関係という視点から非常に説得力のある研究成果がいくつか報告されている。

ジミーの病状は急速に悪化し、化学療法と放射線照射は彼をさらに衰弱させた。「もうたくさんだ」。ついに彼は言った。「こんなの馬鹿げてる。どうせもうじき死ぬんだから、こんなつらい目にあう必要はないよ」。それからすぐ、両脚が麻痺するにおよんで彼は緩和ケア病棟に移された。死は数週間後に訪れた。私が二年前に一般診療をやめるまで、リンダとその子供たちは私の患者だった。先日彼女に電話したところ、彼女は私のインタビューに応じてもいいと言ってくれた。ジミーの姉ドナも応じてくれるということだった。

私はリンダに、亡くなったご主人はどんな性格だったかたずねた。「ジミーはのんきで物事にこだわらない、ざっくばらんな人でした。大勢でいるのが好きで。夫の人生にどんなストレスがあったかと先生に訊かれて、考え込んでしまったほどです。彼はそんなにストレスを感じる人ではなかったみたい。でもとにかく、酒飲みでした。毎日けっこうな量を飲まないと気がすまなかったようです。だから私、ずっと同棲していても、結婚はためらっていたんです。お酒のことがあったから。毎日、ビールを四本かそれ以上飲んでいました」

「お酒を飲むと人が変わるようなことはありましたか?」

「ふだんより飲みすぎたときだけ……そういうときはいつも、大きな可愛い熊みたいになって、だれかれかまわず『おまえさんを愛してるよ』って言うんです。酔っ払うとどうしてもみんなに抱きつきたくなったみたいで。相手が男でもね、兄弟みたいに抱き合うんです。男の人に『おまえさんは俺の相棒だ』と言っては、泣いたものです。

乱暴な人ではありませんでした。怒りや欲求不満をため込んではいなかった。夫は悲しかったんだと思います。たくさんの悲しみを自分の中にため込んでいた。でもそれがなぜなのか、私にはわかりませんでした。

ひとつだけ思い当たるのは、何かお父さんのことで、私には言いたくない秘密があったようです。彼はその話はどうしてもできなかったみたい。自分の気持ちを打ち明けることはありませんでした。本当に、何も打ち明けてくれなかった」

「ご主人はどんな子供時代を過ごしたんでしょう?」

「ハリファックスで育ったそうです。幸せな子供時代だったとよく言っていました。両親はずっと一緒だったし。でもふたりともアルコール依存症だったんです。お父さんのほうは昔から大酒飲みだったそうです。お母さんのほうは確か、ジミーが一〇代のころに飲み始めたとか」

後にジミーの二歳年上の姉ドナに訊いたところでは、彼女たちが子供だったころ父親は大酒飲みだったということだ。ドナとは話をする機会が二度あったが、最初に会ったときはこう言っていた。「子供時代は幸せでした。弟たちはそうは思っていないようだけど（……）でも、私たちきょうだいはとてもいい子供時代を過ごしたと私は思っています。とても幸せな家庭でした（……）。

ジミーはまさにちっちゃな坊やって感じで、楽しそうにしていました。いつも一緒に遊んだものです。裏庭に行っては水のかけあいをして――ほら、水鉄砲でね。私が思い浮かべるジミーは、いつもにこにこ顔の坊やです」

「ご両親についてはどんな思い出がありますか？」

「父は最高にいい人で、誰に対してもとても感じがよかった。すごく愉快な人でした。いつも私たちとふざけあって、取っ組み合いをしてくすぐるんです。物真似もしてくれました。ドナルドダックみたいなしゃべり方をするんです。みんな家に来ると、『お父さんにアヒルしゃべりをしてもらって』と言ったものです。

愉快な人でしたが、言うことはきかなくちゃなりませんでした。一緒にふざけていても、父が何か言うとみんな縮み上がったものです（……）。父がいらいらしてきたり、怒ったり、もうたくさんだということになったら――それでおしまいです。父が何かやれと言ったら、命令をきくしかありませんでした」

「そうしなければお仕置きをくらって、さんざん怒鳴られるからです」

「どうしてです?」

ドナは一九歳で結婚し、別の町へ移った。ジミーは二二歳になるまで両親のもとで暮らした。そして、ちょっと友だちに会いにバンクーバーへ行ってくると言って家を出たあと、両親に電話してもう戻らないと告げたのである。彼はその後、ごくまれに立ち寄るだけで二度と家に戻ることはなかった。

「もう帰らない、と電話してきただけ。たんすのいちばん上の引き出しに、事情を説明する手紙が入っていました」

「彼は逃げ出したんですね」

「ええ。そしてその理由を、あの子は両親にこう言っていました。『そんな、理由なんて言えないよ。父さんたちを傷つけたくないから……』って」

「ということは、彼が独立することでご両親は傷つくとジミーは思っていたんですね」

「私たちはみんな、そういう考え方をするように育てられたんです。母にとっては子供がすべてでした。子供がすべて。彼女なりにいろいろ努力はしていましたが、でもやっぱり子供にしがみついていました——それは私にとっても有害だったけど、特にジミーにとって良くないことでした。今にして思えば、私たちはお互いに密着しすぎていました、それが害をおよぼすほどにね。親はあるところまで行ったら子供を手放すべきなんでしょうね。うちの母は私たちを精神的に手放さなかったんだと思います。私は親に対する義務のようなものを感じていたし、ジミーもそうでした。普通の親なら、子供が大きくなったら自立したがることはちゃんとわかっていて、そのことを受け容れるはずよね」

「ジミーは物理的には西海岸へ逃げ出したけれど、心は自由になっていなかったということですね」

「そう、もちろん自由じゃありませんでした。彼はたまらない気持ちだったはずです。すごくつらかったでしょう。彼は逃げ出したけど、ずっとその気持ちを抱いて生きなくてはならなかったんです」

ドナによれば、ジミーは亡くなる直前まで、両親に与えた心の痛手を思うと耐えられないと言っていたという。「〝労働者の日〟の連休の直前に弟から電話がありました。自分の黒色腫の話をしてからこう言ったんです。『ねえ、ドナ、パパとママには電話できないよ。精神的にとても耐えられない。代わりに伝えてもらえないか?』って。いいわよ、連絡しておくわ、と言ったら、『お願いだから、ふたりが取り乱して泣いたりわめいたりしながら僕に電話してこないようにしてくれよ、とても耐えられないから』だって」

あなたの思い出の中にあるジミー坊やの「にこにこした顔」は、じつは彼の本当の顔ではなかったのではないか、と私はドナに問いかけた。少なくとも一部は、両親の不安と怒りに対する反応としてジミーが身につけた対処法だったのかもしれない。それは両親の感情が自分に与える苦痛を避けるための方法だった。両親の気持ちをなぐさめるために、彼は自分の気持ちを否定したのだ。

数日後、ドナから電話があった。先に私とかわした会話から、たくさんの重要なことを思い出したので、それをどうしても話したいのだ、と。

「このあいだあなたとお話した後、私は普通に一日を過ごして九時にベッドに入りました。そうしたら午前四時に目がさめて。信じられないほどいろいろなことが次々と頭に浮かんできたんです。

ジミーは心の中にたくさんの悲しみを抱えていた、たぶん父親に関することで、とリンダは言っていたんですよね。私は弟のことは本当によくわかっていたと思っています。それでもやっぱり、たくさんの悲しみがあったのは確かなんです。ずっと昔の、ジミーがまだ小さかったころのことを思い出したんですよ。父がジミーと一緒に何かをしていたことで私の記憶にあるのは、ただ一度、居間のじゅうたんの上でふたりがふざけあっていたときのことだけなんです。笑顔と笑い声に満ちていました。でもそれ以外、ジミーの人生には一度も父とのふれあいはなかった。ジミーのホッケーの試合を観に行ったことだって一度もなかった。一緒に遊んだことも。

あきれてしまうのは、父はいつも私たちを愛してると言っていたくせに、よくもまあ、あれほど私たちを傷つけたものだということです。弟のひとりはかなり太っていたんだけど、父は人前でその弟をからかったことがあります。ずいぶんひどいことを言って。ジミーにも同じようなことをしていました。

私は父に腹を立てたことはありません――いつも父をかばっていました。意識してかばったこともあるし、無意識にそうしていたこともあると思います。でもこの前の夜、私は突然ものすごく腹が立ってきたんです。ジミーのこと、それからあの子が小さいころから大人になるまでに起こったいろいろなことが頭に浮かんできたんです。父が声を荒げたときのことをひとつひとつ考え続けました。何かを修理しようとして必要な道具がなかったとか、ねじが床に落ちたとか、それから何かが思いどおりにいかなかったとか、そういうとき父は怒鳴ったりわめいたりしたものです。私たちは縮み上がりました。とにかく逃げるしかありませんでした。本当に突然、父の怒鳴り声とわめき声を思い出したんです。そして思いました、こんな生活は間違っているって。こんな経験をさせられたのはひどいことだって。

最後のときだって……父はジミーに会いにきた——ハリファックスから車で。もっとも、運転したのは私の妹とその旦那さんでしたが。父は道中ずっとお酒を飲んでいました。ジミーが緩和ケア病棟に入る二、三週間前にこちらへ着きました。父はアパートに入った途端、座ってビールを飲んでいるんです。寝室に行って自分の息子、ジミーに会おうともしないで。

私たち、なんとかその場を取り繕おうとしました。父親が来たのに息子の顔を見る勇気もないなんて——どうなっているか見るのを怖がっているなんて、ジミーに知られたくなかったから。それから父は勇気をふりしぼり、やっとのことでジミーの部屋に入って、『ジミー、何か持ってきてやろうか？欲しいものはないか？』って訊いたの。

そうして部屋から出てきたと思ったらいきなり冷蔵庫をあけてこう言ったんです。『なんだってリンゴジュースがないんだよ？　信じられんな！』って。それからアパートにいた私たち全員を怒鳴り散らしました。私たちは呆然としているだけ。父はコートをとって大きな足音をさせて出て行くと、お店でジミーのためにリンゴジュースを買ってきました。

それから父は帰っていって、それっきり。病院に入ったジミーの見舞いにも行きませんでした。ハリファックスに帰ったまま二度とジミーには会わなかった。笑っちゃうのはね……リンダがエステルを妊娠していて、ジミーが死ぬ五日前に結婚したことはご存知ですよね？　彼はその日、半昏睡状態だったけど」

「そう、うとうとしていましたね。急激に鎮痛薬の量を増やさざるを得なかったので」

「私がいつも思い出すことのひとつがこれなんです——結婚式の後、ジミーはひどく疲れていたけど、片手を持ち上げて、『ほら見て、パパ、パ、パ、パ、パの指輪と同じだよ』と言ったの。弟の結婚指輪は、父のとまったく同じだったんです。可笑しいわね、ジミーの口からあんなセリフが出てくるなんて。パパ、パ、パの指輪と同じだ、なんて」

ジミーに見られるような感情面の対処の仕方は、多くの黒色腫の患者で報告されていることである。一九八四年、これに関する周到な実験が行なわれた。黒色腫の患者グループ、心臓病患者のグループ、いかなる病気にもかかっていない対照群の三つを用意し、ストレス刺激に対する各人の生理的な反応を測定する実験である。その内容はこうだ。各被験者に皮膚抵抗測定器——皮膚の電気抵抗を測定する装置——をつなぎ、精神的な苦痛を与えるようなスライドを見せる。スライドには「おまえは醜い」「悪いのはおまえだ」といった侮辱的な、不快な、あるいは気持ちを暗くするような言葉が記してある。被験者は生理的な反応を記録される一方で、それぞれの言葉を見てどれくらい不愉快になったかを主観的に記録するよう求められた。実験者たちはこうして、各被験者の神経系が実際に経験した不快感の記録と同時に、被験者が意識した精神的ストレスの報告を得ることができるわけである。

生理的な反応については、三グループの間に違いはなかった。しかし黒色腫患者のグループは、スライドのメッセージによって与えられた不安感や不快感を意識することを拒否する傾向が強いことがわかった。「この実験により、悪性黒色腫の患者には〝抑圧傾向〟を示すと言っていい対処反応と傾向があることがわかった。こうした反応は、心臓血管系疾患の患者とは著しく異なっていた。後者が示した対処法はまったく反対だと言っていい」[*2]

黒色腫患者のグループは、三グループのうちで最も抑圧傾向が高かった。心臓病患者のグループは抑圧傾向が最も低かった（心臓病患者の反応が健全だと思われるかもしれないが、そうではない。抑圧と高すぎる反応性の中間あたりが健康にいいのである）。この実験から、人は精神的なストレスを受けることで体内のシステムに測定できるほどの影響を受けても、一方では自分の感情を完全に意識外に隔離できることが明らかになった。

「タイプC」の性格という概念が最初に提案されたのは、黒色腫との関連でだった。がんにかかった人たちに比較的多くみられるいくつかの性格特性をまとめたものである。タイプAの人は「怒りっぽい、気持ちが張りつめている、素早い、攻撃的、コントロールしたがる」人であり――心臓病にかかりやすい。タイプBの人はバランスのとれた穏健な性格で、何かに駆り立てられたり、我を忘れて感情を爆発させたりすることがない。タイプCの人は「過度に協力的、忍耐強い、受動的、自己主張に欠ける、従順という特性を持ち（……）。タイプCの人はタイプBの人と似ているように見えることがある。どちらも気楽で快活に見えるからである。しかし（……）タイプBの人が怒り、恐れ、悲しみなどの感情を容易に表現できるのに対し、タイプCの人は、われわれが見たところでは、『ネガティブな』感情、特に怒りを抑制または抑圧する一方で、強くて幸福そうな表向きの顔を保とうとする」[*3]

病気自体が、その人の発症前の状態をまったく反映することなく対処法を変化させ、性格を変えてしまうなどということがあり得るだろうか？　妻と姉が語ったジミーの話は、抑圧、「感じのよさ」、攻撃性の欠如が、幼いころから生涯を通して彼の対処パターンだったことを物語っている。黒色腫の患者の生理的なストレス反応を調査した研究者たちは「人は病気になって――がんであろうと心臓血管系の疾患であろうと――突然ストレスに対する対処法を変化させたり、突然新しい対処法を身につけたりはしない（……）。ストレス下にあるとき、人はすでに持っている能力と防御法を活用するのが普通である」と言っている。

精神的なストレスがどのように悪性の皮膚疾患に変容するのだろう？　多くの黒色腫がからだの太陽光線にさらされない部分にも発生しているという事実は、ホルモンの面から説明できそうである。研究者たちは、ホルモンが色素細胞を過度に刺激するのではないかと指摘している。[*4]

黒色腫と結びつけられたタイプCの性格特性は、それ以外のがんについても多くの研究でとりあげられている。一九九一年、オーストラリアはメルボルンの研究グループは、結腸がんおよび直腸がんにおいて何らかの性格特性がリスク要因となるかどうか調査した。がんと診断されたばかりの六〇〇人以上の患者のグループと、対照群による調査である。その結果、がん患者は次のような特性を、統計的に有意な程度にもっていることが明らかになった。「怒りやその他のネガティブな感情の否定と抑圧（……）『感じがいい人』あるいは『いい人』という外見、他者を不快にするような反応の抑制、紛争の回避（……）。この特性に基づく結腸がんと直腸がんのリスクは、これまでに明らかになっているリスク要因、すなわち食生活、ビールの摂取、家族の病歴とは無関係だった」。[*5] 自己申告による子供時代および成人してからの不幸な体験も、結腸がんに多く見られた。乳がん、黒色腫、前立腺がん、白血病、リンパ腫、肺がんの患者にも同じような性格特性が見られることは、この本ですでに見てきたとおりである。

一九四六年、ジョンズ・ホプキンズ大学の研究グループは、若い人が将来何らかの疾患にかかる可能性を予測できるような精神生物学的特性を探るため、長期的な展望に立った研究を開始した。その後の一八年間に、医学部に入学した一一三〇人の白人男子学生を対象に心理テストが実施された。被験者たちは、感情面での対処法、子供時代の両親との関係について質問された。生物学的データ――脈拍、血圧、体重、コレステロール値――と、喫煙、コーヒーの摂取、飲酒などの習慣も記録された。研究が終了するころにはほとんどすべての被験者はすでに卒業し、大部分は医師になっていた。年齢には三〇歳から六〇歳以上までの幅があった。この時点で、被験者たちの健康状態をチェックしたのである。その結果、大部分は健康だったが、心臓疾患、高血圧、精神疾患、がんにかかった人と自殺した人がほぼ同数ずつあった。

研究グループはこの調査を計画した時点で、がんが既存の精神的要因と関係するとは予想していなかった。しかしデータを見れば関係は明らかだった。がんにかかったグループと自殺したグループの間に驚くほどの類似性があったのである。「われわれの得た結果は、がん患者は『他のグループの人々よりも、衝突的な感情を否定し抑圧する傾向が強い』という報告を裏づけるように思われる[*6]」

さらにこの研究者たちは、大部分の健康な被験者にも、またそれぞれの疾患にかかったグループにも、各グループに特有の精神的特性があることを発見した。最初の心理テストで抑うつ、不安、怒りの得点が最も低かったのは、後にがんにかかった医学生のグループだった。彼らはまた、両親との結びつきが最も弱かった。全グループの中で、がんグループは感情を表現する能力がいちばん低かった。これはつまり、「がんになりやすい性格」があるということだろうか？　この問いにイエス、ノーで簡単に答えることはできない。

黒色腫を例にとれば、原因を単純にひとつにしぼることの無意味さがよくわかる。肌の色が白いことだけがこのがんの原因ではない。肌の白い人が全員黒色腫になるわけではないからだ。紫外線による損傷だけでは十分ではない。肌が白くひどく日焼けした人の一部が皮膚がんになるだけなのだから。感情の抑圧だけですべての悪性黒色腫の原因を説明することもできない。黒色腫にせよそれ以外のがんにせよ、感情の抑圧のある人が誰も彼もかかるわけではないからである。おそらく危険なのはこの三つの条件が組み合わさった場合だろう。

どんな性格もがんを起こすことはできないとは言うものの、ある種の性格は生理的なストレスをもたらす可能性が高いという意味で間違いなくリスクを高める。抑圧、ノーと言えないこと、自分の怒りに気づかないこと、この三つがある人は自分の感情が表現できない、自分の希望が無視される、優しさにつけ込まれるということになりやすい。こういった状況は、本人がそれと意識するしないにかかわらずストレスをもたらすものである。それが長年繰り返されだんだんひどくなると、からだのホメオスタシスと免疫系を乱すことになりかねない。からだの生理的バランスと免疫系の防衛機能を乱し、病気の原因となったり病気への抵抗力を弱めたりするのは、ストレス――性格それ自体ではなく――なのである。

したがって生理的なストレスは性格と病気とを結ぶものということになる。ある種の性格特性――言いかえれば対処法――は、慢性的なストレス状態に陥る可能性を高めるがゆえに病気にかかるリスクを高めるのである。そうした性格に共通するのは、感情を伝える能力の低さである。自分の感情を効果的に表現する方法を身につけることができないと、何らかの感情を体験することが生理的なダメージに変換されてしまうかもしれない。そして感情を表現するというのは、子供時代に学ぶ——あるいは学ばないまま終わってしまう——ことなのである。

どのように成長するかということが、その人の心とからだの関係を決定する。子供時代の感情体験が生来の気質と相まって、その人の性格特性を形成する。私たちが性格と呼ぶもののほとんどの部分は固定された特性の組み合わせではなく、子供時代にその人が身につけた対処法なのである。環境に左右されない、その人個人に根ざした生来の〝特徴〟と、生きるために身につけた行動パターンである〝環境への反応〟とは厳密に区別すべきものである。

消すことのできない特性に見えるものは、じつは無意識に身につけた習慣的な防御テクニックにすぎないのかもしれない。人は往々にして、そうした習慣的なパターンを欠くことのできない自我の一部だと思い込み、そのパターンと自分とを結びつけてしまう。そしてある特性について自己嫌悪を感じるかもしれない。たとえば、「いつでも物事をコントロールしないと気がすまない」自分が嫌になる、というように。しかし本当を言えば、コントロールしないと気がすまないなどという生まれつきの性格はないのである。「コントロールしたい」人は心の奥底に不安を抱えているのだ。自分の要求がかなえられないと感じた乳幼児は強迫的な対処パターンを身につけ、細かいことに一々不安を感じるようになる可能性がある。そういう子供は状況をコントロールできないと大きなストレスを感じる。だから、自分の人生と周囲のすべてをコントロールしないと自分の要求は満たされないと、無意識のうちに信じ込んでしまう。やがて成長し、そうした態度が周囲から嫌われるようになると、そもそもは精神的な欠乏感に必死で対処した結果だったのに、それに自己嫌悪を感じてしまう。コントロールしたいという衝動は生まれつきの特性ではなく、対処法なのである。

感情の抑圧も、変えることのできない性格特性ではなく対処パターンである。私はこの本を書くために多くの人にインタビューしたが、次のような問いにイエスと答えられた人はひとりもいなかった。その問いとは、「子供のころ、悲しかったり、混乱したり、怒りを感じたりしたとき、それを話す相手がいましたか？　――その相手があなたにそういう感情を起こさせた張本人だったとしても、話すことができましたか？」というものである。緩和ケア病棟での一〇年ほどの勤務を含めると私の医療経験は四半世紀にもおよぶが、がんやその他の慢性疾患を持つ患者でこの問いにイエスと答えた人はひとりもいない。多くの子供がこのような状況に置かれているのだ。それも、両親にその子を傷つけようとか虐待しようとかいう意図があるわけではなく、両親が自分の子供から感じとる不安や怒りや悲しみに脅えてしまうから――あるいは、自分たちのほうが忙しすぎたり、疲れてイライラしていたりして、子供にまで気がまわらないからなのである。「お母さんは（あるいはお父さんは）私がハッピーでいてほしいんだ」と思い込ませることは、多くの子供――ストレスや抑うつを抱え、あるいはからだの病気を持つ大人の予備軍――に、一生つきまとう抑圧傾向を身につけさせるいちばんの近道なのである。

ジルはシカゴの映画制作者で、進行した卵巣がんの患者である。彼女は、自分は完璧主義者だと認めている。ある友人は、ジルががんになる前につらい体験をしたのを見ていたので、こうなることを心配していたと私に言った。「私はそのとき、これは単なる精神的なダメージだけでは終わらないんじゃないかと思いました」

「三年ほど前、ジルはあるビデオの共同制作に参加したんです。でもその会社がつくった作品はひどい代物だった。彼女にとっては耐えがたいことです。彼女はそのプロジェクトを絶対に成功させなくちゃいけないと思っていたわけですから。彼女が参加するからには素晴らしいものでなくちゃいけないんです。ジルは受け取った報酬の三倍から五倍分もの仕事をしました。だからそのことが、ジルのからだがもう耐えられないと言うきっかけになったんだと私は信じています」

ジル本人とインタビューしてみると、彼女はあけっぴろげの率直さと感情の否認とを合わせ持っていることがわかり、私には非常に興味深かった。ジルは自分の両親との関係や夫との関係によって生じるストレスについてずいぶん打ち明けた話をしてくれたが、それが彼女の病気の原因だとはけっして認めなかった。彼女は五〇歳で非常にはきはきと話す人だったが、どんな話題についてもささいなことまで事細かに話す傾向があった。私はそれが、不安を寄せつけないための彼女なりのやり方なのだと感じた。会話が少しでも途切れると不安になるように見受けられたのだ。初めてインタビューしたとき、ジルは化学療法のせいで髪が抜けており、かつらをかぶっていた。

ジルは結婚生活で母親の役目をになっていた。夫のクリスが急性で衰弱性の病気にかかったとき、彼女は母親のような心くばりをもって献身的に看病した。医師に電話し、夜は付ききりで看病し、彼女が仕事でいない間はきちんと面倒を見てもらえるように手配した。その間も全国的な会議でプレゼンテーションをするための準備をし、意欲的な映画制作者たちのための夜間クラスを開いていた。会議に出かける前の晩もそのクラスを指導し、午前二時に荷造りして早朝の飛行機に乗ったのである。

彼女に卵巣がんの最初の兆候が現れたのは、夫の看病が終わった直後だった。妻と夫の看病に対する姿勢の違いは大変なものだった。クリスは、ジルがつらそうで体重も減ってきているのに気づかなかったらしく——彼女はほとんど「アドヴィル（鎮痛剤）だけを口にする」状態だった——、数カ月もの間、彼女のかわりに医師に相談することさえしなかった。「エレベーターに一緒に乗った知らない人たちでさえ、大丈夫ですかと私に訊いたのよ」とジルは言う。しかも、卵巣がんにはよくあることだが、医師が卵巣がんだと診断するまでにさらに数カ月を要したのである。

卵巣がんと告げられたときジルが最初に言ったのは、「『夫と母がかわいそう』でした。私はあの人たちの支えなんです。その支えがなくなってしまうなんて、あの人たちはかわいそうだと思いました」

婦人科のがん専門医はジルとクリスに、ジルの病気はすでにかなり進行しているので五年以上生存する見込みは少ないと告げた。クリスは現実を認めようとしなかった。「彼はその話を聞いていないみたいでした。帰りの車の中でクリスにもう一度同じ話をしなくてはなりませんでした。それでもクリスは、どうやって病気と闘ってやっつけるかという話しかしないんです。彼は専門家が余命について言ったことを全然覚えていませんでした。そのあとになっても同じ。医者の話は彼の頭を素通りしてしまうんです」

手術をする段になると、今度は母親がジルのところに来ると言い出してジルを困らせた。「母は本当は来るつもりはなかったんです。物事の中心にいて人の注目を集めていたい人ですが、飛行機が嫌いだから。でもまわりのみんなに、『娘さんが入院するのにあなた行かないの？』って言われたので、しかたなく母親らしく振る舞うことにして、本当に来てしまったわけです」

「そういうふうに思っていたのなら、お母さんが来ることをあなたはどう感じました？」

「最初は来ないと言ったから喜んでいました。来てほしくなかったからです。いい母親を演じるために私を利用することはわかっていました。でも私は父が亡くなってからずっと、母を支えてきた——父にたのまれたんです」

「私が思うに、あなたは生まれたときからお母さんを支えてきたのでしょう」

「ええ、確かに生まれたときからずっと。父からよく言われたものです。いいかい、お母さんはそっとしておきなさいって。父はいつも母をかばっていました。母にはイライラしていたのに、でもちょっとゆがんだやり方で母を愛していたんです。母の欠点はわかっていても許していました。そして自分を犠牲にして、できるかぎり母に合わせていたんです。

一度、私が大事な用件で東南アジアに行って帰ってきたとき、父が空港まで迎えにきてくれたことがありました。そのとき私はくたくたでした。でも父は、母が教師をしている学校に私を連れて行きたいと言うんです。『そうすれば母さんにただいまと言えるだろう。母さんは子供たちと一緒におまえを待ってるんだよ』と言って。『嫌よ、行きたくない。疲れてるのよ。とても大変な出張だったから、精神的によれよれなの。家にまっすぐ帰って、ひとりになりたいわ』と言っても、『母さんのために、ちょっと顔を出してやってくれよ。とても楽しみにしているんだ』ですって。それで結局、父は私を学校に連れて行きました。母は生徒を全員引き連れて待ちかまえていました。父は、私が子供たちのために買ってきたアジアの農夫がかぶるような菅笠を私にかぶらせました。母はずっとこうやって甘やかされてきたんです——そして父は、母がそうして大切にされたがっていることを知っていた。母は生徒たちに、娘は遠くへ行っていたけれど、帰ってきてちゃんと母のところへ顔を出したということを見せつけることができたわけです。私は父を喜ばせるためにその役を演じた。いつもそうでした」

「あなたはご自分の子供たちに、そんなふうに人の世話を焼かされないよう、きちんと自己主張をしなさいと教えたくないですか？　ジル、あなたは重い病気です。もうすぐ大手術を受けるんです。そしてお母さんはただ来るだけではなくて、丸々一カ月あなたと一緒にいるんですよ」

「おまけに母はわがままです。丸々一カ月分、私は母の食事を手配したんですよ。ほらね、私って本当に忠実でしょう？　とことん忠実なんです。私は母の面倒を見る。母の滞在の手配をしてから、友人たちとその話をしたら、みんなにお母さんを来させないほうがいいって言われました。

そのことは私も何度も考えたんです。私の子供のひとりが手術を受けることになって、私に見舞いに来てほしくないと言うのなら、私は行かないと思います。でもね、私が行くことを子供が喜んでくれたらいいのにと、きっと思うでしょうね。母に関することでは、何かしてあげないことで私が罪の意識を感じたりつらい思いをしたりするようなら、そのほうがよっぽど大きなストレスになるんです」

ジルの話では、子供のころの彼女は従順ではなく、むしろ反抗的だったということだ。「思春期のころはけっしていい子ではありませんでした。父は、私がかつての私みたいな子供を持たなければいいがと思っていたんですって。私は両親の手に余ったのね。一〇代のころは、とても扱いにくい子だと思われていたんですよ。大学での成績は悪くはありませんでしたが、学校というものは好きじゃありませんでした。それから結婚して——一応プロとして仕事をしています。結局、両親にとってはいい娘だったんじゃないでしょうか」

ジルの母親は昨年、私たちのインタビューのあと亡くなった。ジルは亡くなったあとも母親の面倒をしっかり見なければと思ったらしい。彼女が書いた死亡記事は、卵巣がんの娘のために遠方から駆けつけて手術に立ち会い、その後も看病してくれた母をほめたたえていた。

第10章 五五パーセントの法則

三九歳だった一四年前、マーサはアリゾナ州フェニックスからミネソタ州ロチェスターにあるメイヨー・クリニックまでセカンドオピニオンを求めてやってきた。彼女は腸の専門医から、クローン病を抑える唯一の方法として大腸すべての切除を勧められていた。「メイヨーでも手術を勧められたら、そうする覚悟はできていました。でも、できれば避けたかった」とマーサは言う。

マーサは一五年以上も腸からの出血と貧血、発熱、疲労感、腹痛という症状があった。第三子を出産した直後からである。「人生のとても忙しい時期でした、いろいろ大変なことが続いて。夫のジェリーはモンタナの大学で歯学部の最終学年にいて、私は二三歳なのに子供が三人いたんです」。子供は四歳、二歳と生後五カ月の赤ん坊だった。一家にはまだ決まった収入がなく、マーサがベビーシッターやら何やらをして生計を立てていた。ジェリーの卒業後は家族そろってフェニックスに移り、ジェリーはそこで歯科医院を開業した。

「当時、体調は本当によくありませんでした。三人目の赤ん坊を産んで、身も心も疲れきっていました。フェニックスには誰も知り合いがいなかったんです。そもそも来たくはなかった。ずっとモンタナにいたかった。それに加えて、じつはジェリーがある夜、浮気したのです……それが限界でした。そのときから腹痛が始まりました」

数カ月後、夫妻はジェリーの卒業式に出席するためモンタナに戻る。「そのころには下血をみるようになっていて、すぐに入院です。ジェリーのお母さんがモンタナでクリニックに勤めていて、私を見てどこかが悪いとわかったんでしょう。その病院でクローン病と診断されたわけです」

クローン病は炎症性腸疾患を代表する二大疾患のうちのひとつで、もうひとつは潰瘍性大腸炎である。どちらの病気も腸に炎症が起こることが特徴だが、その炎症の起こり方が違っている。潰瘍性大腸炎の場合は——こちらのほうが多く見られるのだが——炎症は直腸から始まって次第に上に広がっていく。大腸全体が冒されることもある。炎症は続くが、腸の表面の粘膜だけにとどまっている。

クローン病の場合、炎症は腸壁を通って広がっていく。小腸の第三の、つまり最終の部分である回腸と大腸全部が冒されることがいちばん多いが、食道から大腸にいたる消化管のどこにでも起こり得る。クローン病は潰瘍性大腸炎と異なり、炎症が消化管のあちらこちらに飛び火して、正常な組織を病変させていく。炎症性腸疾患は、関節、目、皮膚の炎症につながることもある。

炎症性腸疾患の症状は、それが発生する部位によって違ってくる。下痢と腹痛はクローン病と潰瘍性大腸炎の両方に共通する症状である。患者は一日に何度もトイレに駆け込むことになり、ときにはこらえきれずに失禁することさえある。結腸が冒されると血便や、マーサの場合のように大出血が起こる。特にクローン病では、発熱と体重減少がともなうこともある。他にも、炎症による瘻管《ろうかん》――腸から皮膚や膣など他の器官にいたる穴があく――などの合併症が起こることもある。

炎症性腸疾患はふつう若い人に起こる。年齢にかかわりなく発症するが、いちばん多いのは一五歳から三五歳の間である。

入院して一定期間コルチゾールを投与されたことで、マーサの症状は急速に安定した。しかし退院した直後に出血して、また病院に戻ることになった。「輸血を受けたけど、退院するときになってまた大出血があったんです。そのときはショック状態に陥って、集中治療室に入れられました。それから退院して、生活を立て直すことにしたわけです」

「きっと結婚生活と家に戻りたくなかったんだろうな、と気がつきました。それ以外には、退院するときに限って出血する理由が思い浮かびませんから。どうしてさっさと夫と別れなかったのか？　たぶん、私があまりに若すぎたからだと思います。とにかく退院してみると、夫はまた浮気しました。だから言ったんです。『出て行くわ。もうおしまいよ』って。そのとき出て行くべきだったのに、私は実行には移しませんでした。

その後の三、四年、体調は最悪でした。とても疲れてしまって。当時五歳だった上の子供に、下のふたりの世話を手伝わせなくちゃならないほどでした。私はほとんどいつも眠ってばかりでしたから」

「そのあいだ、ご主人は何をしていたんです？　ふたりの関係はどうでした？」

「私はいつも夫に妥協していました。怒りっぽい人だったから、怖かったんです。彼は肉体的にも私を脅えさせていました。殴られたことはありませんが、怒鳴られたり脅かされたり……、いつも喧嘩腰なんです。お酒もたくさん飲んで。一度、子供たちがいる前でひどいことを言われたことがあります。そんなこと、あってはならないと思いますが、夫は私の真正面に立って、怒鳴りつけるんです。私は黙って耐えていました。何でもかんでも彼の言いなりでした。信じられないくらい。いつでも何でも私が悪いということになるんです。彼のせいで私はいつも不安な状態でした。どうすればあんなに物事をねじまげて全部私のせいにできるのか、信じられないとよく思ったものです」

「あなたの病気はストレスと関係があるんじゃないか、と言われたことはありませんか?」

「いいえ。そんなことを言う医者はひとりもいませんでした。でもメイヨー・クリニックには面白い質問票がありました。『この一年で何か特別なことが起こったか、起こりつつありますか?』という設問があるんです。それを読んでこう思ったのを覚えてます。ああ、私の人生に起こっていることを気にかけてくれる人に初めて出会った、って。それこそ私にとっては特別なことでした」

医学では、炎症性腸疾患を原因不明の「突発性疾患」と位置づけている。遺伝の影響は多少あるが、それが主要な原因ではない。患者の一〇から一五パーセントは、家族に炎症性腸疾患の病歴がある。一親等の親族に病歴があった場合、発症するリスクは二から一〇パーセントと考えられている。[*1] 多くの患者は、マーサが大出血したときに考えたように、自分の病気とストレスとの関係を直感的に感じ取っている。実際に「炎症性腸疾患の患者のほとんどは、ストレスがその病気に大きく影響していると信じている」[*2] ことが報告されている。

マーサにとって、メイヨー・クリニックを訪れる前年にあった直接的なストレスは、一〇代のふたりの娘が家を出てどちらもカリフォルニアの大学に入ったことだった。マーサはこの娘たちに精神的に支えられていたのである。夫はあいかわらずマーサに対する精神的な虐待を繰り返しており、このころには飲酒癖をギャンブル癖に切りかえていた。娘たちが行ってしまうと、マーサは手術が避けられない状態になった。彼女は後にカウンセリングを受け、自分がいかに精神的に未熟だったか、いかに人に頼りきっていたかに気づくのである。

潰瘍性大腸炎にかかった五二歳のティムは、自分が人を喜ばせたいという強迫観念にとりつかれていることを認めている。「私は自分の心のうちを見つめるかわりに、他の人間の歓心を買うことや、人にいい印象を与えることに多くの時間を費やしているんです」と。彼には兄がふたりいる。どちらもいわゆるいい職業には就いていない。ひとりはつい最近、五〇代になってやっと結婚した。彼らの母親はこのふたりの兄について手厳しいことを言っている。ティムは自分は絶対そうなりたくないと思ってきた。

「自分は完璧な息子だと思っています。きちんと結婚して、庭に垣根のある家に住んで、三人の子供がいる。ある意味では、私は自分でも気づかないうちに母親を喜ばせようとしてきたのかもしれません」。潰瘍性大腸炎の患者を対象にした一九五五年のある調査によると、「潰瘍性大腸炎患者の母親は強圧的で、受難者を気取る傾向がある」[*3]ということだ。意識して自分の子供に向かって受難者ぶったり、強圧的にふるまったりする母親はいない。もう少し母親に厳しくない言い方をすれば、子供のほうが「自分は母親の精神的な苦しみに責任がある」と感じている、ということだろう。

ティムは細かいことにこだわる性格だ。「彼は何でも細かく計画を立てすぎるんです」と妻のナンシーは言う。「いつも『これはいつまでにやるつもり?』とか『これをするのを忘れるなよ』とか言って私をイライラさせます」。潰瘍性大腸炎の患者七〇〇人以上を対象にした一九五五年の研究は、患者の大部分は「強迫的で神経質という性格特性を持っている。その性格には潔癖、時間の正確さ、良心に対するこだわりが含まれている。こうした性格特性にくわえ、感情［気持ちの表現］を表に出さないこと、過度に観念的かつ知的であること、道徳や行動規範に対する厳格な態度も見られる（……）。同様の性格特性は、クローン病患者にも当てはまるものである」[*4]と結論している。

ティムは、自分は人にも自分にも非常に批判的だと言う——そして結局この性格についても、自分で自分を批判するはめになるのだ。「私は完璧主義者です。だから人間的な、自然な思いやりというものに欠けていると思います。どちらかというと冷たい人間なんですよ。私は一五年間、一日たりとも仕事を休んだことがありません。出血していて日に十数回トイレに駆け込むような状態であってもね。きのう同僚のひとりが休みをとったんです——飼っている犬がゆうべ死んだとかで。思わず言いましたよ。『何!? 犬が死んだから休むって? たかが犬のことじゃないか。なんで仕事に来られないんだよ?』って。そうしたら他の連中に言われてしまいました。『犬を飼ったことがないのか? 君には心ってものがないのか?』ってね。私にはそういうことがどうしても理解できないんです」

ダグラス・ドロスマン博士は世界的な消化器疾患の専門家で、チャペルヒルにあるノースキャロライナ大学で医学および精神医学の教授を務めている。さらに博士は「アメリカ消化器疾患学会」の機関誌『消化器疾患 *Gastroenterology*』の共同編集者も務めている。そして以前から、腸疾患は生理的な問題だけでなくストレスの多い生活にも原因があると主張する中心的な存在となっている。このドロスマン博士が、この件に関して一九九八年に重要な論文を書いた。「臨床的な観察報告、現在までに公にされた研究論文および私の臨床経験から、精神社会的な要因が病気へのかかりやすさと病気の活動に影響を与えることについて、少なくとも間接的な証明は得られていると私は確信している。これを説明するメカニズムとして最も可能性があるのは、精神免疫学的な経路である」[*5]

炎症性腸疾患の炎症は、腸内の免疫活動が混乱して起こる。腸は消化吸収機能の他に、侵入に対するからだの主要な防壁のひとつとしての機能ももっている。腸に入ってきたものはただそこを通るだけで、まだ体外の存在のままである。腸壁に浸透して初めて、その物質なり有機体なりはからだ本体に入り込むのである。この腸組織の防衛機能は人間の健康維持のうえで非常に重要なものなので、腸には十分な局所的免疫システムが備えられており、それが全身の免疫系と協力して作用している。

炎症とは、人体に害を及ぼすような有機体や有毒物質を発見し破壊するために、人体が発動させる巧妙なプロセスである。それは腫れを起こし、大量の免疫細胞や抗体をその部位に殺到させることで行なわれる。その防衛機能を促進するために、腸壁の粘膜は「常にコントロールされ、周到に調整された炎症状態」[*6]にある。それが健康な人の正常な状態なのである。

免疫システムの強力な破壊力は、防衛すべきデリケートな人体組織を害することなく防衛機能を発揮できるよう、バランスを常に調整されていなければならない。ある物質は炎症を促進し、ある物質は炎症を抑制する。このバランスがくずれれば病気になるかもしれない。腸の炎症反応による防衛能力が衰えれば、生命にかかわるような感染が起こるかもしれない。反対に炎症を鎮めることができなければ、腸の組織がみずからを傷つけてしまう危険がある。炎症性腸疾患の主な問題は、ある論文が「炎症派と反炎症派」と名づけた腸壁内の分子間のアンバランスだと思われる。精神・神経・免疫・内分泌系の神経および免疫経路を通して作用する感情の影響は、腸内のバランスを炎症派に有利なように傾ける可能性がある。あるカナダの研究グループは、「腸の生理作用のすべてではないにしても多くの側面は、神経免疫系の要因に左右されると思われる」[*7]と指摘している。

神経系は感情の影響を強く受ける。そしてその神経系は免疫反応と炎症の調整に深くかかわっている。神経細胞が放出するタンパク質である神経ペプチドが、炎症の促進と抑制を行なうのである。この神経ペプチドは、腸内の炎症性腸疾患が非常に起こりやすい部位に高濃度に存在している。神経ペプチドは局所的な炎症の調整と全身のストレス反応の両方に関与している。たとえば〝P物質〟と呼ばれるものはある種の免疫細胞を刺激して、ヒスタミンやプロスタグランジンをはじめ、多くの炎症性物質を放出させる。腸内では、免疫細胞は神経細胞と密接な関係にある。したがって慢性的にストレスを与えるような感情パターンは、精神・神経・免疫・内分泌系をつなぐ全体的なシステムを介し、ストレスによる炎症促進物質を活性化させることで腸に炎症性疾患を誘発する可能性があるのだ。

腸あるいは腸管は単なる消化器官ではない。それは独自の神経組織を持つセンサー器官であり、脳の感情中枢と密接なつながりを持っている。感情を乱されるような出来事を指して使われる「腸《はらわた》がよじれるような gut-wrenching」という表現を聞けば、誰でも直感的にその意味がわかるはずだ。子供のころ不安を感じて「おなかが痛い」と言った経験は多くの人がもっているだろう。良きにつけ悪しきにつけ「直感〔gut feeling——直訳すれば腸の感覚〕」を感じることがあるが、これは外界に対するからだの正常な反応であり、周囲の出来事を解釈するのを助け、それが安全か危険かを教えてくれるものである。吐き気がする、おなかが痛い、あるいはおなかのあたりが暖かくていい気持ちがする——これらはいずれも、私たちにその出来事の意味を教えてくれる感覚なのである。

腸は独自の神経伝達物質を放出する一方で、からだ全体のホルモン系の影響を受けている。さらに有害物質に対する防壁の重要な位置を占め、免疫作用においても重要な役割を果たしている。そうした腸の機能は、私たちが環境から受ける刺激を一瞬ごとに判断しそれに反応する精神的なプロセスと切り離すことはできない。腸の組織が正常な状態を維持する能力は、精神による影響を強く受ける。腸の炎症に対する抵抗力、あるいはがん化に対する抵抗力さえもが、精神的なストレスによって損なわれやすいのである。アメリカ大陸に生息するサルの一種ワタボウシタマリンを捕獲して檻に入れたところ、潰瘍性大腸炎や結腸がんを発症したという報告がある。[*8] 一九九九年にイタリアで行なわれた研究は、潰瘍性大腸炎では「長期的に認知されたストレスは、数カ月から数年にわたって症状が悪化するリスクを高める」[*9] ことを証明している。

一九九七年、カルガリーの消化器疾患専門家ノエル・ハーシュフィールド博士は、『カナダ消化器疾患ジャーナル』誌に論文を発表した。数年前、私の論文に対する意見を編集者に送り、精神神経免疫学への私の興味をかきたててくれた人である。博士の論文は、炎症性腸疾患の治療薬の臨床治験では約六〇パーセントのプラシーボ（偽薬）効果が見られるが、麻酔薬の鎮痛効果を確認する臨床治験ではプラシーボ効果の起こる率は一貫して五五パーセントであると指摘している。この五五パーセントという数字は、抗うつ薬の治験にも見られ、「五五パーセントの法則」として知られている。

多くの人はプラシーボ効果を単に想像力がもたらすもの、「心が物質に勝った」例だととらえている。しかし実際には、確かに思考や感情によって誘発されはするものの、プラシーボ効果そのものは完全に生理的な現象である。症状を軽減したり治癒を促進したりするのは、体内の神経学的および化学的プロセスの活性化なのである。

ハーシュフィールド博士は、プラシーボによって症状が改善した人はどこが違うのかを調べることが有益だろうと提案している。「それはどういう人なのか？　どんな環境で生活しているのか？　過去の体験の中に何かプラシーボ反応を引き起こすようなことがあったのか？　どんな生活をしているのか？　自分という存在、生い立ち、結婚生活、社会との関係に満足しているのか？」　回復した人にしても回復がはかばかしくない人にしても、患者にこうした質問をする医師はほとんどいない。こうした問いかけをすれば、どんな答もきっと何かを示唆してくれるはずだ。博士はこの論文の結びとして賢明な提案――もっとも、現在の医学界ではいささか急進的ととらえられるかもしれないが――をしている。その提案とは以下のようなものである。「医学部生や研修医の教育に疾患の精神社会的な側面、回復に結びつく精神の動き、治癒の生化学を導入し、人間の疾患はどれも最新の内視鏡検査法や生検やその他のいわゆるハイテク技術によって解決できるわけではなく、それらの方法は疾患を確認はしても治療はしないということを教えるべきだろう[*10]」

私の友人ティボールは「気の狂うような絶望と恐怖と不安」を経験したときに、潰瘍性大腸炎の症状が出た――ただし、これが最初で以後はそれほど大きな症状は出ていない。父親を亡くしたばかりの二〇代初めのころ、彼は母親と妹の面倒をみるという予期せぬ責任を負わされることになった。母親は健康状態がすぐれず仕事先を解雇されたのだが、次の仕事が見つかる見込みはほとんどなかった。「どうやってひとりで生計を立てていったらいいのか、途方にくれたよ」と当時を振り返ってティボールは言う。そして彼は、高熱と結腸からの出血で病院に駆け込んだのである。

「病院ではステロイドを投与された。三週間入院していたが、治療が始まったとたんにずいぶん調子がよくなって、看護師たちと仲良くやっていた。病院が経費節減だの何だのと言い出す前だったから、看護師にも患者と過ごす時間があったんだね。医者たちは長期的にどんなことが起こるか、恐ろしい予測をいろいろしていたよ。病気とかがんとか、いろいろね。だけど言ってやったんだ。『そんなふうになるつもりはありませんよ』って。自分の病気についていろいろ読んでみると、潰瘍性大腸炎は精神的な原因で誘発され、ストレスが関係しているという考え方があったんだ。だからリラックス法の本を買って、横になって書いてあるとおりにやってみた――ほら、つま先の力を抜いて、それから脚の力を抜いて、全身をリラックスさせましょうってやつ。

薬はそう長くは飲まなかったね、入院中だけだ。医者はこれを食べろ、あれは食べるなとか言っていたけど、私はそういう生き方はするもんかと思った。結果はどうなろうと、自分が主導権を握ってこの状況に対処しようと決心したのさ。それと同時に、外からのストレスが自分の身にとどかないように、生活上のストレスを最小限にとどめるように、意識してできることは何でもやろうと決めた。あれから三〇年たつが、幸運なことに時々軽い下痢や出血があっただけだよ。薬を飲んだり医者にかかったりするほどのことは一度もなかったね」

私はなにも炎症性腸疾患の治療のために、横になってつま先をリラックスさせろと言いたいわけではない。私の友人の体験で重要なのは、彼が即座に自分が主導権をとろうと決断したことである。

ハーシュフィールド博士が記していたように、最新の技術や奇跡の薬ではなく、患者自身の治癒力を高めることが炎症性腸疾患に対する究極の解決策を与えてくれるかもしれない。とにかく五五パーセントは解決できるのである。

第11章 単なる思い込みにすぎない

パトリシアの怒りが新たによみがえってきたようだった。「医者たちには本当に頭に来ているの。何よ、あの偉そうな態度。人を見下したような口をきいて。私は面と向かって、あなたはふりをしているだけだって言われたのよ。あちこちの医者にセカンドオピニオンをもらいに行くのは、いい加減にやめなさいって言われたのよ。あなたは痛みなんか感じてないって言われたのよ」

店員をしているパトリシアは、一九九一年、二八歳のときに胆嚢の摘出手術を受けたのだが、腹部の痛みはなくならなかった。「私は胆嚢の亡霊の攻撃だって言っていたの。あなたの痛みは風船みたいに中身のないものだって？　冗談じゃないわよ。どんどん痛みが広がっていって、そうなると吐くのよ。吐くと少しは気分がよくなった。救急病院に行ったこともあるけど、全然無視されるか、『あなたは胆嚢がないんですから、こんな症状が出るはずありません』って言われるだけ。そうこうするうちに、ある種の食べ物に過敏になってしまったの。下痢することも増えたし」

何人もの医師のもとを訪れ、さんざん検査を受けたのち、パトリシアは過敏性大腸症候群と診断された。過敏性大腸症候群は、医学的には〝機能性〟疾患とされている。〝機能性〟というのは、症状があっても、解剖学的にも病理学的にも生化学的にもそれを説明できるような異常がなく、感染症でもないことを意味する。医師は機能性の症状を訴える患者を前にすると決まって当惑し、目をきょときょろさせる。なぜなら〝機能性〟とは、「単なる思い込み」を意味する医学界の暗号だからだ。確かに、そこに一片の真実がないこともない。患者の経験のある部分は、脳の中のことなのだから——しかし、これからわかることだが、「単なる思い込み」という言葉にあるような軽蔑的な意味でこう言っているわけではない。

フィオーナの病歴と救急病院での経験も、パトリシアの場合と驚くほど似ている。一九八九年、二〇代の初めだったフィオーナも胆嚢の摘出手術を受けたが、腹痛は消えなかった。

「私はそれ以来ずっとこの痛みを抱えています。なんだかわけのわからない、刺すような痛みです。本に載っている検査は全部やりましたが、原因はわからずじまい。それで、過敏性大腸症候群と診断されたんでしょうね。下痢や便秘はなくて、とにかく痛むんです。このへんが痛くて」

「厳密に言えば、それは過敏性大腸症候群ではないですね」

「私は最初からそう言ってるんですよ。診断が出たのはそれが痙性《けいせい》結腸と呼ばれていたころで、そのあと過敏性大腸症候群という病名になりました。診断したのはトロントの医者でした。胃カメラに、バリウムに、レントゲン、たくさんの薬……三、四種類の薬を試したけど、ひとつも効きはしませんでした。

何カ月も痛みがないなと思っていると、また痛みがくるんです。二分で引くこともあれば、何時間も続いてくたくたになることもあります。キリキリ刺すような、どうにも我慢できない痙攣みたいな痛みなんです。息もできないくらい——本当につらい痛みなんですよ。このごろまたちょっとひどくなっていますね。痛みが一時間ぐらい続くことがありますが、その一時間が一年みたいに感じられるんです。

トロントにいたころ、どの医者も私のどこが悪いのかわからないものだから、入院させてデメロール（鎮痛剤）の点滴につなぐんです。痛みの発作が起きたら自分で投薬できるように。看護師たちに、入院はとりあえず痛みに対応するためで、点滴につないで麻酔薬を十分摂れるようにしているだけだと言われました。だから言いましたよ。『それなら、そんなものを入れるのはやめて。私を眠らせて痛みを感じなくさせるだけじゃないの』って。病院の連中なんて大嫌い」

確かに腹部の痛みは過敏性大腸症候群の目立った特徴ではあるが、現在の定義では痛みだけでは診断の十分な根拠とはいえない。他に原因が見つからず、腹痛とともに下痢や便秘など腸の機能障害があるとき、その人は過敏性大腸症候群と診断されるのである[*1]。症状は人によって異なるし、同じ人でもときによって違う症状が出ることさえある。たとえばパトリシアの腸の異常は、一定のパターンに従ってはいなかった。

「下痢と便秘の間を行ったり来たりするんです。その中間はほとんどありません。何日も便通のない日が続いたかと思うと、今度は下痢。一日数回のこともあれば、三時間もトイレにこもることもあります。ひとつだけ一貫しているのは、一貫性がない、ということですね。爆発することもあれば、全然しないこともあるわけです」

診断の決め手にはならないが、他にもいくつか共通する症状が報告されている。過敏性大腸症候群の患者は、便がごつごつしているとか、小さな粒のようになっているとか、あるいはゆるくて水っぽいと説明することが珍しくない。強く力まないと排便できないとか、完全に出きっていないと感じることもある。便に粘液が混じっているという人も多い。また腹部の膨張感を訴える人も多い。

先進国では一七パーセントの人が過敏性大腸症候群にかかっていると言われ、患者が消化器疾患の専門医を紹介される理由の中でいちばん多い。面白いことに、この病気と診断されるような症状を持つ人のほとんどは内科には行かない。

不確かなことに直面すると医師は反射的に不安になるが、そのことがパトリシアやフィオーナのような患者の人生をずいぶんと困難なものにしている。医師にとっては、症状がいずれかの分類にぴったり当てはまり、原因がはっきりしている病気を持つ患者が望ましいのである。消化器疾患の専門家ダグラス・ドロスマンはこう書いている。「四〇年前、医療社会学者レネ・フォックスはこう語っている。医学生が越えるべきいちばん高い壁は、実際の医療に本来あってしかるべき不確実性を受け容れることだ、と。しかし生物医学的な基準に従えば、これこれの病気によるものだと説明できないようなありふれた症状は、不確かなものということになってしまう」[*2]。こうした不確かさが生じるのは、私たち医師が、さまざまな検査技術——スキャン、レントゲン、血液検査、内視鏡、生検、電気診断装置など——によって得たデータと患者の話が一致しないとき、どうしても患者の話のほうを疑うからである。その場合、不調を訴える患者は、自分の症状が医師に無視されたと感じる。さらに悪いことに、やたらに薬をほしがっているとか、神経症だとか、嘘つきだとか、「注目してほしいだけだ」とか言って、患者が責められることもある。過敏性大腸症候群の患者だけでなく、慢性疲労症候群や結合組織炎の患者も同じような目にあうことが多い。

マグダは医師なので、どれほどひどい腹痛があっても救急病院に駆け込むような無駄なことはしなかった。彼女も過敏性大腸症候群と診断されていた。

「おもに腹痛と膨張感です。どこが悪いのか誰にもわからなかったから、過敏性大腸症候群ということにしたわけですよ。結腸の内視鏡検査もしたし、検査という検査は全部受けました。それ以上することがなくなってしまって。この病名は、他にどうしようもないからつけたものと言ってもいいんじゃないでしょうか。

腹痛のない日はほとんどありませんでした。オフィスの床に敷いた電気マットの上にじっと横になり、どうやってこの午後を切り抜けようか、どうやって家まで運転して帰ろうかと考えていたこともあありました。ものすごい痛さで、それもしょっちゅうでした。一日の八割から九割の時間は腹痛がありました。夕方まで腹痛が出ない日なんて一日もなかった——何年間もずっとね。痛みのひどさを考えれば、もう何回も救急病院に駆け込んでいても不思議はないんですが、そこへ行くとどうなるかわかっていたから行かなかっただけです。行ってもろくなことはないと思っていましたから。痛みが大したことないから行かなかったんじゃないんです」

患者の神経症的な思い込みと決めつけられないとしても、過敏性大腸症候群——それに診断のつかない腹痛全般——は最近まで、単に腸がからだの他の部分と協調しないで勝手に収縮することで起こると考えられていた。そこから痙性結腸なる病名が生まれたわけである。今では、そうした症状を生み出す機能不全は単に腸だけで起こるわけではないとわかっている。重要なのは神経系がどのように痛みを感知し、評価し、解釈するかということだったのだ。

腹痛に関するこの新しい理解は、いくつかの研究によってもたらされた。特に興味深いのは、脳の電気的研究とスキャンによって発見された事実である。腸の一部を人工的に膨張させて調べてみると、機能性の腹痛を持つ人の脳は、腹痛のない人の脳とは反応の仕方が違っていた。[*3]

結腸や腸のその他の部分が膨張したことで起こる腹痛は、内視鏡を腸に挿入し、それに取りつけた風船をふくらますことで調査することができる。この調査をしてみると、機能性の腹痛を持つ人たちは膨張に対する過敏性をくり返し見せる。また彼らは、この調査で起こされた痛みはいつも感じている腹痛と同じだと報告している。こうした風船による膨張に対する反応を、過敏性大腸症候群の患者グループと、症状のない対照群とで比較した研究がある。「風船を六〇ミリリットル膨張させたとき、痛みを感じた被験者は対照群で六パーセント、過敏性大腸症候群の患者グループでは五五パーセントだった（……）。風船の体積をさまざまに変化させたときの腸壁の緊張度は、両グループとも同じだった。しかし同じ緊張度のときに痛みを感じる率は、過敏性大腸症候群の患者のほうが一〇倍近く高かった」[*4]

食道から小腸までの他の消化管でも、同じことが観察されている。つまり機能性の腹痛を持っている人の場合、腸からの生理的なメッセージが神経系によって伝達されて脳に伝わるときの、伝わり方が違うのである。ドロスマン博士は「こうした疾患を持つ患者について研究する新しい分野がある。

過敏性大腸症候群の患者とそうでない人との胃腸における生理作用の違いについては数十年間研究が続けられてきたが、今われわれは脳の生理の違いに目を向けつつある」と書いている。

陽電子放射断層撮影（PET）という方法を使うと、血流の変化を記録することで脳のさまざまな部位の活動を測定することができる。被験者が直腸の膨張を経験すると、PETスキャンは脳のどの部分が反応しているかを見せてくれるのである。直腸が膨張した場合、あるいは単にそれを予測しただけの場合でも、過敏性大腸症候群の患者は脳の前頭前部皮質を活性化させる。しかし正常な人ではその部位の活性化は見られない。[*5]

前頭前部皮質とは、脳が感情的な記憶を保存する部位である。この部位は、現在感じている精神的あるいは肉体的刺激を過去の経験と照らし合わせて解釈するのだが、照らし合わせる過去は乳児期までさかのぼることができる。この部位が活性化するということは、何か大きな感情的意味を持つことが起こっているということである。慢性的なストレスを経験している人の場合は、この前頭前部皮質とその周辺構造が、危険に備えて過剰に覚醒した状態になっている。この部位の活性化は人が意識して起こすものではなく、はるか以前にプログラムされた神経経路に自動的にスイッチが入った結果である。

別の研究で音声刺激による脳波の振幅の変化を調べたところ、過敏性大腸症候群の患者は対照群より振幅が大きかった。これもまた、過剰な生理的覚醒状態にあることを示している。[*6]

神経系の反応にこうした変化が生じたのはなぜだろう？　患者のからだだけでなく、人生にも目を向けたとき、その答はおのずと明らかになるはずである。腸疾患、特に過敏性大腸症候群をはじめとする機能性疾患を持つ患者には、虐待を経験した人の率が高いのである。

ノースキャロライナ大学医学部の消化器疾患クリニックで、一九九〇年に女性の患者を対象にして行なわれた調査によると、四四パーセントの人が何らかの性的または肉体的な虐待を経験したと報告している。「虐待された経験を持つ患者は、下腹部痛が起こるリスクが四倍、腹部症状以外(頭痛、腰痛、疲労感)が起こるリスクが二、三倍あり、さらに大手術を受けるリスクも高いことがわかった」[*7]。同じクリニックでもっと最近になって行なわれた調査では、聞き取り調査をされた女性の三分の二までが性的、肉体的虐待の一方または両方を経験していた。ここでも、虐待を経験していた患者はそうでない患者より、胆嚢摘出、子宮摘出、開腹手術などさまざまな手術をより多く受けていることが多かった。その人たちはさらに、「性的虐待を経験していない人に比べて、痛み、胃腸以外の身体症状、病気で寝つく日数、精神的な疲労、機能性の障害がより多く発生していた[*8]」

直接的な身体的外傷――重症の脳挫傷や神経の切断または損傷など――が神経系を生理的に混乱させるのは当然のことである。しかし精神的な外傷がいったいどのようにして痛みの知覚に影響を及ぼすのだろうか?

腸の神経系にはおよそ一億個の神経細胞がある――小腸だけ見ても、脊柱全体にあるのと同じくらいの神経細胞があるのだ![*9] これらの細胞は、食物の消化吸収と不要物の排出だけを調整しているのではない――私たち人間の感覚器官の一部としても働いているのである。腸は精神的な刺激に反応して、筋肉を収縮させたり、血流を変化させたり、さまざまな生理作用を行なう化学物質を分泌したりする。この脳と腸との結びつきは、私たちの生存にとって不可欠である。たとえば大量の血液を腸から心臓や手足の筋肉に大急ぎで送り込まなければならない時もあるのだから。

一方で腸には、情報を脳に伝達する知覚神経も豊富に存在している。最近まで逆のことが信じられていたのだが、じつは腸から脳に上行していく神経線維のほうが、脳から腸へと下行してくる神経線維よりもずっと数が多い。*10

脳は目や耳や皮膚などの感覚器官から送られたデータを腸に伝達する――より正確に言えば、腸に伝えられるのは脳の感情中枢によるそれらのデータの解釈である。その結果として腸で起こる生理的変化が、その感情の解釈をさらに強化することになる。再び脳に送り返された信号は、私たちが意識的に感知することのできる「直感（gut feeling）」をもたらす。もし私たちに直感というものがなかったら、この世界はもっと危険なものになるだろう。

体内で絶えず起こっていることを一々感知していたら、私たちはとても生きていけない。消化、呼吸、血液の各器官や手足への流れ、そしてその他の無数の機能は、私たちの意識にのぼることなく果たされなければならない。したがって、脳がここから先は感知しないという敷居のようなもの、この値より低い刺激はそのまま受け容れるが、この値を超えたら体内または体外に危険なものがあると脳に警告するための閾値《いきち》があるはずである。言いかえれば、痛みなどの感覚に対する精密なサーモスタットが必要なのである。

「腸《はらわた》がねじれるような」体験をしすぎると、神経系の器官が過敏になってしまう恐れがある。そして脊髄を通って腸から脳へと伝わる痛みの伝わり方が、そうした精神的トラウマに合わせて調整される。つまり痛みを伝達する神経が、弱い刺激にも反応してしまうのだ。元凶のトラウマが大きければ大きいほど、感覚の閾値は低くなる。腸の内腔のガス量が正常であり、腸壁の緊張度が正常であっても、過敏になっている人には痛みを引き起こすことになる。

それと同時に、脳の前頭前部皮質は過剰警戒態勢になり、正常な生理的プロセスに反応するだけでも疲れてしまう。直腸を膨張させる検査で、過敏性大腸症候群の患者たちは対照群の被験者よりも痛みの増加を訴えるが、それにくわえて不安、性的興奮、疲労感も増したと報告している。精神的なストレスを感じていると、大脳皮質の活動が苦痛や疲労感を増幅するのである。

UCLA医学部の准教授で、UCLAの「CURE精神 - 腸疾患プログラム」のリーダーのひとりであるリン・チャン博士は、過敏性大腸症候群に関する最新の理解についてこうまとめている。「過敏性大腸症候群の発症には、外的ストレスと内的ストレスの両方が関与している。外的ストレス要因としては、子供のころの虐待やその他の病理的ストレスが含まれ、それがこの病気の素因を持っている人のストレスへの反応性を変化させ、この病気にいっそうかかりやすくする。その後、感染や手術、抗生物質などのストレス要因、あるいは精神社会的なストレス要因があると、それが過敏性大腸症候群の発症および悪化をもたらすのである[*11]」

ストレスが腸の収縮をもたらすことは明らかである。たとえば性的虐待を経験した女性は、骨盤底の筋肉が慢性的に緊張している場合があり、そうすると排便時にもそこがリラックスできなくて便秘になりやすい。あるいは非常に大きな恐怖を経験した人の場合、そのストレスが意に反した結腸の動きをもたらすことがある。これは、医学生が知らないうちにモルモット役をさせられたある実験で明白に立証されている。「医学部四年のある学生がボランティアでS状結腸鏡検査を受けていたとき、実験者はがんができていると巧みに嘘をついた。すると学生の腸に収縮あるいは『痙攣』が起こり、それは事情を説明されて嘘とわかるまで続いていた。この種の実験により、正常な人でも病気の人でも結腸の機能がストレスの影響を受けることが確認された」[*12]

過敏性大腸症候群に関して明らかになったことは、他の腸疾患にも当てはまる。パトリシアは過敏性大腸症候群の他にも、医学的には説明のつかない胸焼けに苦しんでいた。彼女は苦い口調で語っている。「奇妙な胃腸の症状があって、どのお医者さんも首をひねっているんです。まったく刺激のない物を食べても胃酸過多になるんです。少しでも風味のあるものは全部食事から抜かなくてはなりませんでした。

何度検査を受けても、そのつど何ともありませんと言われて……そうそう、じつは一度だけちょっとした異常が見つかったことがあるんです。でもその程度の異常で私のような症状が出るはずないと言われました。鼻に管を突っ込んだり食道に差し込んだりして胃酸の量を測られました。そして確かに酸は出ているけれど、痛みを起こすほどの量じゃないって言われて……。

パントロックという胃薬を三、四年飲んでいたでしょうか。六週間飲めば胃酸は完全に消えるということでしたが。ディオヴォールやガヴィスコンも毎日飲んでいます。でも胸焼けは治らないし、医者もお手上げなんですよ」

胃酸が食道へ逆流する不快な慢性症状のことを、医学用語では胃食道逆流疾患と呼ぶ。一九九二年、この症状を持つ患者を対象に、ストレスと逆流との関係を探る調査が行なわれた。ストレス刺激を与えた場合、患者たちは胃酸の逆流による胸焼けが著しく増したと感じたが、刺激の種類を変えても胃酸の客観的な測定値は変化していなかった。つまりストレスが、苦痛の閾値を下げたのである。[*13]

神経生理学や痛みの心理学になじみのない腸の専門医がパトリシアの食道下部を内視鏡で見て、彼が観察できた程度の胃酸の逆流ではパトリシアが実際に感じているほどの痛みが起こるはずがない、と告げたのは無理もないことだった。そしてパトリシアが、げんに彼女の生活を毎日不快にしている症状を冷たく無視されたと思って腹を立てたのもやはり、無理もないことだったのである。

胃食道逆流疾患を持つ患者が、そうでない人より逆流を経験していないと言っているわけではない。たぶんほんとうに多くの逆流を経験しているのだ。しかしここでも、問題は脳と腸とのつながりなのである。患者と健康な人とを比較した研究者たちは、多くの場合、患者たちのほうが食道括約筋の閉鎖状態の圧力が低いことを発見している。括約筋の働きが弱まっているために、逆流がより多く起こるのである。[*14]

それでは精神と脳は逆流にどんな影響を与えているのか? それは、食道下部の括約筋を緊張させる働きをになう迷走神経を通してである。迷走神経の活動も脳の視床下部による影響を受けるのだ。すでに見てきたように、視床下部は大脳皮質の感情中枢からの情報を受けとるのだが、感情中枢はストレスの影響を受けやすい部位である。したがって胃食道逆流疾患を持つ患者では、痛みを感じる閾値の低さと括約筋の緊張の弱さ――どちらの現象もストレスが関係している――が組み合わさっているわけである。

この章を書くために私がインタビューした三人の女性は、みんな同じような痛みを経験している。ただし、過敏性大腸症候群と診断するための一群の症状をすべて満たしているのはパトリシアだけである。ノースカロライナ大学の研究では大半の患者が虐待を経験していたが、この三人は誰も、子供のころも大人になってからも、肉体的あるいは性的虐待を受けてはいない。それなら、彼女たちの痛みの閾値はどうして低くなったのだろう?

神経系の痛みに対する「サーモスタット」の設定値を下げるには、必ずしも虐待は必要ではない。慢性的な精神的ストレスがあれば、痛みの閾値を下げ、脳を過剰警戒態勢に置くには十分なのである。確かに虐待は慢性的な精神的ストレスの主要な原因のひとつだが、成長期の子供にはそれ以外にもストレスを受ける可能性はある。それはかすかで目にはつきにくいが、有害であることに変わりはない。そうしたストレスは、両親が子供を愛しており、自分たちが子供に害を与えているなどと言われたらショックを受けてしまうような、ごく普通の多くの家庭にも存在している。痛みの感知の仕方と腸の機能に影響を与えるような経験は、いかなる意味での虐待も受けておらず、愛されている、守られているとさえ感じている子供たちにも起こり得るのである。

マグダの激しい腹痛をもたらした直接的なストレス要因は、彼女の仕事にあった。当時彼女はニューヨークのある病院に勤務していた。たまたま彼女の実験室の室長が退職したのだが、マグダは後任の室長とうまくいっていなかった。「新しい上司は最初から私を目の仇《かたき》にしていました。今から思えば、彼女は初日から私を追い出す口実を見つけようとしていたんでしょう。仕事は気に入っていたのに、職場の雰囲気が最悪になってしまい、本当に不愉快で、毎日緊張して惨めでした。

信じられないくらい長時間働いていましたよ。朝の七時に出勤して。帰るのは原則として定時の四時だけど、それは会議がないときだけで、この会議がまたしょっちゅうあるんです。昼休みもとりませんでした。休憩もなしです。家に仕事を持ち帰りもしました。週末も自宅で仕事したんです。超過勤務の申告はしたことありません。とにかくものすごいプレッシャーを受けながらノンストップで働きづめで、職場のきたない駆け引きがあって、おまけにすごく不安だった——私の専門分野はもう流行遅れで、そこをやめたら、行くところがなかったんです。一般診療をやりたいと思ったことは一度もないし、今さらそっちへ進んでもう一回研修医をやるなんてご免ですよ。

おなかが猛烈に痛くても、月曜の朝七時にはきちんと職場に顔を出して、絶対にへまはしませんでした、絶対にね。病欠をとったこともありません。私をやめさせる口実を与えるつもりはなかったから。あっちも文句のつけようがなかったはずです。でも、私は自分の人生をどうしたいのかわからなかった。仕事を辞めたくてたまらなかったけど、でも何をしたらいいのかわからなかったんです」

マグダは第二次大戦後、東ヨーロッパの難民キャンプで生まれた。両親はポーランドを脱出したホロコーストの生き残りで、マグダ自身も両親の体験を通して二次的なトラウマを受けていた。彼女は常に、両親のつらい体験とその後も続いた困難な生活に対する負い目と責任という、大きな重荷を背負わされていたのである。医学の道に進むという決断も彼女が望んだことではなかった。それは両親がそう願っていることを彼女が知っていたからであり、両親が彼女の将来に対して抱いている不安を和らげるためでもあった。

「素質ということで言えば、私は言葉に関わることが得意で、物事を説明するのが上手でした。自分に選択の自由があったら医学には進まなかったと思います。正直言って医学は大嫌いです。でも自分の気持ちをごまかすしかなかった。

医学部の科目はほとんどすべて嫌いでした。解剖学なんか落第ぎりぎり。本当に悪夢でしたね。微分積分も苦手でした。物理もだめ。私の頭はそういう方面に向いてないんです。臨床実習もうまくいったためしがありません。これまで、ちゃんと心雑音を聞き取れたことがあるかどうか怪しいものです。とにかくそういうことが苦手で。触診で脾臓がわかったことなんて一度もありません――わかったようなふりをしていただけ。そんなこと私には向いていないし、やりたくもなかったんです。

医者になることが自分の望みなんだ、と私は思っていました。両親からあれをやれとか、これをやるなとか、一度も言われたことはありません。もっとも、人の役に立つのは素晴らしいことだとか、ナチでさえ医者は必要だったとかは何度も聞かされましたが」

「ええ、私も同じことをよく言われました。身につけた知識はどこへでも持っていけるから安心だ、とも」

「そうそう、身につけた知識は誰にも盗られないってね。どんな時代になろうと、何が起ころうと、医者は必ず必要とされるとか。誰からも命令されることがないのは素晴らしいことだとか。両親は私が小さいころから、そうやって私を洗脳してきたんです。

そして私は実験室付きの研究者になりました。両親が思い描いていたような『普通の』医者ではなくて。母は私のしていることがまったく理解できないみたいで、心から満足してはいませんでした。私のしていることは二流のことだと思っていたようです。患者に聴診器を当てるでもなく、処方箋を書くでもなく、本当の医者がやるようなことは何もしていない。ただ試料やスライド標本を見ているだけだって。面と向かって言われたことはありませんが、母は今の私にちょっと失望しているんでしょうね」

従来の西洋医学はほとんど自分の役には立たないとわかっていたので、マグダは心理療法を始めた。子供のころからずっと抑圧されていた両親に対する怒りが、次第に表面に現れてきた。

「私は怒りの本能を抑えつけていた──父に対して。私が子供のころ、父は怒鳴ったりわめいたりして私を震え上がらせたから。

でももっと大きな問題は母との関係でした。母とはとてもいい関係にあって、母と私は最高の仲良しだと思っていた──母は私の友達で、支持者で、味方で、学校から帰れば何時間でも話を聞いてくれ、私は心から親しみを感じていたし、理解されていると思っていたし、とにかくあらゆる面でいい母だと思っていたんです。それが実態は非常に貧しい関係だったということに気づいたのは、何回もセラピーを重ねてからのことです。母はそうやって私を保護することで私を駄目にしていたんです。母のせいで私は、自分は不器用な人間で人づきあいが下手だと思い込んでしまった。独立したひとりの人間として成長する後押しを母はしてくれなかった。母はよかれと思ってそうしたんでしょうが、結局、私を人間として未熟なままにしてしまったんです。

他にもあります。ナチのホロコーストの話を聞かされたんですよ。よその子はおとぎ話を聞かされているというのに、私はホロコーストの話。ひどいでしょう?」

「それについて知るのは悪いことだと?」

「三歳や四歳の子供に聞かせる話じゃないですよ。私はそんなころから話を聞かされていたんですよ。一家がポーランドから脱出するために国境を越えようとしていたとき、赤ん坊の私のせいで家族全員が殺されそうになったという話は、毎回出てきました。他の人が抱くと泣くので、母が私を抱いていたんですが、重かったので母はつまずいて倒れ、私を川に落としてしまった。それで私を助けようとみんなが大声をあげたため、もう少しで全員が撃たれるところだった、という話です。母はそのとき肩を脱臼して、それ以来完全には治っていないんですって。

子供がいなければもっと楽だったろう、なんてことは一度も言われたことはありません。子供は欲しかったんですって。だから私は愛されて育ったと思います。それでも、自分は厄介者だったという思いを感じずにはいられないんです」

両親が耐えたトラウマとマグダの成長期の環境を考えれば、マグダが自分のやりたい職業を選べなかったのは、どうしようもないことだったと言えるかもしれない。だがその選択によって、彼女は危険なまでのストレスにさらされることにもなったのである。新しい上司に疎《うと》まれていると感じながらも仕事をやめることはできないと信じ込んだことが、彼女の耐えられないほどの腹痛を招いたのだ。マグダは子供のころ家で自分を主張できなかったのと同じように、この状況におかれても自己主張できなかった。彼女自身も気づいたように、彼女の痛みの原因は無意識のうちに怒りを抑圧していたことだったのである。

腸で感じる直感は、からだの重要な感覚器官の働きの一部であり、人間が周囲の状況を評価してそれが安全かどうかを見極めるのを助けていると前に書いた。腸で感じる直感は、脳の感情中枢が重要だと判断し、視床下部を通して伝えてきた知覚を増幅する。腸の痛みは、無視することのできないメッセージを伝えるためにからだが利用する信号である。つまり、痛みもまた知覚のひとつの形なのである。生理学的に見れば、痛みの経路は、ある情報を伝える直接的な経路を私たちがふさいでしまったとき、その情報を伝えてくれる迂回路である。痛みは、私たちが第一の伝達経路を閉じてしまったときに警告してくれる第二の知覚経路なのである。無視したままでは危険な情報を、痛みが私たちに伝えてくれるのである。

最初は腹痛の原因を「痙性結腸」と診断され、のちに病名が「過敏性大腸症候群」と変わったフィオーナの子供時代は、マグダほどドラマチックではない。それでも、ありのままの自分では受け容れてもらえないと常に脅えていた点では、心理的に大いに共通するところがある。

「こうして今、大人の目で父を見てみると、父はどんなときもけっして意図的に私を非難したことはない——それは確かです。でも、いつも評価したり批判したりしていたことに変わりありません。一七歳のとき、カルガリーの女友達にこんなことを言ったことがあります。私はまだ一度も正式に就職したことはないけど、もうすでに兄や姉の経歴にはとてもかなわないという気がする、って。父といると、自分のやりたいことをやっている気がしないのね、履歴書の記載事項を積み上げているだけみたいで」

「子供のころ、どこか調子が悪いところがあったらご両親に言いましたか?」と私はたずねた。

「体調が悪いときは言いましたよ。でも心の悩みは話せませんでした。なぜだかわからないけど、そういうことを話すのはずっと苦手でした。人に話すようなことじゃないという気がするんです。でもこのごろは少しましになりました。五年前だったら、こうしてあなたと話すことなんてありえなかったでしょうね」

このインタビューをしたとき、フィオーナの生活における最大のストレスは結婚生活だった。彼女は結婚八年目で、子供がふたりいた。「夫はうつ病とパニック障害なんです。ときどき本当にひどい状態になるんですよ。知り合ったころからずっとそう。でもとてもいい人だし、彼のことはすごく愛してる。心根のやさしい人でね。でも面倒をみるのは本当に大変でした。私はあの人の母親のようなものなんですもの。ええ、私には子供が三人いるわけです――一二歳と六歳と、三九歳のね」

「今の話は、あなたが気づいている問題ですよね。あなたがいま抱えている腹痛の裏に、何かあなたの気づいていない原因があるとは考えられませんか？　痛みを厄介事ととらえるのではなく、じつはあなたに何かを伝えようとしている直感のようなものだとは考えられませんか？　感情が送ってくる信号にあなたが注意を払わないと、からだが『よし、それなら、こっちから信号を送ってやろう』と言うわけです。その信号まで無視してしまうと、本当に大変なことになるかもしれない」

この会話を交わした一週間後、フィオーナから電話があった。そして、夫はひどいドラッグ依存症であり、自分は長い間それに気づかないふりをしてきたと打ち明けたのである。彼女は自分の不安と怒りを抑えつけ、夫が自分の意志でやめてくれるのではないかという子供じみた期待にしがみついていたのだ。前回のインタビューの後、彼女は自分の置かれた状況をあらためて見つめなおし始めたのである。

過敏性大腸症候群と胃食道逆流に悩まされていたパトリシアの場合は、この章で紹介した三人の女性のうちでも精神的にいちばんつらい子供時代を過ごしていた。彼女はありのままの自分では受け容れてもらえないどころか、そもそも自分は望まれていなかったと感じながら育ったのである。

「望まれて生まれた子供じゃないことは間違いないんです。いつごろ初めて気づいたのか、はっきり覚えていませんが。一〇代のころだったか、大人になってからだったか。母の言葉を振り返ってみると、私が子供のころから、それらしいことは言われていました。当時は気づかなかっただけで。でもなんとなく変だなと思ってはいたんです。母はいつもこう言っていました。『あなたはこの家の子じゃないの。どこかで別の子と入れ違っちゃったのよ』って。にこにこしながら。でも、深刻なことを冗談めかして言うのはよくあることですよね」

過敏性大腸症候群の患者は、からだの他の場所にも症状が出ることが多い。多くの患者に見られるのは痛み――たとえば偏頭痛――だが、この章で説明したストレスによる神経系の過剰警戒態勢についての理解があれば、それも納得できる話だろう。痛みに対する知覚の敏感さは全身におよぶこともある。パトリシアの病歴を見ればそれがよくわかる。彼女は間質性膀胱炎、線維筋痛症などにも苦しんでいるのだ。

ノースキャロライナ大学の研究は、過敏性大腸症候群を持つ女性患者の大部分は虐待を経験していることを明らかにしたが、さらに、担当医が患者のそのトラウマを知っていたケースはわずか一七パーセントだったことも明らかにした。治療を行なうとき、患者のそれまでの生活体験を事実上無視してしまえば、医師は強力な治療手段をひとつ失うことになる。それればかりか、最新の薬学上の奇跡に無防備に飛びつくことになるだろう。ここで言いたいのは、最近あった過敏性大腸症候群の「驚異の特効薬」騒ぎの真相である。

二〇〇〇年一〇月二四日、カナダの多くの医師が購読する週刊紙『ザ・メディカルポスト』にでかでかとこんな見出しが躍った。「新薬が過敏性大腸症候群の女性を救う」。記事によれば、新しい医薬品アロセトロンは「臨床治験により、安全で副作用もなく、過敏性大腸症候群の患者、特に下痢が主な症状である女性患者の痛みと腸機能を短期間で著しく改善することが証明された」ということだった。記事はさらに、カナダにおけるこの病気の権威による、新薬を推奨し同じような薬が後に続くことを期待しているという内容のコメントを載せていた。「医師は過敏性大腸症候群に役立つ治療法を手に入れることができそうである（……）。患者はわれわれ医師がこの病気の原因を解明できないでいることに不満を募らせている。あまり症状の改善しない患者もいる」

別の専門家、カナディアン大学医学部長もこの新薬を高く評価していた。「素晴らしい大発見である（……）。今までこの病気を治す薬はなかった。どれも効かなかった。これこそ求めていた薬である」

しかし、この四カ月前、権威ある週刊医薬品情報誌『ザ・メディカルレター』はすでに、アロセトロンに従来の医薬品以上の効果があるという証拠はないと報告している。治験でこの薬により改善をみた患者たちは、投薬を止めた一週間後には症状がもとに戻ったというのである。同誌はさらに、この薬を摂取した女性の中には、虚血性大腸炎になった人もいると報告している。これは血液の供給が滞ることで酸素が不足し腸の組織がダメージを受ける病気で、非常に深刻な事態を招くこともある。

アメリカでもアロセトロンは大きな期待をもって迎えられ、二〇〇〇年二月に食品医薬品局の承認を受けた。しかし一一月末、『ザ・メディカルポスト』に熱狂的な記事が載ったわずか一カ月後に、アメリカ食品医薬品局は製薬会社にこの薬の製造中止を命じた。虚血性大腸炎で入院する女性がさらに増え、手術が必要になる人まで出たからである。報告によれば、結腸全部を切除しなければならなかったケースが少なくとも一件はあったということだ。患者が死亡したという報告さえあった。

過敏性大腸症候群のような慢性疾患に医薬品を処方する場合、患者はその薬を何カ月も何年も飲み続けることになる。したがって、調剤室の棚に並ぶ前に長期的な安全性が十分証明されていない医薬品に飛びつくのは常に危険なことである。ある病気に対する精神的な要因の影響が広く見られるようなときには、医師も患者も安易に薬に手を伸ばさないほうがいいのである。精神的な面をほんの少し改善しただけで、症状が軽くなったという喜ばしい研究報告もあるのだ。「過敏性大腸症候群の患者に認知行動療法を行なった。三カ月間に二時間のグループセッションを八回行なったところ、認知行動面の適応が大いに改善されると同時に、腹部の症状が軽減された。さらにこうした改善は、二年間の追跡調査を行なってもそのまま保たれていた[*15]」

ニューヨークの医師マグダは、心理療法を受けることで抑圧されていた自分の怒りに気づき、腹痛の問題を解決することができた。そして、もっと自分の性格と能力に適した職場を見つけた。「一日の大半を痛みとともに過ごす生活はとっくの前に終わりました。ここ二、三カ月はもっと進歩しています。最近オフィスの冷蔵庫の中を片付けていたら、ベンティロール〔腸の痙攣を和らげる薬〕の瓶を見つけたんですが、最後にその薬を飲んだのがいつだったか全然思い出せないんです。二、三カ月は前だったはずです」

フィオーナも、腹痛という警告を真剣に受けとめようと決心していた。彼女は、夫にドラッグをやめるつもりがないことを確認すると、夫のもとを去った。そしてふたりの子供とともに別の街に引っ越し、離婚訴訟を起こした。今はもう腹痛はないという。

第12章　上の方から死んでいく

アルツハイマー病はベビーブーム世代を襲う悪夢となりつつある。今や熟年に達したこの世代の人々は、医療の進歩と充実のおかげで、これまでに類を見ない長寿を獲得し、そして今までどの世代も経験したことがないほど多くの人が痴呆に陥ることになるだろう。カナダの高齢者は今後五〇年間で五〇パーセント増加すると予測されている。アメリカでは年間一〇万人がアルツハイマー病で死亡しており、一九九九年には四〇〇万人の患者がいたということである。さらに現在の傾向が続けば、二〇五〇年には患者数は一五〇〇万人にまで増加するものと予想されている。

人が痴呆(demented)——文字どおりには「理性から離れる」という意味——になる可能性は歳をとればとるほど高くなる。七〇歳では三パーセントの人がアルツハイマー病またはその他の痴呆にかかっている。七七歳になるとその数字は一三パーセントに上がる。介護者の精神的、肉体的負担はもとより、財政的な負担も膨大である。さらに自分の記憶力、知性、そして自分の自我そのものが、なすすべもなく幼児のような混沌の中に溶けていく人の苦しみは、健全な精神を保っている人間にはとても想像できないだろう。次第に感情表現や話す言葉や体の機能をコントロールできなくなり、病気がそのまま進行すればやがて寝たきりになり、ついには死にいたるのだ。

「思考力のある人間にとっては最悪の事態だよ」とあるアルツハイマー病患者は言う。「自分が内面的にも外面的にも壊れていくのがわかるんだから」。彼がこう語っている相手は、アルツハイマー病の歴史に関する啓発的な書物『だんだん記憶が消えていく――アルツハイマー病：幼児への回帰』（邦訳、光文社）の著者、デイヴィッド・シェンクである。

シェンクの著書にはジョナサン・スウィフトの話も出てくる。一七世紀のアイルランドの著述家、風刺作家、思想家のスウィフトは偉大な知識人、言うなれば知的巨人だったが、晩年は『ガリバー旅行記』に登場するリリパット国の小人《しょうじん》なみの知性になってしまった。記憶力がなくなり、思考も混乱していた。スウィフトは痴呆の初期症状が出てきたころに書いた手紙で「読むことも書くことも、思い出すことも会話することもできない」と嘆いている。別の手紙でも、「書き間違いをおかさずに一〇行も書くことができない。この手紙を書き終えるまでに線で消したり塗りつぶしたりして直した箇所の数を見れば、君にもわかるだろう。おまけに記憶力もさっぱりだ」と書いている。

アルツハイマー病になって最初に衰える部分のひとつは、脳の側頭葉にある灰白質のうち、両耳のとなりにある海馬と呼ばれる部分である。海馬は記憶が形成される場所であると同時に、ストレスの調整にも重要な役割を果たしている。ストレスホルモンのコルチゾールの量が常に多い状態だと海馬が縮小することは、広く知られている。

子供のころの経験、感情の抑圧、生涯つきまとうストレスは、アルツハイマー病の原因となり得るのだろうか？　科学的な研究成果はそれを示唆しており、実際にアルツハイマー病患者の人生――ふつうの人の人生であろうと、スウィフトやアメリカの元大統領ロナルド・レーガンのような有名人の人生であろうと――をよく調べてみてもそれらしく思われる。幼いころの人間関係がのちにアルツハイマー病を引き起こす重大な原因になることは、ある興味深い動物実験によって示されている。幼いころにやさしくなでられていたラットは、歳をとっても海馬の細胞が失われなかったというのだ。[*1] そのようなラットの記憶力は衰えることがなかった。ところが、なでられなかったラットには海馬の縮小が見られ、歳とともに記憶力が衰えたのである。

人間については修道女を対象にした有名な調査があり、若いころ言語能力の低かった修道女は高い確率で痴呆症になり、また比較的早く死亡したことがわかっている。この調査は、多くの若き聖職志願者（修道女の卵）が、修道院に入って一年目に書いた手書きの自分史を精読することから始まった。執筆当時の平均年齢は二三歳である。その後六〇年以上たってから、研究者たちはそれぞれの文章を検討すると同時に、すでに年老いた彼女たちの精神的な健康状態と知性の鋭さを調査した。研究の一環として、老修道女たちは死後に解剖を受けることに同意していた。調査の結果、若いころ書いた手記の文章が凡庸で表現が生気に欠けていた人たちほど、高齢になったときアルツハイマー病を発症しやすく、脳に特徴的な病変が見られることがわかった。[*2]

言語表現の貧しさ豊かさを決定する要因はいくつもあるが、いちばん大きいのは子供のころの人との情緒的なふれあいである。世界的な名作『ガリヴァー旅行記』の作者スウィフトに、言語的な能力が欠けていたとはとても思えない。しかし注意深く見てみると、スウィフトの人生にも彼の書いたものにも、実際に感じた感情体験や、直接的な感情表現は乏しいことがわかるのである。彼の類まれな能力は知的な思考と鋭い機知に見られるだけで、それもあまりにそっけなく示されているために、彼ほどの知性を持たない読者はそのユーモアを見逃してしまうほどだった。女性コメディアンのギルダ・ラドナーの例で見たように（第7章）、機知《ウィット》というのは精神的な痛みを意識しないため、怒りをカムフラージュするため、そして他者に受け容れてもらうためのひとつの処世術なのである。

スウィフトの内面に吹き荒れていたネガティブな感情、特に女性たちに対する激しい怒りは、彼の冷笑的なあてこすりに見られる攻撃性を秘めた受身の姿勢と、彼の書いた物語に散見される露骨な表現から推察することができる。スウィフトはガリヴァーの身に振りかかった最も不快な出来事として、巨人国ブロブディンナグで大女の胸を目にしたときのことを書いている。巨人の乳母が赤ん坊に乳を与えているシーンである。「私は有体《ありてい》に告白するが、何がぞっとするほど嫌らしいといっても、彼女の巨大な乳房に匹敵するものを私は知らない（……）。六フィートの高さに隆起し、周囲はまず一六フィートくらいはあった。乳首の大きさは私の頭の半分くらいで、乳首と乳頭部の色合いは、斑点やらにきびやらそばかすやらでその複雑怪奇なことは驚くばかりで、まさに吐気を催すものであった」（『ガリヴァー旅行記』平井正穂訳、岩波文庫）

スウィフトが幼いころ悲痛な経験をした――長じてから、彼はそれを乳母のせいにしたのだが――ことを知れば、彼のこの不穏な表現の裏にあるものをより深く理解できるだろう。同じジョナサンという名前だったスウィフトの父親は、ひとり息子が生まれる七カ月前に死去した。そして息子のジョナサンは、わずか一歳にして母親アビゲイルから引き離されたのである。彼はその後何年も母に会うことができなかった。本人は自伝的な断篇の中で乳母にさらわれたのだと書いているが、それは「自分をなぐさめるための作り話だ」と見る伝記作家もいる。実際には母親に捨てられた可能性が高い。なぜならのちに再会したときも、母親はジョナサンを残してすぐに去ったからである。

ガリヴァーが巨大な乳房と出会ったシーンは、明らかに心の奥に内在していた感情の記憶であろう。私たちはここに、突然の母の不在に対する幼いジョナサンの絶望と怒りを見る。そしてその母を――言葉も話せない幼児が懸命に理解しようとした結果――どういうわけか大嫌いな乳母とその忌まわしい乳房に置き換えたのである。

ジョナサンが再び母に会ったのは二〇歳のときである。その会見を計画したのは彼だった。感情を抑圧された人がよくするように、彼はほとんどつながりのなかった母の思い出を美化していた。母の死にさいして、彼はこのように母を褒め称える言葉を書いたのである。「天国への道が敬虔さと真実と正義と慈悲であるならば、彼女はそこにいるだろう」

長い間抑圧されていたスウィフトの母に対する怒りは、のちになって女性への嫌悪を示す文章としてだけでなく、女性全般に対する態度として爆発することになった。彼は女性に対して「冷たい、表に出さない怒り」を示し、ときには肉体的な暴力さえふるったのである。彼は性的には抑圧されていた。最近スウィフトの伝記を書いたヴィクトリア・グレンディニングは、「比較的近しい女性に対しても彼は永久凍土のような態度をくずさなかった。あえて氷を溶かすことはなかった。誰も彼に力を及ぼすことは許されなかった――彼の冷静さを溶かし、彼を傷つける力を及ぼすことは（……）。彼がほんの少し感情をのぞかせるとき、それは抑制された威嚇的でない感情で、無力で従順な女性にのみ向けられるものだった」[*3]と書いている。

スウィフトが終生抱いていた親密さへの嫌悪と、心の底にあった人とふれあうことや傷つけられることへの恐怖心は、温かい愛情を得られなかった子供の、幼くして自分を守ることを学ばなければならなかった子供の自己防衛的な反応だった。「ジョナサンに特別な思いやりを示した大人は、そして彼が特に心を開いた大人はひとりもいなかったようである」

一部の非常に感受性の鋭い人には、心身の奥深くに隠れた何かの作用によって一種不可思議な予知能力が働くものなのかもしれない。本書ですでに紹介したチェリストのジャクリーヌ・デュプレやALS（筋萎縮性側索硬化症）で亡くなったダンサーのジョアンに起きたようなことがあるのかもしれない。スウィフトの場合も、亡くなる一三年前、まだ健康になんの問題もなかったころ、自分が痴呆になることを予言している。彼は『スウィフト博士の死について *Verses on the Death of Dr. Swift*』と題する詩を書いているのだ。

あわれな紳士よ、彼はたちまち衰える
それははっきり顔に出ている
頭の中の混乱は
死ぬまで彼から去ることはない
そのうえ記憶は衰え

言ったことも思い出せず
友を思い出すこともできない
さっき食事をした場所も忘れてしまう……

スウィフトはまた、友人と散歩しているときに枯れかけた老木を見て同じ予感を語っている。「私はあの木のようになる。上の方から死んでいく運命なのだ」と。

スウィフトは七八歳で亡くなった。当時としては長命なほうである。晩年は情け容赦なく痴呆へと向かう日々だった。そんな中にあっても彼は鋭い見識を垣間見せることがあった——たとえそれが無意識の機械的なものにすぎなかったとしても。グレンディニングは書いている。「悲しみに満ちた最後の数カ月のある日——一七四四年三月一七日、日曜日のことだった——椅子に座っていた彼はテーブルの上のナイフに手をのばした。アン・リッジウェイはナイフを彼の手の届かないところへ動かした。彼は肩をすくめ、からだをゆらゆらさせながら言った。『私は私だ』。彼はその言葉を何度もくりかえした。『私は私だ。私は私だ』と」

アルツハイマー病と診断されてから死をむかえるまでの平均余命は八年である。発症したときの年齢には関わりがない。まれには五〇代で発症することもある。アウグステ・D夫人の場合がそうだった。彼女は一九〇一年、五一歳のときに原因不明の奇矯な行動、感情の激発、記憶の一時的な空白という症状でフランクフルトの精神病院に入院してきた。彼女の精神的、肉体的衰弱は激しくなるばかりで、とうとう四年後に死亡した。彼女の症状を説明できる病名はなかったが、その死後になって、彼女を担当した優秀な精神科医アロイス・アルツハイマーの名をとってアルツハイマー病と名づけられることになった。

D夫人の症状は、それまで老化によってふつうに——不運なことではあっても——起こることだと考えられていた老人性痴呆症と非常によく似ていたが、それにしては彼女は若すぎた。そこでアルツハイマー医師は、彼女は何か未知の病気にかかっていたのではないかと考えたのである。彼は当時の最新の実験技術を使って亡くなったD夫人の脳を調べ、今ではアルツハイマー病と診断する決め手となっている特徴を発見した。この病気に特有の脳組織の病変である。正常な神経線維のかわりに、「原繊維」と呼ばれるもつれた糸のような奇妙なものと、斑《プラーク》があるのだ。デイヴィッド・シェンクはそれを、「堅そうな褐色のかたまり（……）顆粒と短いねじ曲がった糸が混じりあったもの、まるで微細な砂鉄をびっしりと引きつけた磁石のようだ」[4]と描写している。

アルツハイマーの先駆的な業績は受け継がれ、今では、痴呆症は老化に必然的に伴うものではなく、病気なのだということがわかっている。アルツハイマー病の原因についてはさまざまなことが言われてきたが、現時点では説得力のある理論はまだない。数年前、アルツハイマー病患者の脳に通常より高い濃度のアルミニウムが発見され、多くの人がアルツハイマー病を避けるために台所のアルミ製品を捨てたことがあった。しかしその後、脳にアルミニウムが存在したのは退化プロセスの結果であって原因ではないことが証明された。さらに興味深いのは、もつれた糸や斑のようなものは、生涯アルツハイマー病とは無縁だった人の脳にも発見されていることである（乳がんを発症していない女性の胸部や、健康なまま天寿をまっとうした男性の前立腺にがん細胞が発見された類似の事実を思い出してほしい)。最も多くのことを教えてくれるのは、最近まとめられた修道女とアルツハイマー病についての研究に出てくるひとつのケースである。「この研究の指標ともいえるシスター・メアリーは驚くべき女性で、一〇一歳で亡くなるまで認知テストで高得点を維持していた。さらに注目すべきは、その脳にアルツハイマー病の典型的な病変である神経原繊維のもつれと老人性の斑が大量に存在していたにもかかわらず、彼女が高い認知能力を保っていたという事実である」[*5]

アルツハイマー病は多発性硬化症、喘息、慢性関節リウマチ、潰瘍性大腸炎など多くの疾患と同じように自己免疫が関係しているという考え方が、医学界の共通見解になりつつある。前にも述べたが、これらは人の免疫系がその人自身に敵対行為をはたらくことで起こる疾患である。自己免疫疾患では、自己と攻撃すべき非自己──すなわち異物──との区別ができなくなっているのである。

先ごろロシアの研究者らが、アルツハイマー病の病理的プロセスを「自己免疫による攻撃」と説明した。[*6]またカナダの医師らは、アルツハイマー病患者の家族にはその他の自己免疫疾患の発症が多く見られることを発見し、共通する素因があるのではないかと示唆している。[*7]アルツハイマー病に見られる脳組織の炎症──イタリアの研究者グループは「炎症老化 inflamm-aging」と名づけている──は、関節炎の治療に用いる抗炎症薬を投与することで進行を抑えることができる。スペインの研究グループは、アルツハイマー病患者の脳組織の中に、特殊な免疫細胞や化学物質など免疫系の構成物質を発見した。[*8]混乱した免疫系が作り出した、脳に害をおよぼす特殊な抗体も特定されている。オーストリアの研究グループは「アルツハイマー病における神経組織の退行プロセスに、免疫系が関与していることはほぼ間違いない」[*9]と語っている。

自己免疫疾患はすべて、体内の生理的なストレス調整システム、とくに視床下部が始動させる一連のホルモン放出作用を伴っている。この一連の作用は、最終的には副腎からのコルチゾールとアドレナリン放出にいたる。アルツハイマー病では、視床下部－下垂体ホルモンやコルチゾールの異常な産生をふくむ生理的ストレス反応の調整の乱れが起こっていることを、多くの研究が示している。人間のアルツハイマー病患者にも痴呆症を起こした実験動物にもコルチゾールの過剰産生が見られ、それは脳の海馬の損傷度と相関関係にある。

カイ・ソン博士はブリティッシュコロンビア大学の国際的に著名な研究者で、最近出版された教科書『精神神経免疫学の基礎 *Fundamentals of Psychoneuroimmunology*』の執筆者のひとりでもある。博士は「アルツハイマー病は自己免疫疾患だと私は確信している。それはおそらく、慢性的なストレスが老化した免疫系に作用して起こるものと思われる」と語っている。

すでに見てきたように、脳の感情中枢はストレス反応の神経系の経路とホルモン系の経路に大きな影響を与える。ネガティブな感情を抑圧すること――たとえばジョナサン・スウィフトが幼いころの喪失による悲しみ、怒り、嫌悪を無意識下に押し込めたような――は、じわじわと致命的なストレスを生み出す大きな原因になるのである。オハイオ州立大学の研究グループは、アルツハイマー病においても他の自己免疫疾患においても、ネガティブな感情は発症を招く大きなリスク要因だとしている。[*10]

世界で最も有名なアルツハイマー病患者といえばロナルド・レーガンだろう。アメリカ大統領として二期目の任期を終えた六年後、八三歳のときにアルツハイマー病と診断されたレーガンは、国民に向けたお別れのメッセージに次のような痛切な言葉を書いている。「私は今、人生の黄昏《たそがれ》に向かう旅を始めます」。それは長く、悲しみに満ちた下り坂だった。
スウィフトと同じように、レーガンも幼いころのトラウマに苦しめられていた。父親のジャックはアルコール依存症だった。「四歳の彼には、父親が公共の場で泥酔して逮捕されたことはほとんど理解できなかった」とエドマンド・モリスは彼が書いたふつうとは少し趣きの違うレーガンの伝記『ダッチ——ロナルド・レーガンの思い出 *Dutch: A Memoir of Ronald Reagan*』で語っている。「夢見がちな、おとなしい少年ダッチは、アルコール依存症がどんなものか知らなかった。野球を楽しむはずの午後に、どうして自分とニール［彼の兄弟］は首のまわりに出来立てのポップコーンを入れた袋をいくつもぶらさげて遊園地で売って来いと言われるのか、彼には理解できなかった」[*11]

事情に通じた伝記作家モリスも、これについては間違っていた——あるいは、部分的にしかわかっていなかった。幼い子供は自分の家庭の恥を認識してはいないかもしれないが、彼の心はストレスにさらされた家庭をおおうネガティブな雰囲気を感じ取っているものである。感情を閉ざし、現実から目をそむけることは、そんな子供の脳にとって最も容易な防衛法なのである。その結果、「偉大なる対話者」と言われたレーガンだが、彼は感傷を語ることはできても、真の感情を語ることはできない人間になった。「本当に、何も言うことはないんだよ」というのは彼の決まり文句で、「感情を表現することが求められたときに彼が必ず口にする常套句」になったとモリスは書いている。

早い時期、つまり脳が発育する重要な時期に感情を閉ざしてしまうと、現実を認識する能力は永久に損なわれてしまう。レーガンは生涯を通して、現実と作り話の区別がつけられないことが多かった。「彼は現実と作り話を区別することができなかったのよ」とかつての婚約者は語っている——これは、起こったこと、つまりつらい現実を心の中で幻想と置き換える子供のころの習性が、大人になってからも続いていたことを示している。「レーガンの記憶は取捨選択されていた」と出版人で編集者だったマイケル・コーダは一九九九年に出版された自伝『もうひとつの人生 *Another Life*』に書いている。

彼はフィクションと事実とを混同することでも有名だった。ある日、軍隊の「名誉勲章」の受章者にこんな話をした。第八空軍の爆撃機のパイロットについての話である。彼は操縦していたB－17が対空砲火による損傷で飛行困難になったため、乗員に脱出を命じた。そして彼自身も炎に包まれた機から脱出しようとしたが、その瞬間、銃座にいる砲手が負傷のため上部ハッチから出られず、取り残されてひとり死ぬ恐怖に脅えているのが目に入った。パイロットはパラシュートをはずした。……そして床に伏せると銃座に手をのばし、死にかけている若者の手を握った。「おい、心配するな」彼は砲手に言った。「一緒に落ちていこう」。そして飛行機は地面に突っ込んだ。

これを話すレーガンの目からは涙があふれ、勲章の受章者も涙ぐんだ。ただひとつ問題だったのは――マスコミがすぐに突き止めたのだが――この話は本当にあったことではないという事実だった。それは映画の一シーンであり、大統領はうっかり現実だと思い込んでいたのである。[*12]

レーガンには似たような話が多々ある。人の名前を覚えられないことに関するエピソードもまた多い。「父さん、僕だよ。息子のマイクだよ」。彼の長男は、学生の一団の中にいる息子を見ても不思議そうに目をぱちくりさせている父親に必死で声をかけたこともあった。

まだ大統領になる前、レーガンは自分のことを「穏やかでからっぽのハリケーンの目」と評している。モリスは、レーガンの性格には常に「大きな孤絶（……）」があり、「子供のころからすでに奇妙な静けさに包まれ（……）感覚の麻痺があった」と書いている。そうした自己防衛的な、みずから身にまとった麻痺状態の目的は明らかである。若きレーガンを振ったもうひとりの女性は言っている。

「ダッチが傷つくことなんてないのよ、それはいつもわかっていたわ」

ダッチ――レーガンがラジオのアナウンサーをしていたころについたあだ名――も傷つくことはあった。彼は心の痛みや怒りを奥深くにしまい込んだのだ。その結果としての感情の抑圧は、ある出来事について彼が話したことに何よりもよく現れている。彼が一一歳のときだった。家に帰った彼は、酔っ払った父親が家の外にいるのに気づいた。「それは雪に埋もれて寝そべっているジャックだった。両腕をひろげ、あお向けに倒れていた。酔っていた。正体もなく泥酔していた。私は一、二分、彼を見下ろして立っていた（……）。父に対する悲しみが私の中に満ちてくるのを感じた。両腕をひろげた彼は、磔《はりつけ》にされたようだった――まさにそうだった――髪は溶けた雪で濡れ、息をするたびにいびきをかいていた。彼に恨みを感じることはできなかった」

「彼に恨みを感じることはできなかった」。この言葉は父親に対する彼の怒りを明らかに示している。心理療法では、この種の「否認による確認」によくお目にかかる。話し手は聞かれてもいないのに、無意識にある感情――たいていは怒り――を感じていないと言う。自分からわざわざ言ったこの言葉は、本人が思うよりずっと真実をついているのである。彼が恨みを感じることができなかったのは本当だが、それは感情を意識する力がずっと前から損なわれていたからなのだ。彼は告げているのである、たとえ無意識であっても。彼の怒りは意識の境界を越えたところにあるのだと。「彼に恨みを感じることはできなかった」という否認の言葉は、自分の中にある怒りとそれを抑圧しようとする力とのせめぎあいを表わしているのである。

レーガンの母親は自分のことで手一杯で、女癖が悪いうえにアルコール依存症の夫との結婚生活に疲れきっていたらしい。子供たちのことまで考える余裕はなかったのだ——のちにロナルド・レーガンが彼の子供にとって手の届かない存在だったのと同じように。母親に無視された子供は、その怒りを癒すために逆に母親を理想化しがちである。どうやらレーガンもそうだったらしい。母親の身代わりを務め、献身的に彼の世話をしていた二番目の妻ナンシーが乳がんになったときのレーガンの反応を見れば、彼の否認の奥にあるものが非常によくわかる。彼らのかかりつけの医師ジョン・ハットンは、大統領に夫人の診断について伝える役目を負わされた。一九八七年一〇月のエドマンド・モリスのメモにはこう書かれている。

NR（ナンシー・レーガン）は乳がん。

ジョン・ハットンは一〇月五日の閣議後にRR（ロナルド・レーガン）に伝える腹を決めた。——「大統領、奥様のマンモグラフィーの結果について、悪いお知らせがあります」。ジョンはこのときほどダッチの否認による自己防衛の強さを思い知ったことはないと言う。デスクを前にして座り、ペンを手にして聞いていたダッチは、穏やかに、無表情に「あなたたちは医者だ。うまく計らってもらえると信じているよ」。会見終わり。

ジョン、当惑して大統領の住居へ向かう。「ミセス・レーガン、大統領はショックのあまり何も言われませんでした」。RRが来るまで彼女のもとにとどまって面倒をみる。ぎこちない挨拶。がんの話題には触れない。ハットン辞去。前よりもっと当惑している。

このような態度をとったとしても、その人が感情をもっていないわけではない。本当に愛情がないのなら、少なくとも同情するふりはできるだろう。反対に、あまりにも強い感情に圧倒されてしまって、意識することすらできないのだ――それでもその感情は、その人の生理には影響を与える。ここでも、感情的な体験を避けることで、じつはもっと大きく、もっと長く続く生理的なストレスにさらされることは明らかである。本人は自分の内側で起こっていることに気づいていないので、ストレスがもたらす結果から自分の身を守ることはいっそう難しくなる。さらに、感情を適切に発散すること自体、ストレスを減少させる効果がある。ストレスが引き起こすホルモンや免疫系の長期的な変化が、アルツハイマー病のような疾患が現れる舞台を整えるのである。

レーガンに見られる感情の乏しさ――彼が大学時代に書いた自伝的な手記では感傷的な言葉によってそれが糊塗されているが――は、アルツハイマー病にかかることなく天寿をまっとうした修道女の手記に見られる豊かな感情とは際立った対照を示している。いく人かの若き修道女たちが書いた感情のこもった言葉と、彼女たちがのちに痴呆にならなかった事実との相関関係は驚くほどである。レーガンと同じように感情に乏しい手記を書いていた修道女たちは、やはり最後にはアルツハイマー病になったのである。

私が開業医をしていたころに世話をしたアルツハイマー病患者たちの生活歴には、共通して感情の抑圧が見られた。私は現在アルツハイマー病にかかっている高齢の親の介護をしている数人の人たちにインタビューしたことがある。彼らは一様に、この病気にかかった親は子供のころに何らかの喪失を体験していると語った。「私の母は小さいころに父親を亡くしました。母はそのころ一〇歳か一一歳だったはずです。一家はバンクーバーに住んでいましたが、たまたまその夏、母は両親に言われてギブソンズのある家にメイドとして働きに行っていたのだそうです。ずっと昔の三〇年代のころの話ですけど。

私の母は、自分の父親が死んだとき、ギブソンズにいたわけです。そこへ母の姉が来て、バンクーバーに連れ帰ってくれたそうです。ふたりが家に着いたとき、母の母はその姉に言ったそうです。『なんでその子を連れてきたの?』って。母の目の前で。ひどい仕打ちですよね」

「私が子供のころ、家にはいつも緊張した空気が流れていました」。やはり母親がアルツハイマー病になったある男性はこう語っている。「表面的には何でもないんです。母はいつも口ではやさしいことを言っていた。でも身振りや表情では『あっちへ行け』と言っているんです。母は表には何も出さなかった。でも私はずっと、自分の知らないところで何かが起こっていると感じながら育ったのです」

感情を抑圧している人が何を自分に隠しているのか、本人以外の人にはわかることもある。新進の映画スター、ロナルド・レーガンをよく知っていたが、彼の魅力になびくことはなかったある有名なハリウッド女優は、それでも「彼が絶えず面白いことを言っている裏側にある絶望には」心を動かされた、とモリスは書いている。

モリスは、若いころいちばん強く望んでいたことは何ですか、と大統領にたずねたことがあった。「長い沈黙が続いた。まるでこの質問から逃れたがっているようだった」とモリスは書いている。やがてレーガンは、自分がいちばん残念に思っているのは、自分を愛してくれる人がいなかったことではないと答えた。そうではなくて「愛する相手がいなかったことが残念だ」と。だがモリスはこう注釈をつけている。「私は大統領の言葉を書きとめ、その後に渦巻きのマークをつけておいた。彼は口にしたのとは反対のことを感じている、とこれを見る伝記作家たちがわかるように」［強調はモリス］

第13章　自己と非自己——免疫系の混乱

ウィリアム・オスラーは、一八九二年に出版された古典的名著『医学の理論と実践 *Principles and Practice of Medicine*』の初版に、慢性関節リウマチは「十中八九は神経に原因がある」と書いている。またオスラーは現代と同じ用語を使って、精神的、感情的ストレスについて触れている。「病気とショック、不安、悲しみとの関係」に言及しているのである。

無名の理論家ではない。ウィリアム・オスラーは当時の英語圏で最も著名な医師だったのである。みずからも医師であり著作もあるシャーウィン・B・ヌーランドによればオスラーは「あらゆる時代、あらゆる国において最も優れた臨床の教師である」。彼はモントリオールのマッギル大学、ボルティモアのジョンズホプキンズ大学医学部、オックスフォード大学で教鞭をとった。イギリスでは医療技術への貢献によりナイトの爵位を与えられている。彼の手による教科書は一六版を重ね——最後の版は彼が亡くなった二八年も後の一九四七年に出版されている。

一九五七年、バンクーバーの内科専門医C・E・G・ロビンソンは『カナダ医師会報』に短い記事を寄せ、オスラーの言葉を引用したうえでこう書いている。「リウマチ性疾患の発症に先だち、慢性的あるいは長期的なストレスがあった事例の多さには、私も大いに注目している（……）。リウマチ性疾患を持つ多くの患者において、その人の感情的、心理的側面は何よりも重視されるべきである」[*1]

ロビンソン博士の医学教育には、まだオスラーの人間愛にみちたホリスティックな精神が生きていた。二一世紀に入った今、主だった医学教科書のどれを見ても、慢性関節リウマチや同種の自己免疫疾患――どれも免疫系がからだに対して起こした反乱という性格を持つ――との関係でストレスに言及したものはない。このような欠落は、種々のリウマチ性疾患に苦しんでいる何百万人もの人々にとって悲劇であり、ストレスと自己免疫との関係がすでに立証され、そのつながりをもたらすと思われる生理的経路の多くが解明されつつある以上、もはや弁解の余地はない。

リウマチ性疾患と総称される一連の疾患は広範で互いに重複するところもあるが、慢性関節リウマチ、強皮症、強直性脊椎炎、全身性エリテマトーデス（SLE）などが含まれる。他にも多くの疾患があるが、いずれも混乱した免疫系が自分の体組織、特に軟骨、腱鞘《けんしょう》〔訳註・腱の外囲を筒状に包む結合組織性の鞘《さや》〕、関節の結合部、血管壁などを攻撃するものである。さらに共通する特徴として、四肢や脊柱の結合部、皮膚や目の内側などの表面組織、心臓や肺などの内臓――全身性エリテマトーデスの場合は脳まで――がさまざまな種類の炎症に冒されることがある。

リウマチ性疾患の患者の多くは極度に自分の欲望を抑え、援助を求めることをあくまでも遠慮するという特徴を持っている。多くの場合彼らはつらい痛みに黙って耐え、人に届くほど声高に泣き言を言うこともなく、症状を和らげる薬の投与にさえ積極的でない。

三〇代の女性シーリアは全身の動脈に炎症が起こる動脈炎の症状に襲われた。これも自己免疫疾患のひとつである。ひどい痛みだったらしい。「二日間あまり痛みがひどかったので、鎮痛薬のタイレノールとイブプロフェンを飲みすぎて吐いてばかりいました。女友達が『もう降参した?』と言って私を救急病院へ連れて行ってくれたんです」

「『もう降参した?』とはどういう意味ですか?」私にはわけがわからない。

「私はぜったい病院には行かない、と意地を張っていたんです。病気になっても、私の言うことを信じてもらえないんじゃないかとか、神経質すぎると思われるんじゃないかと、いつも心配しているので」

「ちょっと待ってください、痛みがひどくて動くこともできないのに人に神経質だと思われることを心配していると言うんですか? 立場を変えて考えてごらんなさい。その痛みに苦しんでいるのがあなたのお友達か、ご主人か、子供さんだったとしたら? あなたはもっと早く行動を起こすのではありませんか?」

「そうですね」

「どうしてご自分にだけ厳しい基準を当てはめるんでしょうね?」

「どうしてかしら。たぶん、ずっと前からこういう人間だったんです。育ち方のせいかもしれません」

リウマチ性疾患の患者に特有の、苦痛を人に訴えないストイックな姿勢は、幼いころに身につけた対処法である。シーリアの気遣いは常に他者だけに向けられるのだ。彼女は子供のころ自分も虐待されていたのに、何人かのパートナーにことごとくひどい仕打ちを受けていた母親を守ることだけを考えていたという。一家の生計が苦しいことを気に病んだり、家庭内暴力を外部の人に知られることを心配したりしていたのである。

「私は弟が不良になったり彼に恐ろしいことが起こったりすることを、何よりも心配していたんです」

「ご自分のことは？」

「自分のことは何とかなる、何とか切り抜けられると思っていました。本当の悲惨さを認めたくなかったんでしょう。何とか耐えられるようにもっともらしい理由をつけて、その場をしのいでいました。問題を実際よりも小さく見ようとしていたんです」

一九六九年、〝関節炎・リウマチ財団〟メリーランド支部の依頼で、慢性関節リウマチの患者を対象に広範な医学および精神医学的研究が行なわれた。その研究は「対象の多様さにもかかわらず、患者たちの心理的性向、弱点、生活上の葛藤に著しい類似性が見られた」[*2]と結論している。患者たちに共通する特徴のひとつは、この論文の筆者たちが「補償的な過度の独立心」と呼ぶ偽りの独立心だった。どんなことも自分ひとりで切り抜けられるというシーリアの確固とした信念は、子供のころ満たされなかった精神的欲求を埋め合わせるための一種の対処メカニズムだったのである。彼女のような状況に置かれた子供は、自分の手に負えない欲求など持っていないと自分にも世間にも偽ることで、何とか状況に耐えようとする。このような偽りのひとつの形として、精神的なストレスを子供の手に負えるサイズに縮小して認識するということがあり、その習慣は生涯続いていくのである。

親子の役割の逆転によって生じた補償的な過度の独立心のせいだと考えれば、友人に「もう降参した？」と言われて救急病院へ引きずられて行くほどに、シーリアが肉体的苦痛に歯をくいしばって耐えていたことも説明がつく。

一九六九年、イギリスの精神医学者ジョン・ボウルビーは、親子関係が人格の形成に及ぼす影響について考察した三巻から成る名著『母子関係の理論』（邦訳、岩崎学術出版社）の第一巻『愛着行動』にこう書いている。「子どもあるいは青年期の若者と親との役割の逆転は、一時的なものでないかぎり、親の病理の兆候であるばかりか子どもの病理の原因ともなる」[*3]。親子の立場の逆転は、子供と周囲の世界すべてとの関係をゆがめてしまう。それはストレスの素因となり、将来その子が精神的あるいは肉体的な疾患にかかる大きな原因となるのである。

リウマチ性疾患の患者の精神的特徴として明らかになったものは、他にも完璧主義、自分の怒りの衝動に対する恐れ、反抗の否定、自分が悪いという強い思い込みなどがあげられる。これらは「がんになりやすい性格」あるいは多発性硬化症や筋萎縮性側索硬化症（ALS）その他の慢性疾患にかかりやすい性格としてすでに見てきた特徴と類似している。こうした性格はどれひとつとして人間が生まれつき持っているものではないし、直すことができないほど染み付いたものでもない。

「これらの患者の生育歴に驚くほど共通するのは、両親の一方または両方を早い時期に実質的に失っていることである」とメリーランド論文は主張している。読者はすでにこの本に出てきた人たちの生育歴に、幼いころの親との離別、親による養育放棄、あるいはどちらかの親の死が非常に多く見られることにお気づきのことと思う。さらに多いのは感情が乏しいことであり、これも多くの論文が扱ってきたテーマである。全身性エリテマトーデスの患者を対象にした一九六七年のオーストラリアの研究によれば、「この疾患の患者グループでは、『崩壊していない家庭』内でも親子関係の問題によって感情が乏しくなったと報告した人が対照群より多かった」[*4]ということである。

補償的な過度の独立心と同様、怒りの抑圧も子供時代に端を発する心理的なプロセス、〝解離〟の一形態である。子供は、もし意識的に体験してしまえば解決不能な問題を生むであろう感情や情報を、無意識のうちに拒絶する。ボウルビーはこの現象を「防衛的排除」と名づけ、こう説明している。「防衛的に排除されやすい情報というのは、過去に受容し処理した結果、激しい苦悩をもたらすのではないかという危惧を個人に抱かせたような情報である」[*5]

言いかえれば、怒った子供が何か問題にぶつかり拒絶される経験をする。その子が親との愛情関係を維持するためには、怒りと拒絶を内面すなわち自己に向けるしかない。そうなると今度はそれが、リウマチ性疾患の患者たちに共通すると研究者たちが言う「自分が悪いという強い思い込みと、自己意識の乏しさ」を招くのである。「本来、愛着の対象人物に向けられるべき怒りが、自分自身に向けられることもまれではない」とボウルビーは言う。「このような場合には、不適切な自己批判が生じる」[*6]

自己免疫疾患では、からだの防衛システムが本体であるからだの敵にまわる。実社会でこんなことがあれば――からだにも政治があるなら――その行動は反逆罪として糾弾されるべきものだろう。ところが人のからだは何も言わない。それは、自己と非自己を混同している無意識の心理状態をそのまま反映して、免疫系も混乱しているからである。自己と非自己の境界があいまいになれば、心的自己が内側に向かった非難と怒りに攻撃されるのとまったく同じように、免疫細胞は自分のからだをまるで異物であるかのように攻撃してしまう。

このような混線は、私たちが「精神・神経・免疫・内分泌系」と呼んできたシステムにおいて、心身の相関メカニズムに分裂が起こっていることを反映している。

感情は、精神・神経・免疫・内分泌系の他の構成要素とまったく対等であり、相互に補足しあう関係にある。免疫系や神経系と同じように、感情も外部からの脅威に対してからだを防衛する。神経系や内分泌系と同じように、必要欠くべからざる欲求や要求を満たしてくれる。そしてこれらのシステム全体と同じように、感情も体内の環境を維持し修復する働きをするのである。

感情――恐れ、怒り、愛など――は神経刺激や免疫細胞やホルモン活動と同じくらい、人間の生存に欠かせないものなのである。はるか昔の進化の過程においては、魅力を感じたり嫌悪を感じたりする原始的な反応は生物の生存と繁殖のために不可欠だった。感情――およびそれを可能にする細胞や組織――は、生存を保障する仕組みの重要な部分として進化してきたのである。ということは、人体のホメオスタシスと防衛をになう体内システムをつなぐ基本的な分子が、情緒的反応に関わっていたとしても何の不思議もない。エンドルフィンなどの伝達物質は、基本的な神経系すら備えていない最も原子的な生物にもあるはずである。感情をつかさどる器官は精神・神経・免疫・内分泌系と相互作用するのではなく、そのシステムの重要な一部なのである。

第7章で、免疫細胞が作る伝達物質サイトカインは脳細胞のレセプターと結びつき、からだの状態や気分や行動を変化させると書いた。感情が免疫の働きを変化させるというのも、同じことを逆から言っているにすぎない。感情と免疫系が対等な関係でからだの防衛をにない相互に補完しあっていることを説明するには、免疫細胞の役割と感情、たとえば怒りの役割を比べてみればいい。

人間にはなぜ怒りというものがあるのだろう？　動物の世界では、怒りは必ずしもネガティブな感情ではない。動物は何らかの不可欠な欲求が脅かされたとき、あるいはそれが満たされないときに怒りを感じる。動物は感情がどんなものか意識はしていないが確かに感情を持っているし、その「レベル1の感情」ともいうべきものによって起こる生理的な変化を体験している。そしてもちろん、その感情を「レベル2の感情」である示威行為という行動に移す。「レベル1の感情」による生物学的変化の目的は、その生物に「闘争か逃走」反応を準備させることである。しかしその動物が闘争するにしても逃走するにしても多大なエネルギーが必要だし、傷を負ったり死んだりする危険もある。そこで「レベル2の感情」の示威行為が重要な仲介の役を果たすのである。動物がどちらも傷つくことなく紛争を解決するのはよくあることだ。

追い詰められた動物は、時として激しい怒りを示しながら追跡者を威嚇する。怒りは追跡者を脅えさせることで、あるいは追われる動物に抵抗する力を与えることでその動物の命を救うかもしれない。あるいはまた、他の群れの同じ種類の動物が自分の縄張りを侵したときも、怒りを感じるだろう。縄張りをめぐって両者がすぐに戦いを始めれば、一方または両方が傷を負うかもしれない。そこで自然は、両者がまず怒りの示威行為をするという解決法を与えたのだ。歯をむき出す、威嚇的な動作をする、脅えさせるような声や音を出すというように。相手を威嚇するのに成功したほうが勝ちであり、どちらも傷を負うことなくその場はおさまるのである。

怒りが適切に生じるためには、自分にとっての脅威とそうでないものとの区別がつかなければならない。いちばん基本的なのは自己と非自己の区別である。もしどこからどこまでが自分なのかという境界がわからなければ、そこに何か危険らしいものが侵入してきても知ることができない。馴染みのものか見知らぬものか、無害なものか有害の可能性のあるものかを区別することが必要だが、そのためには自己と非自己を明確に見分けなければならないのである。怒りとは見知らぬ危険なものを認識し、それに対して反応することなのである。

免疫系が最初に行なうべき重要な仕事も、やはり自己と非自己とを区別することである。つまり免疫系の作用もまず認識から始まるのである。認識は感覚の機能であり、感覚器官を介して神経系が行なう。免疫系も感覚器官の一種だと言ってもいいかもしれない。もし免疫系が認識を誤れば、視覚、聴覚、触覚、味覚が損なわれたときに直面するのと同じくらいの危険にさらされることになる。神経系にはもうひとつ、記憶という機能がある。免疫系にも記憶は必要である。外界にある何が無害で有益か、何が毒にも薬にもならず、何が有害かを覚えておく必要があるのだ。

乳幼児は親の注意深い庇護の下で周囲の環境を探究し、食べられるものとそうでないもの、気持ちのいいものとさわれば痛いもの、危険なものと安全なものとを学習していく。そうして得た情報は、発育途中の脳の記憶保存箇所に蓄えられていく。免疫作用もやはり学習をする。免疫系では記憶は細胞に蓄えられるが、それらの免疫細胞は以前出会ったことのある脅威を即座に思い出すようプログラムされている。さらに神経系が生涯を通してその学習能力を維持しなければならないのと同じように、免疫系も、新しい脅威を認識するために特に訓練した複製細胞を作ることで、次々に新しい「記憶」

を積み上げていく能力を持っているのである。

血液中だけでなく体内のあらゆる組織や部位にも免疫細胞が発見されていることから、免疫系は非自己を探知するために体内に備えられた「浮遊する脳」だと考えていいかもしれない。この「浮遊する脳」のために働く感覚器官——目や耳や味蕾《みらい》の代わりになるもの——は、免疫細胞の表面にあって無害なものと有害なものとを区別するよう作られたレセプターである。自己であるものは、いわゆる「自己抗原」を持つことで免疫系の細胞に自己と認められる。自己抗原とは人体の正常な細胞膜にある分子で、免疫細胞のレセプターはそれを確実に認識することができる。自己抗原はタンパク質でできていて、すべての細胞に必ず存在する。体外から侵入した異物や微生物にはこの目印がないので免疫細胞に攻撃されるのである。自己抗原には多くの種類があり、それらの特定はまだ始まったばかりである。「ひょっとすると将来さらに多くの自己抗原が発見されるかもしれない[*7]」と『サイエンス』誌の記事は予想している。

非自己の抗原を「記憶する」役目をしているリンパ球は、胸腺で成熟するT細胞である。人体には一兆ものT細胞がある。T細胞もその他の免疫細胞も「人体にあるすべての組織、すべての細胞、すべてのタンパク質を敵ではないと認識しなければならない。血液中のヘモグロビンを、膵臓から分泌されるインシュリンや目の硝子体液やその他もろもろと区別できなければならない。また体外から侵入する多種多様の微生物を撃退し、かつ自分の体は攻撃しないようにしなければならない[*8]」

さまざまな免疫細胞が外部から侵入した敵対的な微生物その他の有害物質をどのように認識し、その戦闘部隊がどのようにプログラムされて外敵を撃退するのか、その仕組みを詳しく語ることはこの本の目的を超える。まだ未解明な点も多いし、すでにわかっていることも生化学的な作用や相互作用や影響が非常に複雑にからみあっている。ここでは、免疫作用と感情には共通する機能があることだけを理解しておけばいいだろう。その共通点とは第一に、非自己と自己とを認識すること、第二に、有益なものと有害なものとの判別、そして最後に、生命力を高める影響を受け容れると同時に、危険を制限あるいは排除する能力である。

自己と非自己とを区別する私たちの精神の能力が損なわれれば、その損傷は間違いなく私たちの生理作用にも及ぶだろう。抑圧された怒りは免疫系の混乱を招くだろう。感情を適切に処理し表現する能力の欠如、自分の欲求は一顧だにせず他者の要求を満たすことばかり考える傾向、これらは慢性疾患にかかる人すべてに共通するパターンである。こうした対処パターンは境界の不鮮明さ、つまり心理的レベルでの自己と非自己の混乱を表わしている。この同じ混乱が、からだの細胞や組織や器官のレベルにも及ぶのである。混乱した免疫系は自己と非自己の区別がつかなくなり、人体を危険から守ることができなくなるのである。

ふつうは、自分のからだがつくり出したものに攻撃をくわえるような反応をする免疫細胞は、即座に破壊されるか不活性化される。自分のからだに反旗を翻した免疫細胞が破壊も無害化もされないと、本来は守るはずの体組織を攻撃することになる。アレルギー反応や自己免疫疾患が起こる可能性が出てくるわけである。反対に正常な免疫細胞が放射線の照射や薬物あるいはＨＩＶウイルスなどによって破壊されてしまうと、からだは感染や腫瘍の無制限の成長に対する防衛力を失った状態になる。慢性的な精神的ストレスによって免疫系が働かなくなっても同じ結果になるはずである。

自己の抑圧と免疫系の暴走との間に関係があることは、一九六五年に慢性関節リウマチを持つ女性患者の健康な近親者を対象にした研究によって明らかになっている。抗体はふつう、病原菌や有害かもしれない異物の侵入に対してのみ作られる。検査で慢性関節リウマチかどうかを判断する指標は、免疫系の混乱によって自分のからだを攻撃する抗体ができているかどうかである。そのような抗体はリウマチ因子（rheumatoid factor）、あるいは短縮してRFと呼ばれている。この因子は慢性関節リウマチの患者の七〇パーセント以上に見られるが、患者ではない人にも発見されることがある。一九六五年の研究の目的は、慢性関節リウマチを発症していない場合でもある種の性格特性とリウマチ因子の存在との間に関係があるかどうかを調べることだった。

被験者は、リウマチ性疾患にかかっていない三六人の思春期あるいはそれ以上の年齢の女性たちである。検査の結果、そのうち一四人にRF抗体が発見された。心理テストの結果を抗体を持っていない被験者と比べると、抗体のある女性は、怒りの抑圧と自分の行動への世間の目を気にする傾向が高かった。さらに「従順さ、内気さ、良心的なこと、信心深さ、道徳心の高さ」を示す得点も高かった。

これらの被験者が抗体を持っていたということは、感情の抑圧によってすでに自己を攻撃する免疫反応が起こっているがまだ発症には至っていないということだろう。これからの生活でさらにストレスを感じる出来事があれば、免疫系の暴走がさらに加速され、炎症反応が起こって本当に病気になる可能性も十分あり得る。「精神的な混乱がリウマチ因子と結びついてリウマチ性疾患を起こす可能性がある」[*9]とこの研究は結論している。自己抗体であるリウマチ因子がなくても慢性関節リウマチになることがある。そのようなケースでは患者のストレスの度合いがいっそう高いと思われるが、これについてはまた別の研究が立証している。[*10]

一九八七年に発表された論文は「さまざまな研究によって明らかになった事実は、精神的なストレスが慢性関節リウマチを引き起こし、悪化させ、最悪の事態に至らせるうえで一定の役割を果たしていることを強く示唆している」と結ばれている。[*11]

ストレスが自己免疫疾患の発症にどれほどの影響を与えるものか、若きユダヤ人女性レイチェルの体験はそれを如実に物語っている。彼女に初めて慢性関節リウマチの症状が出たのは、子供のころの精神的なトラウマを再現するある出来事の直後だった。

レイチェルは子供のころから兄と仲が悪かった。兄のほうが親に気に入られているとずっと思っていた。両親は離婚しており、レイチェルは特に父親にうとまれていると感じていた。彼女は言っている。「私はいつもないがしろにされていました。父は兄だけいればいいと思っていたんです。ふたりのうしろから半ブロックも離れて、ひとりでついて行ったときのことは、今でも忘れられません。父は兄の肩を抱いていました。いつも私はどうでもいい子だったんです。何年も前に、兄と一緒にシカゴの父のところへ行けと母から言われたことがありましたが、それは母が、『ふたり一緒に行くのでなければ、どちらも行かせない』と父に言ったからなんです。父が私に会いたがったことなんて一度もありませんでした」

レイチェルも、子供のころは「何も問題を起こさない、いい子だった」と言っている。そして大人になってもその態度を引きずっていた。二年前、ユダヤ教の新年の祭りであるローシュハッシャナのとき、レイチェルは母親の家にいて家族の夕食を準備していた。彼女は急いでいた。急にこの一家の集いに参加すると言いだした兄と顔を合わせないために、兄が来る前に帰りたかったのである。「兄は私に会いたくないから来ないと言っていたんです。だから私は早めに母の家に行って、料理の手伝いだけすることになりました。私は午後四時に帰る、それから兄夫婦と姪が来て母と一緒にローシュハッシャナを過ごすという手はずでした」

「ちょっといいですか?」私は思わず言葉をはさんだ。「あなたのお話だと、あなたは他の人たちがお祭りを楽しんでご馳走を食べるために、お母さんの家に行って料理やその他もろもろの準備だけして帰る、ということになっていたわけですね? どうしてそんな約束をしたんですか?」

「だってローシュハッシャナですからね。家族がそろったほうがいいと思ったんです」

「で、どうなりました?」

「母の家にいたら、からだが耐えられないほど痛みだし、病院に連れて行かれました。片脚が関節炎になって全然使い物にならなくなって。ふだんは痛くて悲鳴をあげるなんてことはありません。でもそのときは救急治療室にいた全員が私の悲鳴を聞いたはずです。翌日にはその痛みが全身に出て、また病院に逆戻り。動くこともできませんでした。車椅子に乗って押されるだけで、頭がおかしくなるほどの悲鳴をあげていたんですよ」

ストレスはリウマチ性疾患の発症と突然の再発に関わっているだけでなく、症状の激しさにも関係している。慢性関節リウマチと診断されたばかりの比較的若い患者五〇人を対象に、一九六七年から五年間追跡調査した研究がある。最初に、発症前にあったストレス要因を評価しておく。その後は年に二回検査し、さらに一年に一回は両手首と両手――この病気の症状がいちばんよく現れる部位――のレントゲンを撮るという手順だった。五年後、研究グループは組織の損傷の度合いによって被験者を分類した。第一グループは、医師が診ても腫れがなくレントゲンでも骨に摩滅が見られない患者、第二グループは、軟組織の腫れはあるが骨の摩滅はない患者、第三グループは、両手首と両手に骨の摩滅がある患者である。この結果は『アメリカン・ジャーナル・オブ・メディスン』誌に発表された。研究グループによると、最終的に第三グループに分類された患者たちはその他のグループの患者たちと比較して、研究開始時に「発症に関連して非常に多くの心理社会的ストレス要因があると面接者が判断した[*12]」人々だった。

この本を書くにあたって私が会った人のほとんどは自宅でインタビューに応じてくれた。だが慢性関節リウマチを持つ五一歳の女性ギラは、近くのマクドナルドの店で会いたいと言い張った。彼女は心理学の論文で描写される「自己犠牲的、従順、人目を気にする、内気、引っ込み思案、完璧主義」というリウマチ性疾患の患者の見本になれそうな女性だった。

ギラは一九七六年、全身性の筋肉の炎症である多発性筋炎の症状が出ているときに慢性関節リウマチと診断された。医師に相談した時点で、彼女はすでに肩と腰まわりの筋肉の大部分を失っていた。また呼吸筋が非常に弱くなっていて浅い呼吸しかできなかった。両腕両脚とも上げることができず、乾燥したものを飲み込むこともできなかった。専門医は彼女を見てすぐに入院させ、点滴で副腎皮質ステロイドを投与した。「医者は私を歩く死体のようだと言いました。本当は歩き回ってもいけない状態だったんですって。肺機能の検査をしたときなんて、機械に息を吹き込んでも、針は動かなかったんですよ。ぴくりとも。でも私はそんな状態で何とかやっていたんです。だって、ほら……、気づいていなかったんですよ。歩くときに脚を上げるのではなく、振り子みたいに揺らすようにしていたなんて、全然知りませんでした」

「どうして気づかなかったんだと思いますか?」

「忙しかったからでしょうね、たぶん。疲れていたし。子供が、小さな子がふたりいてばたばたしていましたから」

「どうしてマクドナルドで会いたいと言われたのか、不思議なんですが」

「自宅だと私の家が人の目にどう映るか気になってしまうんです。きれいに掃除して、片づいていないと嫌なの。誰かが家に来て、あちこちにほこりがたまっているのを見られるなんて……」

「あなたが言っているのは、きれいというレベルではなくて完璧ですよ。ほこりを完全になくすことなんて無理でしょう? ほこりと無縁の生活なんてあり得ませんよ。それを認めないと、すべてが完璧でなければならなくなります。あなたはどんなことにも、そうなんですか?」

「そうなんです。この病気になる前はもっとひどかった……。叔母たちからは〝スーパーウーマン〟と呼ばれていました。夫は以前この街から離れていたんです。製材所で仕事の見習いをするためにね。私はひとりで、ふたりの子供と暮らしていました。家を買ったばかりだったから、ものすごく働いて、残業もいっぱいしましたね。土日も休まず、一日一〇時間働いていたこともありました」

「どんなお仕事だったんですか?」

「郵便局です。でも仕事は楽しかったわ」

「一日一〇時間、週に七日働くのが楽しかったんですか?」

「職場に行くのは遊びに行くようなものでした。みんないい人たちで。上司とも仲良しだったし。私につらい思いをさせる人はひとりもいませんでした。まわりの人たちは郵便局の仕事にうんざりしていたみたいですが、うんざりしたり愚痴を言ったりする人の気持ちがどうしても理解できませんでした。こんなに楽しいのに、って。だから、それも私が最初にリウマチになった原因のひとつだと思うんです。自分を痛めつけていたことが。十分な休養をとらなかったから。睡眠も十分ではなかったし」

仕事と家事にくわえ、ギラは前庭も裏庭も完璧な状態にしておかなければならないと思い込んでいた。両隣にはすでに引退した夫婦が住んでおり、庭を完璧に手入れしていた。だから自分の家の庭をきれいにしておかないと、その人たちの家の価値も下がってしまうと思ったそうだ。「本当に完璧なんです。あの人たちは毎週芝刈りをしていました。だから私も負けないように毎週芝刈りをするしかなかったんです」。ギラはそのうえ、自分が子供時代に与えられなかった機会を子供たちに与えることにも熱心だった。彼女は毎週末、子供たちをピアノや歌やバレエのレッスン、フォークダンス、スポーツ大会などへ車で送迎していたのである。

ギラはこうしたことをすべて、まったく夫の手助けなしでこなし、その間も郵便局で午後四時半から午前一時までの遅番勤務に就いていた。睡眠は四時間という生活を何年も続けていたのである。「慢性関節リウマチになったとき、理学療法士に言われました。『痛みを感じたら、仕事をやめるんです。休まなければだめです。からだが、ここでやめなければいけませんと言っているんですからね』って。

だから言われたとおりにしています。でも問題は、そうすると前のようにきちんと家事ができないことなんです。以前は毎日のように掃除機をかけていた、一日二回かけたこともありました。今は私に代わって夫が掃除機をかけてくれます。でも彼のやり方じゃ気に入らないんです。だからあとでやり直すこともあります。もちろん彼にはわからないようにね。ちょっと仕上げをしているだけ。私の家はもう前ほど綺麗でもないし、片づいているわけでもありませんよ」

ギラはフィリピンで育った。ここまでの話で読者の皆さんにはもう想像がついたことだろう。彼女は八人きょうだいのいちばん上で、弟や妹たちの面倒を見ていた。両親は彼女につらくあたった。何かうまくいかないことがあるたびに彼女がぶたれた。

「私は喘息持ちでした。ぶたれると必ず発作が出ました。喘息の発作が出るたびに母が言うんです。『ほらごらん、おまえが悪い子だから神様が罰を与えてるんだよ。自分の仕事をちゃんとしなかったから、口答えをしたから』ってね。だから私は、がんばって何でもやろうとしました。わざと悪いことをしたわけじゃないのに、一生懸命やっているのに、それでも何か忘れるとお仕置きされました。どうしても母の望みどおりにはできないこともありました。母も完璧主義者だったんです」

ギラの夫も、結婚当初は彼女を殴っていた。やがて虐待は精神的な無関心にかわったが、依然として病的に嫉妬深く高圧的だった。

ギラを治療した理学療法士の中にはストレスの問題を持ち出した人もいたようだが、彼女の慢性関節リウマチの治療にあたった医師たちは、誰ひとりとして彼女の個人的な生活や精神状態について質問しなかった。サー・ウィリアム・オスラーの英知は、現代医学のバミューダ三角海域に飲み込まれてしまったのである。

慢性関節リウマチになってギラは心理療法の必要性を感じた。この病気はもちろん歓迎できるものではないが、きっと自分に何かを教えようとしているのだと思ったからである。医療制度は役に立たなかった。だから彼女はみずから進んで精神科医を訪れた。「その精神科医は、そんなに心配しなくてもいい、夫をいちばん年上の息子みたいに扱えばいいと言うんです。二度と行きませんでした。三人目の息子なんていりません。私は夫が欲しかったんです」

慢性関節リウマチの女性の場合、ストレスにさらされると免疫系の混乱が高まるが、幸福な結婚生活を送っている人には炎症や痛みなどの症状の悪化が見られない。[*13] 別の研究によると、人間関係のストレスが増すと関節部の炎症も悪化するということである。[*14]

このような結果は驚くにはあたらない。ストレスは脅威を認識したときの反応だということを思い出してほしい。脅威を認識したとき、あるいはその後に、人体の多くの組織や器官が炎症その他の損傷を受けやすくなることは多くの研究によって明らかになっているのである。[*15] 危険かもしれないと認識された刺激は、即座に血管を膨張させ、脹れや出血を引き起こし、組織の損傷を起こしやすくさせ、痛みの閾値を下げる。脅威を高めるようなインタビュー技術を使うだけでも、被験者にこのような変化を急激に引き起こすことは可能である。

極度の精神的プレッシャーが、関節や結合組織やさまざまな器官の炎症となって現れるにいたる経路はいくつか考えられる。二世紀のローマの有名な医師ガレノスが残した教えのひとつは、体内のどの部分も、神経のつながりを介して他のどの部分にも影響を与え得るということだった。確かに、ストレスに反応して起こる急速なからだの変化が、瞬間的な神経系の活動を介したものであるのは間違いない。脳から送られた信号が遠く離れた神経の末端を刺激し、炎症をもたらす強力な分子を放出させる。この分子が免疫細胞を過剰に活性化させ、関節の損傷を引き起こすのである。神経由来の化学物質の中には、その強力な刺激性によって痛みを引き起こす物質もある。自己免疫疾患では、炎症を起こした関節の体液や体内を循環している体液中にそのような物質のいくつかが高濃度に存在することがわかっている。レイチェルが自分は同席することのできないローシュハッシャナのご馳走を準備していて急に関節炎の症状が出たのは、この劇的な速度で作用するメカニズムが働いたためと思われる。彼女の最初の症状があれほどひどかったのは、兄との関係で抑圧されていた感情の激しさを示すものだろう。

自己免疫疾患が慢性疾患であることには、精神・神経・免疫・内分泌系のすべて、特に脳－ホルモン－免疫のつながりが関係している。ストレスが引き起こしたこのシステムの乱れが、自己免疫疾患の発症と進行に生理学的に関与していることは多くの研究によって立証されているのである。

ストレスが精神・神経・免疫・内分泌系を介して作用し自己免疫疾患を引き起こす際の、さまざまな経路について科学的に詳述することはこの本の目的を超えるだろう。ここでは、長期的に過剰な刺激を受け続けると人体のストレス反応、特に重要なストレスホルモンであるコルチゾールの産生のバランスがくずれるとだけ言っておく。副腎からのコルチゾールの正常な放出は免疫系の機能を調整し、免疫細胞が作り出す物質が引き起こす炎症反応を鎮めるということを思い出してほしい。慢性関節リウマチの場合は、ストレスに対するコルチゾールの反応が正常時より低いのだ。だから免疫系の活動が乱れ、過剰な炎症が起こるのである。免疫系が本来受けるべきコントロールを受けずに炎症を引き起こす一方で、必要な抗炎症反応は弱められて効果を発揮できないのである。

あらゆる自己免疫疾患に一貫して用いられる医薬品のひとつが、副腎皮質ホルモンのコルチゾール――より正確に言えばその人工代替物――だというのはけっして偶然ではない。コルチゾールはストレス反応の中枢をになうホルモンであり、長期的なストレスにさらされたときいちばん影響を受けやすいことは多くの研究が証明している。全身性エリテマトーデス、慢性関節リウマチ、強皮症、強直性脊椎炎などの自己免疫性結合組織疾患は、からだの正常なストレスコントロール機能が疲弊し混乱していることの現れなのである。

疲弊というのは、強直性脊椎炎に襲われたかつての私の患者が、発症前とそれ以後の生活について語ったときに私の頭に浮かんだ言葉である。

ロバートはブリティッシュコロンビア州でも名の知れた労働運動の指導者である。私は彼のオフィスでインタビューした。四〇代後半の大柄だが物腰の柔らかな男性で、よく響く声を持ち、話しぶりには温かいユーモアが感じられる。振り向いて電話に出るとき、あるいは少し角度を変えて相手を見るときなどは、彼は胴体全体を回す。背骨はほとんどまったく動かない。「首から尻まで完全に固まっているんです」と彼は言う。

ロバートは二五歳のとき、両足のかかとに痛みを感じるようになった。そしてその後一二年間、肩と鎖骨の関節に常に痛みがあった。医者には数回行ったが、そのうちにやめてしまった。「医者はああだこうだとか、ああでもないこうでもないとか言うだけでした。痛みは全然なくなりません。痛みが治らないなら、いったい何のために医者に行くというんです?」さらに腰と両脚の痛みが五年続いてから、やっと彼はリウマチ専門医のもとを訪れた。

「あまり左脚をかばっていたせいか、ある夜ベッドに寝ているとき、妻が私の左右の脚の長さが違うことに気づきましてね——使わなかったせいで筋肉が萎縮してしまったんです。もちろん彼女は大騒ぎです。すぐ医者に行かされました」

最初の症状が現れてから診断を受けるまでの一二年間、ロバートは仕事を一度も休まなかった。彼の話はいろいろな意味で典型的と言っていいだろう。開業医として私が治療した労働組合の役員たちは皆、度を超えて働きすぎだった。いくら時間があっても足りないほどなのだ。言うまでもなく、彼らの仕事にストレスはつきものである——絶え間ない紛争と駆け引き、いつ終わるともしれない会議、一向に減らない雑務。ロバートは言う。「わが労働組合の年金制度は、それはもう素晴らしいものですよ。なぜって、六五歳まで生きて年金を受け取る人間なんてひとりもいないんですから……まあ、いたとしてもほんのわずかでしょうね。だから労働運動をやっている私たちの年金制度は、これほどまでに充実しているんです。引退して年金生活を送る人間なんていないんだから」

リウマチ性疾患が始まったころ、ロバートは北米大陸を飛行機で一年間に一〇万マイルも飛び回っていた。彼が最悪の年という一九七六年には、四カ月半の間ぶっ続けで出張していた。「その間、一度もわが家には帰らずじまいです。アメリカの南部でストライキを指導していたんですよ。私は国際的な組合活動にも参加していて、その組織には他にその仕事ができる人間がいなくてね。アーカンソー、オクラホマ、ジョージアと廻って、毎日一二時間から一四時間、週に六日働いてました」。彼は「いつでも空いた時間に」眠っていたという。

「私生活はどうでした?」

「妻とふたりの子供。労働組合の仕事は必ず結婚生活を破壊するんです。私の仲間で、最初の相手と今も結婚している人間はひとりもいませんよ。一九七三年に私と一緒にこの世界に入った同期の連中を見ても——何人かはもう死んでしまいましたが、二、三回の結婚はざらだし、五回めの結婚をした奴だっています! この仕事をする人間は骨までしゃぶられるんです。

家にいない、家族のために何もしない。今では悪かったと思っていますよ。あのころは馬鹿だったから、悪いと思うこともできなかった。自分の持っているものの価値がわかっていなかったんです。今は子供たちと仲良くやっています——もうふたりとも大人ですけどね。息子がティーンエイジャーだったころのことも、もっと幼かったころのこともよく覚えていません。ええ、写真はありますよ。娘がいることなんか、あの子が二〇歳になるまで知らなかったくらいです。

疑問を抱いたこともなかったですね。まわりはみんな同じことをやっていたから。そういう雰囲気だったんです。たび重なる離婚も大酒をくらうことも当たり前のことだった。仲間うちで最初に酒をやめたのは私なんですよ」

ロバートは、自分は依存症になりやすいたちだと言う。「仕事に限らずね。酒、ドラッグ、女、ギャンブル——ありとあらゆるものに。でも酒は一九八〇年九月二日午後七時四〇分から飲んでません。そのときビールを飲んだのが最後。床の上にうつ伏せになって、カーペットに舌が触れるような状態で目をさまし、おまけに胸がむかむかしていた。そんなことに、もううんざりしたんですよ。禁煙は一三二回しました。問題は一三三回目の喫煙を始めてしまったこと。この依存症だけはまだ断てないですねえ」

自分が組合の組織活動を仕事にして今も続けているのは、それが人間の生活を向上させ、より公正で公平な社会のためになると思うからだとロバートは言う。「だから、ノーとは言えないんです。することはいくらでもあります。不当な権利侵害のリストが短くなることはないんです。この世界を少しでもよくするために働くことができるのは幸運なことだと思っていますよ」

今ではロバートもあまりに度を越えた要求にはノーと言えるようになった。面白いことに――おそらく偶然ではないと思うが――、強直性脊椎炎のせいで肋骨と脊椎が完全に癒合していることは、感情を表現するうえで思いがけない利点も与えてくれたことにロバートは気づいたという。

「怒りを表現するうえで、他の人より有利な点があるんです。言葉をうまく操ることができるんですよ。私は人を怒鳴ったりしません。呼吸をコントロールすることで、怒鳴らなくても相手に感情をそのまま伝えることができるんです。この病気のいいところは肋骨を動かなくしてくれたことでね。肋骨は前にも後ろにも動かないんです」。ロバートが言うには、動揺して怒りをコントロールできないと人は呼吸が浅くなり、肋骨の間の筋肉を使って胸郭をふくらませることで肺に空気を送り込もうとする。だが病気のせいで彼にはそれができない。

「力強い声を出し、話し方をコントロールするためには横隔膜を使って腹式呼吸をする必要があります。普通の人は横隔膜を使わないで肋骨を前後に動かす浅い呼吸ですが、私の場合、横隔膜を使って呼吸するしかないので腸が上下します。腹式呼吸のほうが胸式呼吸より筋肉のコントロールが効くんですよ」。さらに、腹式呼吸のほうが感情のコントロールがしやすく、脳の思考をつかさどる部分に酸素を大量に送り込めるのだそうだ。

「以前は意識的にやらなければなりませんでした。肋骨が固まってしまってからは、選択の余地はないですからね」

「非常に興味深いですね。ヨーガの呼吸法の先生はいつも横隔膜を使って呼吸しろと言います。それは健康にいいんですよ。あなたは強直性脊椎炎のおかげでいやでもそうせざるを得なくなったわけですね」

「おかげで明晰な話し方ができるようになりました。たいていの人は怒れば声を荒げるから、それで怒っていることがわかる。それが言葉で怒っていることを伝える一般的な方法です。私の呼吸法だと、ひとつの文を短くしなければならない。だから表現を簡潔にして、叫ぶのではなく、はっきりした大きな声でしゃべることができる。呼吸をコントロールすれば、かんしゃくや怒りをコントロールできる——そうやってコントロールすることで話を自分の意図する方向に持っていけるんです」

ロバートの話を聞きながら、大人になってから病気を通じて大切なことを教えてくれる自然の神秘的な力に私は深い感銘を受けていた。もっともそれは本来なら子供のうちに、そして健康なときに学ぶべきことではあるのだが。

ある研究は、慢性関節リウマチの痛みを伴う炎症でさえ防衛機能を果たしているかもしれないという興味深い指摘をしている。関節の痛みと、一週間後にストレスの多い出来事が減少したこととの間に著しい関係が見られたというのだ。研究者たちは論文の結びとして、「この結果には重要な臨床的意味がある。社会－葛藤的な出来事と関節の痛みとの間に強力な相互作用が見られたということは、症状の悪化によって社会とのネガティブな関係が調整されるという、一種の恒常的システムの存在が予測されるからである」と書いている。[*16]

言いかえれば、症状が悪化すれば、患者はストレスの多い生活を避けざるを得ないということである。からだが「ノー」と言うのである。

第14章 絶妙なバランス――人間関係の生物学

私の患者のひとりで七歳の女の子が、ブリティッシュコロンビア小児病院で心臓手術を受けることになった。この子は先天性の心臓病ですでに二回の手術を経験している。両親は手術前の手順をよく知っており、手術室の規則をひとつだけ変えてほしいと言ってきた。これまでの手術では、ストレッチャーに縛りつけられ、マスクをかけた知らない大人たちに囲まれて、静脈カテーテルを入れるために腕をしっかり抑えつけられると少女は不安がって必死でもがいた。だから今回は、麻酔が効いて娘が完全に眠ってしまうまで一緒にいさせてほしいと言うのである。病院のスタッフは、両親がついていれば子供が甘えてしまい、いっそう扱いにくくなるだろうと思ったが、結局は両親の願いを聞き入れた。そして麻酔の手順はとどこおりなく行なわれた。

病院は伝統的に親を蚊帳《かや》の外に置きたがるが、これは子供の精神、行動、生理によりよい影響を与える愛情に満ちた絆の重要性を無視するものだ。子供の生理的状態は、そばに親がいるかいないかで大きく違ってくるのである。神経化学的な作用、脳の感情中枢の電気的な活動、心拍数、血圧、ストレスに関係したさまざまなホルモンの血中濃度、これらすべてに著しい変化が見られるのだ。

生命はからだの内側においても外側においても、一定範囲内の環境でしか存続できない。人間は血糖値が高すぎても生きられないし、核爆発によって強度の放射線にさらされても生存できない。自己調整機能――感情面にしても生理面にしても――が果たす役割は、屋外の気象条件が過酷であっても室内の温度を一定に保つサーモスタットのようなものである。気温が低すぎればヒーターのスイッチが入る。暑くなりすぎればエアコンが作動する。動物の世界で言えば、かなりの環境変化に耐えられる定温動物の能力がそれにあたる。定温動物は変温動物と違い、幅広い気温の変化にさらされても暑さ寒さに負けずに生存することができる。変温動物は体内環境を自己調整できないため、生息地がより限定されるのである。

人間の子供も動物の子供も、生理的な自己調整機能はまだほとんど発達していない。彼らの体内の生理作用――心拍数、ホルモン濃度、神経系の機能――は、彼らを育てる大人との関係に完全に依存しているのである。愛、恐怖、怒りなどの感情は、彼らと両親あるいはそれに代わる養育者との不可欠の結びつきを維持し、彼らを守る役目を果たしている。どんなものにせよ精神的なストレスがあれば、子供は自分を守ってくれる大人との結びつきを認知できなくなる恐れがある。大人との関係に少しでも不安を感じれば、子供の精神状態に混乱が生じるからである。

他者との感情的・社会的な関係は、子供時代をすぎても生理機能に多大な影響を与える。「大人にも完全に独立した自己調整機能は存在しないだろう」と、一九八四年、当時ニューヨークのアルバート・アインシュタイン医科大学の精神科および神経科学科にいたマイロン・ホーファー博士は書いている。「生涯を通して、人とのふれあいは、体内の生物学的機能の日常的な調整に重要な役割を果たし続けると思われる」[*1]。環境の変化に対する私たちの生理的な反応は、私たちと他の人間とを結びつける一連の関係とそのあり方に深く影響されるのである。ある著名な研究者は、非常に適切な言葉でこう語っている。「適応は、すべて個人の内部だけで起こるものではない」[*2]

種としての人類は孤立した個々の生物として進化してきたわけではなく、家族や部族との強い感情的な結びつきに依存することで生存できる、社会的な動物として進化してきた。他者との社会的・感情的な結びつきは、私たちの神経機能や生化学機能を成り立たせるうえで不可欠の要素なのである。私たち誰もが、人との関わり合いによって自分のからだの状態が劇的に変化するということを、日常的に経験して知っている。「またトーストを焦がしたね」という一言も、それが怒りをこめて叫ばれたものか微笑みながら言われたものかによって、私たちのからだが示す反応は著しく違ってくるはずだ。人類進化の歴史と現在までに明らかになっている科学的な証拠を見れば、健康や病気の問題を精神・感情的ネットワークと切り離して理解できると考えること自体まったく不合理なことである。「他の社会的動物と同じように、われわれ人類の生理的なホメオスタシス（恒常性）と最終的な健康状態は、生理的環境だけでなく社会的環境からも影響を受けるというのは自明のことである」[*3]

このような〝生物精神社会学的〟視点から見れば、各人の生理機能と心理機能と対人・社会的関係とは互いに影響しつつ、ともに作用していると考えられるのである。

ジョイスは四四歳、応用言語学の教授である。彼女は、自分が喘息になったのはみずから招いた精神的ストレスのせいだと気づいていた。「喘息の発作が起こるのはいつも、自分で処理しきれないほどの仕事を背負い込んだときなんです。自分ではできると思っていても、からだが無理だと言っているのでしょう」

「私は一〇年間、学部の教授会に入っています。女性は私だけという時期が何年かありました。今はそんなことはありませんが。私の努力が報われたような気がします。現在、女性は四人いて、それはいいことなんですが、でも私はいつも目いっぱい仕事を引き受けなくてはならないような気がしていました。自分の能力を証明しなければならないような。うちの学科では女性に終身在職権を与えた前例がなかったのです。女性の意見を採り入れたり、女性を教授にしたりしてもろくなことはないという雰囲気がありました。

私は心の中に、『しなければならないこと』をたくさん抱え込んでいました。とても大変でした。ノーと言えないのが私の問題なんです。ノーと言ってしまうと、自分がひどく空っぽに感じられて、それが怖いんです。私はその虚《うつ》ろさを埋めるためにいろいろなことをしてきたんです」

この秋と冬、ジョイスの喘息はとりわけひどかった。気道を開き、肺の炎症を和らげるため、ふだんより多くの薬品を吸入しなければならなかった。「この病気は私に〝ノー〟と言わせようとしているんだと気づきました。交換教授プログラムの一環として、私がボルティモアに行く話がありましたが、私は『ノー、私は行けません』と言ったんです。他にも何度かノーと言いましたよ。『喘息の発作が出ているから、できません』と言って、仕事をキャンセルしました。今でも言い訳が必要なんです。ただ『したくありません』とはなかなか言えないんですよ」

喘息（asthma）――「呼吸しづらい」という意味のギリシア語に由来する――は、肺の中にある空気の細い通路である細気管支が、それを取り囲む筋繊維が緊張することによって一時的に狭まって起こる。それと同時に細気管支の内壁が脹《は》れ、炎症を起こす。喘息には、精神・神経・免疫・内分泌系のすべての要素が関係している。感情も、神経も、免疫細胞も、ホルモンもすべてである。多くの刺激――感情も含む――に反応して神経が発する信号は気道を狭める。免疫系は、喘息のもうひとつの特徴である細気管支の内壁の炎症に関係している。その結果、気道の内壁に腫れが起こり、細気管支内に炎症によって生じた老廃物が堆積するのである。

喘息のせいで不自由になるのは空気を吸い込むことではなく、狭くなった細気管支から息を吐くことである。患者は息を吐くことができず、胸が締めつけられるように感じる。患者の肺は、反射的に咳をさせることで詰まった気道を開こうとする。ひどい発作の場合、なかなか息を吐くことができないために、狭まった細気管支から喘息にはおなじみのゼイゼイという音が出る。唇をすぼめて口笛を吹くのと同じ原理である。比較的軽い発作の場合、症状は苦しげな咳だけである。慢性化することもあるが、たまに症状が出るだけの人もいる。

喘息の発作が起こる原因は患者の体質によってさまざまで、アレルギー物質、運動、低温、アスピリンなどの医薬品、泣いたり笑ったりすること、呼吸器のウイルス感染、感情的な興奮などがある。この病気は、従来の西洋医学でも心身相関的な要素があると認められている数少ない疾患のうちのひとつである。

感情的要因は、この病気にかかりやすくするうえで重要な役割を果たしている。たとえ直接のきっかけが何であろうと——アスピリンだろうと、冷気だろうと、不安だろうと——それは同じである。心理的なストレスに長年さらされることで、免疫系が過敏になり、どんなきっかけにも過剰に反応してしまうのである。

感情はまた別の経路でも喘息の炎症に影響を与える。ホルモンを通じてである。脳の視床下部−下垂体から出た信号を受け、副腎が糖質コルチコイドホルモン——抗炎症性ステロイドホルモンで、特にコルチゾールが有名——を分泌する。コルチゾールの抗炎症反応が、視床下部−下垂体−副腎の軸の不調によって十分に作用しないと、炎症が促進されてしまう。ドイツのトリアー大学で行なわれたある研究は、アトピー性皮膚炎（かゆいアレルギー性の発疹が出る）または喘息に苦しむ子供は、ストレスに反応するコルチゾールの産生量が少ないことを明らかにした。「このような子供たちは、何か物語を話させたり暗算をさせたりした場合、他の健康な子供たちよりも唾液中の糖質コルチコイド量の増加が少なかった」[*4]。げんにコルチゾールに似た作用をする合成ホルモンは、喘息治療に欠かすことができないのである。

喘息の子供および大人を対象にした多くの研究により、症状の重さと人間関係に起因する精神状態との間に関係があることが立証されている[*5]。喘息の子供とその両親との関係を調べた研究者たちは、不安定な親子関係にはどんな特徴があるかを特定している。それによると喘息の子供は、健康な対照群の子供との比較だけでなく、喘息よりはるかに深刻な先天性の肺疾患である嚢胞《のうほう》性線維症の子供たちと比較しても、親との分離に対するより大きな不安が見られた[*6]。つまり、疾患の重さが不安の原因ではないということである。

二歳から一三歳の喘息の子供たちと、健康な子供たちから成る対照群の呼吸パターンを調べた実験がある。子供たちはそれぞれ、自分の母親の声と他人の声を録音したものを聞かされた。「声の調子には関係なく、喘息の子供たちは他人の声よりも母親の声を聞いたときのほうが異常な呼吸パターンを多く示した。この興味深い結果から、子供が母親を安心できる存在と見ていれば当然予想されるはずの効果とは正反対の、ある種の感情的な効果が呼吸に作用したものと考えられる」[*7]

ドイツの研究によると、喘息の子供は健康な対照群の子供より、長期的でしだいにエスカレートするネガティブな相互関係を父親とも母親とも築いているらしい。そのような子供たちの両親は他の子供たちの両親と比べ、子供に対してより批判的な行動を示すという。[*8] 客観的に測定してみると、喘息の子供は、欲求不満を感じたり批判されたと感じたりすると肺からの空気の流れが悪くなった。これは気道が狭まったということである。このような現象は、喘息の子供に激しい怒りや恐怖を感じた出来事を思い出させたときにも見られた。

子供に喘息を起こさせるようなストレスの存在に、子供自身も家族も気づいていないこともある。喘息その他の子供の疾患について研究しているフィラデルフィア児童相談クリニックのサルバドール・ミヌーチン博士は、非常に感受性の強い子供は、環境、特に両親の心理状態からの潜在的な合図を感じ取ると考えている。そして子供がそうした疾患にかかる家庭には四つの特徴があると言う。その特徴とは、子供をがんじがらめに縛っていること、過保護であること（何でも指図する）、厳格であること、紛争の解決がないことである。「子供を病的なまでにがんじがらめにしている家庭では、いちいち親が反応し、口出しすることが多い。これは相互依存的な人間関係、個人の領域の侵害、自分と家族の他の成員とは別の人間だという認識の乏しさ、そして境界の（……）脆弱《ぜいじゃく》さに現れている」[*9]

最近ジョイスを襲った喘息の発作は数カ月も続いたのだが、きっかけは家族の集いだった。兄が彼女に攻撃的な態度をとったせいで、彼女の中に子供のころの恐怖と抑圧された怒りがよみがえったのだ。

「私は小さいころ、まわりに渦巻いていた怒りを恐れて暮らしていました。ぶたれることはありませんでしたが、家の中にはいつも怒りの雲がたちこめていました――父と兄の怒りです。母も共犯でした。父や兄の怒りから私を守ってくれませんでしたから。ふたりの怒りは必ずしも私に向けられたものではありませんが、私のまわりにあったことは事実です。そんな中で私はどうすることもできなかった。私がノーと言えないことの一部には、いつも人の気にさわることを恐れる気持ち、ごたごたに巻き込まれるのを恐れる気持ちがあるんだと思います。今でもややこしい状況に対処するのは苦手ですね。

いつも水面下に怒りが存在していました。父は独善的な人間でした。怒りが顔や声にすぐ出るんです。それがいつも子供じみた、道理にあわない怒りなんです。大人の振るまいとはとても言えないような。

私には耐えられなかった――おびえきっていました。一瞬たりとも安心していられないんです。父は八二歳になりました。もう歳だから昔ほど攻撃的ではありませんが、兄は今も怒りっぽいまま。いつも喧嘩腰で、もう耐えられないということもしばしばです。

この秋の話をすれば……。一一月の終わりに息子の誕生日があったんです――六歳の。大変でしたよ。両親がシアトルから来て、兄もやって来ました。みんなと夕食をともにしたんですが、兄の態度はひどいものでした。私のことを批判ばかりして、喧嘩を吹っかけてくるんです。それが金曜日のこと。明くる土曜日が息子の誕生日だったのですが、私はもう完全に気が動転してしまって。そして月曜の朝、目をさましたら、話すことも歩くこともできなくなっていたんです」

最近オーストラリアで行なわれた研究は、ストレスを和らげるには良好な人間関係が重要であると指摘している。研究者たちは、乳房の生検を受けることになった五一四人の女性をインタビューした。生検の結果、被験者の半数より少し多い女性が乳がんと診断され、それ以外の人は良性腫瘍だった。その結果から、「大きな脅威となり得るストレス要因と人間関係のサポートとの間に著しい相乗作用があることが明らかになった。非常に大きな脅威となり得ると客観的に評価できるストレス要因にさらされ、しかも周囲の人間から緊密なサポートを得られない女性は、乳がんにかかるリスクが九倍であった[*10]」

この結果には研究グループも驚いたようである。「大きなストレス要因となる出来事と周囲の人間からのサポートがないこととの間に相乗作用があったことは、それぞれを個別に見れば大きな影響がなかっただけに予想外の結果だった」と彼らは書いている。

しかしこの結果はけっして驚くべきものではない。泳げない人がライフジャケットを着けていないからといって溺れるとは限らない――深い水の中に突き落とされてはじめて、溺れる危険が生じるのである。第1章に登場した、試験のストレスにさらされた医学生は免疫機能の低下を示したが、なかでも孤独な学生に最も大きな影響が見られたという話を思い出してほしい。人間の生理的機能は——経験上は言うまでもないが理論上でも——私たちを支援してくれる情緒的、社会的なつながりと切り離して考えることはできないのである。

カリフォルニア州アラミダ郡の住人を対象に、人とのつながりの有無とがんの発症との関係を調べるため、一七年にわたる調査が行なわれた。この長期的な調査の開始時には、被験者はひとりもがんにかかっていなかった。「女性の場合、人間関係における孤独が重要な要因であった。実際に孤立している場合だけでなく、ひとりぼっちと感じているだけでも同じである（……）。ホルモン機能の調整に対する感情の影響を考えれば、孤独はこの一連のがんの発症に関し、直接的な促進効果を持つと考えられる」[*11]。この研究グループは、ホルモンが関与するものとして女性の乳がん、卵巣がん、子宮がんをあげている。

人間関係あるいは社会におけるストレス要因、またその他の外部からのプレッシャーにさらされたとき、私たちが生理的に受ける影響は誰でも同じなわけではない。生来の気質を別とすれば、このような個人差をもたらすものは何だろう?

ひとつの鍵になるのは情緒的発達の度合いである。この章の冒頭で紹介した心臓病の女の子が二五歳で再び手術を受けることになったとしても、もう麻酔薬が投与されるまで両親に手をにぎっていてもらう必要はないだろう。彼女にはもう、両親がそばについていなくても、神経伝達物質の活動やストレスホルモンの作用がバランスをくずすことがないような自己調整機能が十分に育っているはずである。しかし、年齢的に大人になれば誰でも自動的に精神的独立を果たすわけではない。何歳になっても、ストレス要因に対する反応は、その人が愛情を求める気持ちや恐怖や不安にどの程度支配されているかということに大きく左右されるのである。

アメリカの精神科医、故マレー・ボーエンが打ち立てた〝家族システム理論〟によれば、病気は単に一個人の生物学的問題ではない。家族システム理論では、各個人の生理機能は常に相互につながっていると考える。そのつながりは母親と胎児においては明白だが、誕生して母体から離れても、さらには肉体的に大人になっても切れることはない。すでに見てきたように、人間関係は生涯を通じて生理機能の重要な調整役であり続けるのである。

家族システム理論の基本概念は〝差異化〟で、これは「感情面で他者とふれあいを持ちつつも、自らの感情の働きを自律的なものに保っていられる能力」と定義されている。十分な差異化を達成できていない人は「自己と他者との間に感情的境界を持たず、思考のプロセスが感情的なプロセスに圧倒されることを防ぐための『境界線』を引くことができない。そのような人は他者の不安を自動的に自分のものとして取り込み、自分の中にもかなりの不安を生み出す[*12]」

十分に差異化のできている人は、自分の感情を率直に受け容れて反応する。その感情は他の人の期待に合わせたものでもなければ、他の人の期待に抵抗するためのものでもない。そのような人は自分の感情を抑圧することもなければ、感情のまま衝動的に行動することもない。かつてはマレー・ボーエンの同僚であり、現在はワシントンＤＣのジョージタウン大学家族センターの所長であるマイケル・カー博士は、差異化をふたつのタイプに分類している。〝機能的差異化〟と〝基本的差異化〟である。このふたつは表面的には同じように見えるが、健康とストレスという観点から見れば天と地ほどに隔たっている。

〝機能的差異化〟とは、他者との関係を基礎にして機能する能力である。たとえば、私は相手が——雇い人でも妻でも子供でもいいが——私の抱えている不安を受けとめ、私の不機嫌や、いい加減な態度や、相手に対する無関心や、あるいは虐待的な行動にすら耐えてくれるときにだけ、仕事の成果をあげることができるとする。彼らが私の求める役割を拒否すれば、私は何もできなくなってしまう。これが機能的差異化の例である。そうではなくて、他の人が私のかわりに精神的な苦労をしなくても私は私でちゃんとやっていくことができれば——つまり人の感情にも自分の感情にも率直でありながら、なおかつ人とのつながりを維持できれば——、私は〝基本的差異化〟を達成していると言えるのである。基本的差異化の達成度が低い人ほど、精神的なストレスやからだの病気に陥りやすくなる。

ストレス、適応、免疫について研究するため、ウェストポイントのアメリカ陸軍士官学校の生徒一四〇〇人を対象に四年間にわたる調査が行なわれた。被験者たちは心理テストを受ける一方で、伝染性単核症の病原体であるエプスタイン＝バー・ウイルスの感染を調べる血液検査を定期的に受けた。その結果、ウイルスにいちばん感染しやすかった被験者、つまり実際に伝染性単核症にかかった被験者には次のような共通点があった。すなわち、大きな野心を持っている、学業に苦労している、父親が高い地位についている、の三点である。[*13] ここから見て取れるのはまさに、ストレスと、親の期待に添わなければならないという思いとの関係——言いかえれば体内の生物学的環境と、いまだに引きずっている親に受け容れられたいという子供としての願いとの関係である。

結婚している女性と、同数の離婚または別居している女性とを比較した研究もある。結婚している女性のグループは、結婚生活の状況について自己申告制で評価した。また各被験者は、免疫機能を調べるために血液検査を受けた。その結果、結婚生活への満足度の低さは、免疫反応の低下と「明らかに、強く」関係していた。離婚または別居している女性の場合、免疫機能の低下と最も関係が深かった精神的要素は、次のふたつだった。すなわち結婚が破綻してからの経過時間（時間がたっていないほど免疫機能の抑制が大きい）と別れた夫に対する愛着の強さ（愛着が強いほど免疫機能が低下する）である。[*14] 自律性が高く、壊れた関係から精神的に立ち直っている女性ほど免疫機能が高かった。差異化が大きいほど健康になれるのである。

どんな関係でも、力の弱いほうがより多くの不安を抱え込むことになる——だからこそ、男性よりもはるかに多い女性がたとえば不安症やうつ病の治療を受けているわけである（ここで言っているのは強さではなく力関係のことである。つまりどちらが相手に奉仕しているかということだ）。たとえ夫のほうがより有能であったとしても、その妻が夫より精神的にバランスがとれていないということではない。アンバランスなのはふたりの関係なのである。だから女性は自分のストレスや不安だけでなく、夫のストレスや不安まで抱え込んでしまうのだ。

潰瘍性大腸炎の夫を持つナンシーは、夫の強迫的で強圧的な態度がもたらしたストレスに疲弊しきっていた（第10章参照）。夫ティムの症状は何年もほどほどに治まっていた。ナンシーは事実上彼の不安のほとんどを引き受けていたのだ——ただし自分を犠牲にして。ナンシーは今、不安症とうつ病の治療を受け、もう我慢の限界だと言っている。「まるで子供がもうひとりいるようなものです。彼はとても手がかかるんです。今になってわかりましたが、私はずっと四人の子供の面倒をみてきたんですね。私はひとりでみんなの親の役割を果たしているんです。長い間ずうっと、私は自分の情緒的な欲求を心の底に押し込めてきたんですね、自分でも気づかずに。神経衰弱の寸前まで行かなければそれに気づきもしなかったなんて、本当にぞっとします」。ナンシーがひとりで引き受けていた親のような役割を放棄すれば、ティムは大腸炎が再発するかもしれない——彼がもっと感情面での責任を自分で引き受けるようにならないかぎり。

　関係を維持するためにパートナーの一方がより多く自分の要求を抑えなければならないとしたら、その人は身体的疾患にかかる可能性が高い。だからこそ、女性のほうがたとえば自己免疫疾患や、喫煙に関係のないがんにかかる率が高いのである。「心身のつながりや人と人とのつながりがあるということは、ある人の不安が別の人の身体症状として現れることもあり得るということである」とカー博士は書いている。「情緒障害にしても、夫婦関係を平穏に保つためにより多く自分を合わせる人のほうが、やはり症状が出やすいのである[*15]」

　自然の最終的な目的は、各人が完全な依存から独立にいたるまで——もっと正確に言えば、共に生きる成熟した大人同士の相互依存関係にいたるまで——の成長を促進することである。成長とは、私たちの遺伝子のプログラムが許す範囲で、完全に外部から調整される状態から自己調整する状態へと移ることである。十分に自己調整のできる人は、誰よりも共に暮らす他者と有益な相互作用をすることができ、自分の子供をやはり自己調整のできる大人に育てることができる。その自然の定めに従った生き方を妨げるものはすべて人間の命を脅かすものである。ほとんど生まれたばかりのときから、安全と自律とのせめぎあいは存在する。成長するにつれて少しずつ、それぞれの年齢なりに、安全への欲求から自律の衝動への、密着から個人の独立への移動を求めるようになる。しかし、どちらも完全に失われることはないし、どちらももう一方を犠牲にして優位に立とうとするものではない。

大人になって自己調整能力が高まると、自律——自分が真に望むものを選択する自由——への欲求も高まる。自律を妨げるものはすべてストレスの元になる。社会的あるいは肉体的な環境に有効に反応するだけの力がないとき、また実験動物にしても人間にしても意味のある選択肢がなくて無力感を持つようなとき——要するに自律が損なわれたとき、ストレスは増大する。

しかしながら自律は、同じように生存を左右する人間関係、つまり親しい気持ちを抱いている相手や重要人物——雇い主、同僚、社会の権威など——との関係をこわすことなく実現されなければならない。幼少年期に自己調整機能が十分発達していなければ、それだけ大人になってからも人間関係に安定性を求めることになる。そうした依存が大きければ大きいほど、頼りとする人間関係が失われたり不安定になったりしたときの脅威が増す。したがって主観的および生理的なストレスの感じやすさは、感情面での依存度の高さに比例するだろう。

人間関係が損なわれることで生じるストレスを最小限にとどめるには、自律の一部を放棄することになるかもしれない。しかし、健康のためにはこれは勧められない。自律を失うこと自体がストレスの原因になるからである。自律を譲り渡すことは、たとえ人間関係の「安定」のためにそれが必要であり、そのようにして得た「安定」に主観的に救いを感じたとしても、やはりストレスを高める。もし私が人に「受け容れてもらう」ために自分の感情的欲求を長いあいだ抑えれば、私は病気という形でそのつけを払う危険性を高めることになる。

人間関係が損なわれることで生じるストレスから身を守るもうひとつの方法は、感情を閉ざすことである。傷つきやすい人は安全を得るために、他者から身を引き、親しさを締め出そうとする。この対処法をとれば不安を避けることができ、主観的にはストレスを経験することはないかもしれない。しかしストレスがもたらす生理的な影響を防ぐことはできない。情緒的親近感は、心理的にも生理的にも絶対に必要なことなのである。壁を作って親しみを締め出す人は、自己調整できる人ではなく、単に情緒的に硬直しているだけなのだ。満たされない欲求から生じたストレスは大きいはずである。

周囲の人からの支援は生理的なストレスを軽減してくれる。健康と対人的な環境との関係は多くの研究が立証している。アラミダ郡の調査でも、孤独な人ほどいろいろな病気にかかりやすかった。高齢者を対象とした三件の別個の研究でも、五年後の死亡率は対人関係と強く結びついていた。対人関係が豊かな人ほど、死亡率が低かったのである。三件のうちのある研究グループは、「人とのつながりや、周囲の人からの支援は（……）他のリスク要因とはまったく無関係に、それ自体で疾患に対する罹患率や死亡率を予測できる有力な要素である」[*16]と結論している。

したがって大人の場合、生理的なストレスの調整は一方の皿に人間関係の安定を、他方の皿に完全な自律を載せた天秤の絶妙なバランスの上に成り立っているのである。そのバランスをくずすものは何であれ、その人がそれを意識するしないにかかわらずストレスを引き起こすのである。

第15章 喪失の生物学的影響

ユダヤ教の新年祭ローシュハッシャナのさなかに、リウマチによる関節炎を初めて経験したレイチェル（第13章参照）は華奢《きゃしゃ》な女性である。身長は一五〇センチそこそこしかない。自宅の居間のソファに座った彼女は、横に鎮座する巨大なぬいぐるみのクマのせいでいっそう小さく見えた。彼女を見ていると、どことなく何かに飢えているような印象を受ける。それはレイチェルが、栄養不良で愛情に恵まれない未熟児だったことを思い出させる。

「生まれたとき、私は肺に羊水がいっぱい入っていて息ができなかったんですって。最初の四週間はオーブントースターみたいな保育器に入れられていたそうです。一九六一年当時では、保育器にいる新生児でもやさしく触れてやる必要があるなんて知識は誰も持っていませんでした。だから最初の一カ月間、私に触れたのは保育器に機械的につっこまれる注射針と手だけだったわけです。母は兄の世話があったから私のところへは来ませんでした。父が来たかどうか……私は知りません」

この世に生まれ出て最初の一カ月を、愛情を注がれることもやさしく触れられることもなく過ごしたとしても、その後に愛情に満ちた親子関係があれば帳消しになっていただろう。しかし、そうはならなかった。母が彼女を妊娠するのとほとんど同時に、彼女が生まれる意味はすでになくなっていたのだ。母親は夫を結婚生活につなぎとめたいがために妊娠を望んだのだが、夫はレイチェルが生まれもしないうちにそんな妻を捨てたのである。夫に捨てられ、たったひとりでよちよち歩きの子供――レイチェルの兄――と生まれたばかりの赤ん坊の世話をしなければならなくなった母親の精神状態は、誰でも想像がつくというものである。

そのような事情があったために、自分の存在をなんとか正当化しようとすることがレイチェルの第二の天性になってしまった――そんな性向を生まれつき持っている人はいるわけがない。彼女の心の奥には、自分はきっと捨てられるという思いが常にある。「私のことをよく知ったら、きっとみんな私から離れていくと思う」と言う。だからこの前の感謝祭の連休に、何人もの人に何の条件もなしで家に招待されたときには心から驚いていた。無条件に、ただ彼女にいてほしいと思ってくれる人がいるなんて、レイチェルにとっては夢にも思わないことだったのである。

慢性関節リウマチにかかって以来、レイチェルはサイコセラピーを受けている。そのおかげで、自分が今どう感じているか以前よりずっとよくわかるようになった。彼女にとって今もいちばん認識しにくい感情は、怒りである。彼女の中に怒りが湧きあがるのはたいてい、否定されたとか侮辱されたとか感じたときだ。たとえば最近、母親にセラピストの選び方で難癖をつけられたときがそうだった。「母はどうして私が医療保険でカバーできる精神科医でなく、福祉小切手を使ってセラピストの所に通うのかわからないと言うんです。私がやっと話の通じる人を見つけたというのに、母はお金のことだけにこだわるんですよ」。それでもレイチェルは、自分のことは自分で決めると穏やかにきっぱり言うのではなく、何とか理解させようと母と口論し、懸命に説得したのだ。恨みがましい言葉を投げつけあった挙句、レイチェルは一週間も食欲不振が続いた。激しい怒りを自分に向けた結果である。

レイチェルは、自己主張しなければならないときに怒りを飲み込み、自分を正当化する言葉を並べながらも、話し合いで相手をなだめ、説得し、「理解」を得ようとする。これは、傷つきやすい子供が親に自分の要求をなんとかわかってほしいと思うとき、無意識にとる行動である。レイチェルの場合も、捨てられるかもしれないという不安と恐怖があるがゆえに、拒絶される可能性のある感情を抑圧してしまうのである。

ところでレイチェルはペットとしてウサギを飼っているのだが、このウサギは飼い主であるレイチェルの気分に非常に敏感だということだ。レイチェルが怒っていると、ウサギは彼女に抱かれるのを拒むらしい。「怒っていると自覚しているときは、ウサギをそっとしておきます。でも怒っているけどそれに気づいていないようなとき、あの子はさわらせてくれません――私に教えてくれるわけですね。それで自分の心の中をのぞいてみると、確かに何かに腹を立てていることがわかるんです」。妙な話だと思う人もいるかもしれないが、これはちゃんと説明がつくことである。人間とペットは共通する脳構造を介して結びついている。その脳構造とは、人間の脳が言語能力や理性をもたらす前頭皮質を発達させる以前からあった部分である。感情をつかさどる脳のその部分、すなわち大脳辺縁系を介して、人と動物は交流しているのだ。人間と違い、動物は大脳辺縁系――自分の脳と飼い主の脳のどちらも

――から送られたメッセージに敏感に反応する。ウサギはレイチェルの無意識の怒りに脅威を感じとったのである。

自分が怒っていることを知るのに、どうしてウサギを必要とするはめになるのだろう？　簡単に言ってしまえば、幼少時の条件づけのせいである。感情表現を抑圧する性向を初めから持って生まれてくる子はいない――まったく逆である。赤ん坊に嫌いな食べ物を無理やり飲み込ませようとしたり、あるいは食べる気のない幼児に口をあけさせようとしたことのある人なら、幼い子供が生まれつき強制に逆らう力があること、強制されれば不満の声をあげることをよく知っているはずだ。それなのに、私たちはどうして自分が望まない食べ物を飲み込んだり、親が望まない感情を飲み込んだりするようになるのだろう？　それは生まれつきの性向によるものではなく、生きるために必要だからである。

幼少時の経験のうち、意識的に思い出すことができるのはほんの一部である。たとえばレイチェルは、父親と兄が肩を抱きあってずっと先を歩き、そのあとをついて行ったときに感じた孤独感とみじめさを思い出す。彼女はまた自分の誕生にかかわる話を知っているが、それを直接の体験として思い出すことはできない。しかし、たとえその話を知らなくても、彼女の幼いころがどんなものだったかについて、私たちは確実な証拠を握っている。それは彼女が、人と親しい関係を築くことはできないとあきらめていること、四〇年近くもむなしい努力をしてきてなお母親の理解を得ようと懇願すること、ウサギがいなければ自分の怒りにも気づかないことである。こうした行動は、成長の早い段階で彼女の脳に刻み込まれた一連の記憶を正確に反映したものだ。刻み込まれた記憶は生涯を通して彼女の行動を左右し、ついには自己免疫疾患を発症させることになったのである。

将来病気をもたらすことになる生物学的要因は、人生の早い時期に生じる。ストレス反応を作動させる脳の仕組みも、私たちが自分自身や他者やこの世界全体にどんな態度で接し、どんな行動をとるかを決定する潜在的な無意識の記憶も、乳幼児期に始まるさまざまな体験によってプログラムされるのである。これまでに検証してきたがん、多発性硬化症、慢性関節リウマチなど多くの疾患は、大人になってから突然生じるのではなく、生涯を通して続いてきたプロセスが招いた結果なのである。こうしたプロセスを形成する人とのかかわりや生物学的な刷り込みは、私たちが思い出すこともできない時期に起こるのである。

情緒的に満たされない親子関係は、私がこの本のために行なった約一〇〇人とのインタビューの一貫したテーマである。インタビューした患者たちは非常にさまざまな疾患を持っていたが、彼らの話に共通していたのは、早くに親を亡くしたか、または幼いころの親子関係が子供の心を満足させるものではなかったということだった。大人になって深刻な疾患にかかった人は子供のころ愛情に恵まれていなかったという事実は、非常に多くの医学や心理学の論文にも報告されている。

イタリアで行なわれたある研究は、生殖器系のがんにかかった女性たちは健康な対照群の女性と比べて、親との関係が緊密でなかったと感じていると報告している。さらにこの患者たちは、感情をあらわに示すことがより少なかったということである。[*1]

ヨーロッパでは三五七人のがん患者と三三〇人の対照群を比較する広範な研究が行なわれている。それによると、がん患者の女性は子供のころの家庭を肯定的に語ることが少なかった。がん患者の四〇パーセントもが、一七歳までにどちらかの親を亡くしていた——対照群と比較して二・五倍である。[*2]

前にも引用したが、ジョンズ・ホプキンズ大学では医学生を三〇年間にわたって追跡調査する研究が行なわれた。その結果を見ると、調査開始時のインタビューで子供のころの親との関係があまり緊密でなかったとされた学生は、特に健康上のリスクが高かった。そのような学生では、中年になるまでの自殺、精神疾患、高血圧、冠動脈疾患、がんの発生率が高かった。これとよく似た研究はハーバード大学でも行なわれた。学部生を対象にして、まず子供のころの親の養育態度をどう思うかインタビューする。そして三五年後、彼らの健康状態を調査したのである。親の養育を非常に肯定的に評価していた学生で、中年までに何らかの疾患にかかっていたのはわずか四分の一にすぎなかった。ところが親の養育態度を否定的に評価していた学生は、九〇パーセント近くが病気になっていたのである。「愛されているという気持ちへの単純明快な評価が、健康状態に大きく関係している[*3]」とこの研究グループは結論している。

新生児がこの世界で最初に経験するふれあいは触覚を通したものである。私たちは触覚を通して愛を初めて受け取る。哺乳類の母親は必ず子供に触れて刺激を与える。たとえばネズミは子ネズミをなめるし、霊長類は子供をなでる。アシュレイ・モンタギューはその素晴らしい著書『タッチング——親と子のふれあい』(邦訳、平凡社)でこう述べている。「新生児や幼い子供がさまざまな形で皮膚に触れられることは、その子供が肉体面でも行動面でも健康に育つために、何よりも大切である。人間にとっては、触れることによる刺激は、健全な精神的、感情的関係を育てるうえで重要な意味を持ち、『なめること』はその現実的な意味においても比喩的な意味においても愛と密接な関係があることは間違いないと思われる。要するに、人は教えられて愛を学ぶのではなく、愛されることによって学ぶのである」

動物実験では、からだに触れることで成長ホルモンの産生量が増し、体重が増加し、成長がよくなることが知られている。これは人間にもあてはまる。ある実験では、保育器に入れられた未熟児をふたつのグループに分け、与える栄養などすべての条件を同一にして、ひとつだけ違うことをした。一方のグループの赤ん坊にだけ、一日三回、一五分間からだに触れることを二週間続けたのである。すると、対照群と比較して「このような刺激を与えたグループは体重と頭囲が増加し、行動指数が向上した」[*4]。レイチェルにこのような接触がなかったことが、彼女のからだの成長を妨げ、同時に自分が望まれ愛される子供ではないと感じる最初のきっかけにもなったのである。その後に起こったことは、この生後間もないころの印象を補強したにすぎない。

外界とのふれあいが、その後の私たちの生理的、心理的成長をプログラムする。情緒的なふれあいは、身体的なふれあいと同様に大切である。じつは、このふたつは非常によく似ているのだ。私たちは感動したときに、何かが心に触れたと言うではないか。私たちの感覚器官と脳の間には境界面があり、人とのふれあいはその面を通して私たちを子供から大人に進化させるのである。他者との社会的－情緒的相互作用は、人間の脳の成長に決定的な影響を与える。そうしたふれあいが、私たちが誕生した瞬間から、精神・神経・免疫・内分泌系の状態、活動、成長を左右する。私たちが精神的、肉体的ストレスに対処するそれぞれの方法は、人生の最初の何年かで決まるのである。

ハーバード大学の神経科学者のグループが、チャウシェスク政権下のルーマニア国内にあった非常に待遇の悪い養護施設で育てられた孤児たちのコルチゾール濃度を測定したことがある。施設での保育者と子供の比率は一対二〇だった。子供たちは必要最小限の世話を受けるだけで、抱き上げられたり、なでられたりすることはほとんどなかった。この子供たちは自分を抱きしめるようなしぐさをしたり、抑うつ的な行動を示していたが、これは見捨てられた人間や霊長類の子供に特有の行動である。唾液の検査をしてみるとコルチゾール濃度に異常があり、彼らの視床下部‐下垂体‐副腎の機能はすでに損なわれていることがわかった。[*5] すでに見てきたように、視床下部‐下垂体‐副腎の機能の混乱は、自己免疫疾患やがんなどの疾患とかかわりがある。

子供のころに虐待、トラウマ、ネグレクト（養育放棄）を経験するとからだに悪い影響が出ることは直感的に理解できるだろう。しかし虐待やトラウマがない場合でも、多くの人がストレスに関係した疾患にかかるのはなぜだろう？　そういう人たちはネガティブなものを背負っているからではなく、何かポジティブなものが欠けているために苦しんでいるのだ。コロンビア大学発達精神生物学科長のマイロン・ホーファー博士は、『心身医学 *Psychosomatic Medicine*』誌の一九九六年特別号にこう書いている。「何かが、あるいは誰かが欠けていることが、どうしてこのような問題を生むのかという矛盾は残ったままである（……）。喪失の生物学的影響というものがあるに違いない。私たちはそれを解明しなければならない」[*6]

何かが、あるいは誰かが欠けていることが、どうして生理的な混乱を生じさせるのか、これはストレスについて今まで議論してきたことを思い出せばわかってくるだろう。あらゆるストレス要因は、必要不可欠なもの、その生物が生存のために必要だと認識しているものが周囲にない——実際にない場合だけでなく、なくなる脅威を感じている場合も含む——ことを意味している。S・レヴァインと

H・アーシンは共著『ストレスとは何か *What Is Stress?*』に「ストレス刺激は（……）何かが欠けている、あるいはなくなろうとしていること、そして、その何かはその生物にとって非常に重要で望ましいものであるということを意味している」[*7]と書いている。

定温動物の子供はすべて、親がいなければ生きられない。人間の子供は他のどんな動物の子供よりも長期間にわたって親に依存している。直接の肉体的な必要を超えた理由があるからだ。親として子供を育てる者は、単に食物や住処《すみか》や生活技能や危険な敵からの保護を与えるだけの存在ではない。ルーマニアの孤児たちの悲しい実例が物語るように、親は、子供のまだ十分発達していない心身のシステムを調整する生物学的な役割をも担っているのである。親の愛は温かく心地よい情緒的体験であるだけでなく、子供が心身ともに健全に成長するために不可欠の、生物学的条件でもあるのだ。親が愛情と心づかいを与えることで、子供の脳と精神・神経・免疫・内分泌系と視床下部－下垂体－副腎とがつくる回路が最適に成長するのである。

人間の新生児の脳は大人の脳と比べた場合、他のどんな哺乳類の赤ん坊の脳よりも小さく、未発達である。たとえば馬は生まれたその日にもう走ることができるが、人間は、走るために必要な神経回路や視覚－空間能力や筋肉の調整機能が発達するのに一年半ほどかかる。自分で動ける程度に神経が発達するのになぜそれほど時間がかかるのか。それには人間の脳のサイズという明確な解剖学的理由がある。誕生時、すでに人間の脳はからだの中でいちばん直径が大きい。産道の途中でひっかかってしまう可能性がいちばん高いのは頭である。人間の場合、脳が次第に複雑な知的、肉体的活動を行なう能力を備え、それに応じて頭のサイズも大きくなるのと同時に、骨盤はよりなめらかに二足歩行ができるよう次第に狭くなっていく。馬のような骨盤では二足歩行はできない。したがって、頭のサイズが大きくなることと骨盤が狭くなることは並行した進化なのである。妊娠末期に人間の頭が大きすぎれば、出産は不可能になってしまうだろう。

人間の脳のサイズの四分の三、脳の機能の九〇パーセントは誕生後、おもに最初の三年間に成長する。哺乳類の中でも人間の脳だけが、誕生直後から子宮の中にいたときと同じ割合で成長を続けるのである。最初の数カ月からさらにその先にかけて、神経同士の結節、いわゆるシナプスが驚くべきスピードと精妙さで形成されていく。ある時期には、毎秒数百万個のシナプスが形成されるのである。

どんな発達のプロセスも生来の遺伝的能力だけで行なわれるわけではなく、周囲の環境も関与する。最高の品質と最高の強さを誇る品種の小麦でも、やせて乾燥した土地では育たないだろう。何十年にもおよぶ神経科学の研究により、人間の脳の発育には親との温かい情緒的なふれあいが不可欠であると立証されている。情緒的なふれあいは、体内化学物質の放出をともなう複雑なプロセスを介して、神経細胞や神経回路の成長を促進したり、抑制したりするのである。単純化した例をあげれば、子供が「幸せな」経験をすればエンドルフィン——「報酬物質」とも言われる脳の内因性モルヒネ様物質——が放出される。このエンドルフィンは神経細胞の成長と他の神経細胞との結合を促進するのである。反対に、ある動物実験では、コルチゾールなどのストレスホルモンの濃度を慢性的に高めると、脳の重要な中枢が縮小することが明らかになっている。

脳の神経回路と脳の神経化学作用は、環境からのインプットに反応して発達する。生まれたときにはまったく欠陥のない目を持っていた子供でも、五年間真っ暗な部屋に閉じ込められていれば盲目になり、二度と回復しないだろう。なぜなら視覚回路の発達には光の刺激が必要だからである。「進化論」的な適者生存の原則が、ある神経細胞とそのシナプスが生存するかどうかを決定するのだ。使われるものは生き残って成長する。環境から適切な刺激を与えられなかったものは衰えたり、死滅したり、十分に成長を遂げられなかったりするのである。

人間にとって成長の究極の目的は、社会の中で他者と協調して生きることができ、自立と自己調整のできる人間になることである。子供のうちに自己調整のための神経生物学的な機能を健全に育てるには、親が子供の感情に気づいて理解し、そこに込められた合図に共感をもって反応できるような親子関係が不可欠である。感情とは生理学的には一種の興奮状態である。それはポジティブな場合――「これをもっと欲しい」――もあれば、ネガティブな場合――「これはあまり欲しくない」――もある。乳幼児には自分の感情の状態を調整する能力はないので、親とのふれあいの中でそれが調整されなければ、その子供は疲弊したりひどいときには死んだりするほどの生理的な危険にさらされることになる。したがって親との密接なふれあいは、乳幼児のからだの調整を維持するうえで重要なのである。

自己調整のためには、解剖学的には別個である脳のさまざまな部位が協調して機能し、同時に上位の脳、つまり新しく進化した部位が下位の脳を適正にコントロールすることが必要である。脳の最も古い――そして生命維持のためには最も重要な――部分は脳幹である。ここは爬虫類の脳がもつ原始的な生存本能が生まれる場所で、空腹、渇き、心臓と血管の運動、呼吸機能、体温調節その他の基本的な自律機能をつかさどっている。人間の脳のいちばん新しい部分は前頭の大脳新皮質である。皮質(cortex)とは木の「樹皮」を意味し、脳の白質を包む灰白質の薄い層のことである。皮質はおもに神経細胞の細胞体からできており、人間の脳の中でも最も進化した高次の活動をつかさどっている。この前頭葉前部皮質は、原始的な本能によってではなく、何が味方で何が中立で何が敵か、何が社会的に有益で何がそうでないかといった蓄積された情報をもとに、私たちの反応を調整する。その機能には本能の制御、対人関係において感情を正しく判断する知性、ものごとに対する興味も含まれる。皮質の調整機能のほとんどは、活動の開始ではなく低次の脳中枢で起こる本能を抑制することなのである。

皮質の制御プロセスと脳幹の基本的な生命維持機能との仲介をするのが大脳辺縁系の感情に関係した器官である。大脳辺縁系には皮質と脳幹の中間に位置する脳構造だけではなく、皮質の一部も含まれる。大脳辺縁系は生存のために不可欠である。これがなければ皮質の制御－思考機能は、精神遅滞者でありながら特別な才能に秀でたイディオ＝サヴァンといわれる人々の脳のように、知的な活動と現実の世界の知識とが切り離された状態で作用してしまうだろう。

感情は私たちのために世界を解釈してくれる。感情には信号発信機能があり、外界からのインプットに影響される私たちの体内の状態を教えてくれる。感情は、過去の記憶というフィルターを通して現在の刺激を見てそれに反応し、過去の知識に基づいて将来を予測する。

感情を経験し調整する脳の部位は、皮質にしても中脳にしても、親からのインプットに反応して成長する。視覚回路が光に反応して発達するのと同じことである。大脳辺縁系は親からの感情的メッセージを「読み取り」、受け容れることで成長していくのである。意識的な記憶にしても無意識的な記憶にしても、記憶中枢は親とのふれあいを通じて強化され、記憶に基づく将来の解釈のしかたも親とのふれあいに大きく左右される。気分の安定、高揚、動機づけ、集中のために不可欠な、セロトニン、ノルエピネフリン（ノルアドレナリン）、ドーパミンなど、重要な神経伝達物質の放出を行なう回路は、子供とその養育者とがふれあう環境の中で刺激を受け、正常に作用できるようになるのである。サルの赤ん坊を使った実験では、わずか数日のあいだ母ザルと離されただけで、赤ん坊ザルのさまざまな神経化学物質のバランスが大きくくずれたということだ。

子供の世界観は、親子のふれあいの中で確立される。この世界が愛と信頼に満ちたものに映るか、要求を満たしてもらうためには必死で訴えねばならないような冷淡で無関心なものに映るか、あるいは最悪の場合、常に不安を感じて過剰に警戒していなければならないような敵意に満ちたものに映るかは、親子のふれあいによって決まるのである。最初の養育者との関係でできあがった神経回路は、将来の人間関係のあり方を決める鋳型になるのだ。私たちは、自分がこう理解されたと感じたように自分を理解し、最も深い無意識のレベルで感じた愛と同じ愛をもって自分を愛し、幼いころに心の奥底で受け取った思いやりと同じだけの思いやりをもって、自分に接するようになるのである。

幼少のころの人間関係が愛に恵まれないものだと、ストレス反応に関与する脳器官と免疫系に長期的な影響が出る。幼いころに温かい親子関係を経験しないと大人になってからストレス反応に異常が起こることは、多くの動物実験によって立証されている。要するに、幼いころの親子関係が崩壊していると大人になってからの生理的ストレス反応が過剰になるのである。反対に愛情ある親子関係であれば、大人になってからの生理的ストレス反応はよりバランスのとれたものになる。

愛情に対する人間の欲求を満たすためには、物理的に近くにいてからだに触れる以上のことが必要である。温かい情緒的なつながり、特に〝同調〟の質も同じくらい重要なのだ。同調（attunement）とは親が子供の情緒的欲求に「チャンネルを合わせる」ということで、目には見えないプロセスである。これは本来は本能的なプロセスだが、親が感情的、経済的その他の理由でストレスを感じていたり、気持ちがよそへ行っていたりすれば簡単にこわれてしまう。またその親自身が子供のころに同調してもらっていないと、自分もできなくなる。親子の間に強い結びつきと愛があるのに同調はない、という例はいくらでもある。そのような関係にある子供は愛されているとは感じても、より深いレベルで、本当の自分のままで認められるという経験をしていない。そうした子供たちは親に対して「親が受け容れてくれる」ような面しか見せないようになり、親が拒否するような感情的な反応は抑圧し、そうした反応をする自分自身をも拒否するようになる。

養育者が何らかの理由でストレスを抱えすぎ、必要なだけの同調ができないと、子供は自分の感情をひとりで抱え込み、誰も自分の気持ちをわかってくれない、誰も自分を「理解」できないと――それは間違っているかもしれないし、そのとおりかもしれないのだが――思うようになる。ここで言うのは、親の愛情が欠けているとか親子が物理的に離れているとかいう話ではなく、子供の中に、見守られている、理解されている、共感してもらっている、感情的に「わかって」もらっているという認識がないということである。物理的には近くにいるのに情緒的に離れている現象は〝近接分離〟と呼ばれている。近接分離は、親にストレスがあって子供とのふれあいができず、親子間に同調が欠けているときに起こる。

たとえば、親子がじっと目を見つめあうという非常に楽しいふれあいをしているときに、親のほうが先に目をそらせば同調関係はこわれる。あるいはまた、子供が緊密な親子関係から少し距離をおきたいと思っているのに、親は自分が子供とふれあいたいからと休んでいる子供にしつこくちょっかいを出せば、やはり同調関係はこわれてしまう。

「霊長類による実験では、たとえ母親が目の前にいても情緒的にふれあうことができないと、子供は深刻な分離不安反応を示した」とUCLAの心理学者、理論家、研究者であるアラン・ショアは書いている。「近接分離は幼少時の人格の発達において頻繁に見られる現象であり、強い影響力を持つものであると私は考える」[*8]

〝近接分離〟では、親は物理的には存在するが情緒的対象としては存在しない。ストレスの多い現代では、このような親子関係はしだいに普通のことになりつつある。近接分離の状態で子供が経験する生理的なストレスの強度は、肉体的に離れているときの強度に匹敵するものである。また近接分離は、意識的に考えてわかるレベルではなく、無意識の生理的なレベルで子供に影響を与える。大人になってから子供時代をふりかえってもその経験を思い出すことはないかもしれないが、喪失の生物学的影響としてその人の中にしっかりと刻み込まれているのである。

近接分離の経験はその人の心理的なプログラムに組み込まれる。子供のころにそのような「訓練」をされた人は、大人になっても人間関係で近接分離を繰り返し再演するようになるだろう。たとえばありのままのその人を理解せず、受け容れることも認めることもしないパートナーを選ぶかもしれない。こうして、近接分離がもたらした生理的ストレスは大人になっても繰り返されることになるのだ――またしてもそれを意識することなく。

第16章　世代を超えて

　ここまで読まれた方は、子供が成長して何かの病気になるのは親のせいだという印象を受けたかもしれない。だが私はそんなことを言うつもりはないし、そのような考え方は科学的な研究成果とも相容れないものである。父母が子供をどう育てるかは彼らの愛情とはまったく無関係であり、もっと日常的な要素が関わっているのだ。親の愛情は無限であり、それにはきわめて実際的な理由がある。哺乳類の脳の愛情にかかわる部位には、無私無欲になって子供を養育することがあらかじめ組み込まれているのである。

　愛《いと》しいという親の気持ちが抑制されるとしたら、それはその親自身の心が深く傷ついているからである。私はバンクーバーのダウンタウン・イーストサイドで薬物依存症者の治療をしていて、多くの薬物依存症の男女と接した。彼らの心は――犯罪の繰り返し、常習的な薬物摂取、ＨＩＶ感染、社会の底辺での困窮した生活などのせいで――荒廃していたが、みずから捨ててしまった、あるいは取りあげられてしまった自分の子供に対しては一様に心を痛めていた。また彼ら自身、ひとりの例外もなく、子ども時代に養育を放棄されたり、虐待を受けたりしていた。

子育てにあたって、無条件に受け容れようとする親の気持ちが子供に伝わらないのは、子供が親の愛情を親が伝えたいと思うような形で受け取らず、親の性格を通して屈折した形で受け取っているからである。親がストレスにさらされ、未解決の不安をいだき、あるいは情緒的欲求を満たされないで動揺していれば、子供は親の意図がどうであれ〝近接放棄〟の状態に陥るのだ。

私たちが子育てにのぞむ態度や行動の多くは、良かれ悪しかれ自分が子供のころ経験したことを反映している。親になってからの子供の育て方が、その人の幼少時の条件づけによって決定されることは、動物実験によっても、人間を対象にした綿密な心理学的研究によっても立証されている。

霊長類の一種アカゲザルは比較的小型で取り扱いが容易なため、実験動物として心理学者に好んで使われているが、あるアカゲザルのグループを調べてみると、その二〇パーセントが「高い反応度」を示した——つまり母親から離されたとき、他のアカゲザルよりも抑うつ的な行動が多く見られ、視床下部‐下垂体‐副腎系がより長期的により強く活性化され、交感神経系の覚醒がより強く示され、免疫機能の低下が著しかった。こうした高い反応度を示すサルは、人間にたとえれば過敏な気質を持つということになるだろう。同じ気質を持つ人間の場合と同様、これらのサルも社会階層の底辺に位置する傾向がある。そして彼らの子供の行動や反応の仕方や社会的地位も、彼らと似てくるのである。

この研究によると、「代々引き継がれるそうした気質は、環境を変えることで断ち切ることができる」ということだ。望ましい方向に変化すれば、今度はそれが次の世代へと引き継がれていくのである。

「非常に愛情豊かな母親とともに育てられれば、過敏な気質を受け継いだ子供であっても、普通なら起こすはずの行動障害をまったく示さない。それどころか早熟な行動を示し、大人になると社会階層の上層に上りつめるのである。メスの場合は、特に愛情豊かな母親の典型的な養育態度を身につける」[*1]

厳密に言えば、ここに見られたのは学習行動とは別のものである。ほとんどの場合、動物にせよ人間にせよ、親子の間で子育ての仕方が似てくるのは認知的学習によるものではない。子育ての仕方が世代を超えて受け継がれるのは、ほとんどが生理学的な発達の問題、つまり子供の脳の大脳辺縁系がいかにプログラムされ、精神・神経・免疫・内分泌系のつながりがいかに確立されるかの問題なのである。前章で述べたように、子供の脳の感情をつかさどる部位は、親の脳の感情をつかさどる部位の影響を受けて発達する。子供は父親や母親の子育ての仕方を学ぶわけではない――そのような側面があったとしても、ごく一部である。子供の将来の子育てにいちばん大きく影響するのは、両親とのかかわりの中でその子の感情と愛情の回路がどう発達するかなのだ。子供のストレス反応器官の発達についても同じことが言える。

それを証明するには、ある動物実験の驚くべき結果を見れば十分だろう。バリアム（Valium）やアティバン（Ativan）といった精神安定剤は、ベンゾジアゼピン類の薬品である。向精神性のすべての医薬品と同様、バリアムやアティバンが作用するのも、それらによく似た構造を持った精神安定物質のレセプターが脳のある部位に存在するためである。大脳側頭葉にあるアーモンド型の扁桃体は、恐怖および不安の反応を調整する主要な器官のひとつである。その表面には脳でできるベンゾジアゼピン類のレセプターがあり、活性化すると、恐怖によって引き起こされた反応を鎮める。十分な愛情を注がれずに育った大人のラットと比べると、母親が十分になめたり毛づくろいをしたりして育てたラットの扁桃体には、はるかに多くのベンゾジアゼピン類レセプターが存在することがわかった。子供のころに母親が十分な世話をすることが、大人になってから不安を調整する脳の生理機能に影響を与えたのである。ここで見られた差異は、遺伝的要因では説明できなかった。[*2]

人間の心理的発達は、動物と比べればはるかに複雑ではあるが、子育ての仕方とストレスとが世代を超えて伝えられることは共通する原則である。子供のストレス反応の発達も同じことだ。あるカナダの研究グループは「幼いころの母親の育て方は、恐怖の状態を調整する神経システムの発達の仕方に影響を与えることで、子供の中にストレスに対する反応行動を『プログラム』する[*3]」と論じている。要するに、不安な気持ちを抱えた母親は不安な気持ちを抱えた子供を育て、それは代々引き継がれていくのである。

ある研究グループは親子の結びつきの強さを評価するための基準を開発し、祖母、母親、娘の三世代にわたって親子の結びつきを評価した。結果は、母親と娘の結びつきの強さは世代が代わっても同じであった。[*4]

その親が心的外傷後ストレス障害（ＰＴＳＤ）を抱えるホロコーストの生存者だった人々には、視床下部－下垂体－副腎系の乱れとコルチゾール産生量の乱れが見られた。親のＰＴＳＤが重症であればあるほど、その子供だった人のコルチゾール産生の乱れは大きかった。[*5]

イギリスの精神医学者ジョン・ボウルビーの助手をつとめ、後にシャーロッツヴィルのバージニア大学で発達心理学の教授を務めたメアリー・エインズワースは、親子の結びつきのパターンとその質を評価する方法を考案した。研究メンバーはまず子供が誕生してからの一年間、家庭での母子のふれあいを観察し記録しておく。そして一年後、それぞれの母子は研究室で「ストレンジ・シチュエーション法」と呼ばれる簡単なテストを受けた。「二〇分間のテスト中、幼児は母親とふたりきり、母親と見知らぬ他人との三人、見知らぬ他人とふたりきり、そして自分ひとりで、それぞれ最長三分の時間を過ごした。この実験を行なったのは、慣れない環境の中で一歳児を愛着の対象である人物から引き離したときに、その子供の愛情に関わるシステムが活性化されるだろうと考えた（今も考えている）からである。この方法によって、母親と引き離されたときおよび再会したときの幼児の反応を調べることができるはずだ。この実験から得られた最も有益な結果は、母親との再会時のものであった」[*6]

実験によると、母親と再会したときの幼児の反応は、生後一年までに母親がその子とどのようなふれあいをしていたかによって決まった。家庭で母親から同調的な心配りを受けていた幼児は、母親と離れたときに寂しそうなそぶりを見せた。そして母親が戻ってくると、母親に触れることで喜びを表現したのである。そのような子供たちはすぐに機嫌をなおし、一人遊びに戻った。このパターンを研究者たちは〝安定〟と名づけた。これ以外にも〝忌避〟〝相反する感情〟〝混乱〟など多くの不安定さを示すパターンがあった。忌避的な幼児は母親と引き離されても悲しそうな様子を見せず、再会した母親を無視したり避けたりした。このような行動は真の独立心を示すものではなく、たとえばリウマチ性疾患の患者が示す見せかけの自律である。親に助けを求めても無駄だから自分で何とかするしかないと思い込んでいるのだ。忌避的な幼児には母親が戻ってきたときに心拍数の変化が起こり、からだの中でストレスを感じていることがわかった。不安定と判定された幼児たちは、家庭での子育てに同調が欠けていた。彼らは母親の心が自分に向いていないという無言のメッセージを受け取っていたか、あるいは結びつきと隔たりが交互になった、相反するメッセージを受け取っていたのである。

この子供たちはすでに一歳にして、将来の性格や行動を特徴づけるような対人的反応を示していたのである。「ストレンジ・シチュエーション法」の実験は各国で何百回も再現された。いずれも一歳児のときに観測されたことから、思春期以後の行動――精神的な成熟、友人関係、学業成績など――を正確に予測することができた。親との結びつきが安定していた幼児は、不安定だった幼児よりも、どの点から見ても常に優れていた。

しかしながら、ダニエル・シーゲルがその著書『発達途上の心 *The Developing Mind*』で説明しているように、世代を超えて受け継がれる子育てに関する最も重要な発見は、「ストレンジ・シチュエーション法」における幼児のふるまいは、その子が生まれる前であっても予測できる、ということである。

エインズワース博士の教え子にあたるカリフォルニア大学バークリー校のメアリー・メイン教授は、ある大人が子供時代に両親とどのような関係にあったかを正確に評価する方法を考案した。その方法は、その人物が質問に対して何を答えたかではなく、どのように話したかに注目する。人の話し方と「たまたま」口にしたキーワードは、その人が意識的に伝えていると信じていることよりも、その人の子供時代についてははるかに意味のあることを物語るのである。意識的に出てきた言葉はその人が意識的に信じていることであり、つらい記憶は往々にしてそこから抜け落ちている。語りのパターン――流暢《りゅうちょう》なのか、とつとつとしているのか、微に入り細にわたっているか言葉が足りないか、一貫性があるか矛盾しているかなど――と、ふともらした言葉、話の本筋からそれた余談のようなものの中に真実があるのだ。

メアリー・メイン教授が考案したテストは「成人愛着面接」（Adult Attachment Interview＝ＡＡＩ）と呼ばれている。「ストレンジ・シチュエーション法」のテストを受けた幼児の反応と同じように、大人の語りも、彼らが幼いころ、両親とのつながりにどれくらいの安定を感じていたかによって分類できた。

そして「ＡＡＩによって子供が親にどれだけの結びつきを感じるかをかなり正確に予測できる」ことがわかったのである。つまり、大人がインタビューで自分の子供時代について無意識にもらしたことから、その人自身が自分の子供との間に築く結びつきが予測できるということだ。子供が生まれる前にその親が受けたＡＡＩの結果から、生まれた子供が一年後に「ストレンジ・シチュエーション法」のテストでどんな行動をとるかが正確に予測できたのである。さらに二〇年後には、その子供が「ストレンジ・シチュエーション法」のテストで示した行動が、彼らのＡＡＩでのパターンを正確に予測していたということになるだろう。

このように、大人がＡＡＩで自分の子供時代を語ったパターンから、将来その人が自分の子供にどう接するか、そしてその子供が一歳になって「ストレンジ・シチュエーション法」のテストでどう反応するかを予測できる場合が多いのである。そしてまたその子が「ストレンジ・シチュエーション法」のテストで示した反応が、今度はその子が大人になった二〇年後に自分の子供時代をどう語るかを予言するのである！

子育てとは、一言で言えば世代を超えて引き継がれるダンスなのだ。ある世代が何かを経験し、それが完全に解決されないままだと、それはそのまま次の世代にも引き継がれるのである。ジャーナリストで作家のランス・モローは、世代を超えて伝えられるストレスの性質を、その著書『心 *Heart*』の中で明快に語っている。命にかかわるほどの心臓病が彼に突きつけた、死すべき運命との出会いについて、彼は切々と美しく表現している。「世代とは入れ子の箱のようなものだ。母の暴力の中にはまた別の箱が入っている。そこには祖父の暴力が入っている。そしてその箱の中には（私は知らないがたぶん）やはり何か暗い秘められたエネルギーの詰まった箱があるのだろう――時代をさかのぼるにつれて物語が次々に出てくるのだろう」

家族の物語がいかに遠い昔まで世代をさかのぼって続いているかを理解すれば、誰かを非難するなどということは無意味になる。「これに気づけば（……）親を悪人としてみようとする傾向は消える」とジョン・ボウルビーは書いている。彼の著作は、幼少期における親子の結びつきの決定的な重要性に、科学の光を投げかけたものである。だがそうなると、私たちは誰を責めればいいのだろうか？

ストレスが世代を超えて受け継がれるものだと考えれば、この本で今まで見てきた物語の多くが、何世代にもわたって病気に苦しんできた家族の話だったり、同世代の何人もが一見無関係とも思われるさまざまな疾患に襲われた家族の話だったりすることも、ある程度納得できるのではないだろうか。思いつくままに例をあげてみよう。

・ナタリー（第2章）――多発性硬化症。いちばん上の兄はアルコール依存症で、咽喉がんで死亡。妹は統合失調症。何人かの叔父と叔母がアルコール依存症。母方の祖父はアルコール依存症。夫のビルは腸がんで死亡。息子は注意欠陥（多動性）障害で、薬物依存症に苦しんでいる。
・ヴェロニーク（第2章）――多発性硬化症。自分は近親相姦のレイプによって生まれたと信じている。養女になった家庭では、母方の祖父はアルコール依存症で、母方の祖母は六〇代でアルツハイマー病を発症した。父親はいろいろな疾患を抱えているが、中でも高血圧の発症が早かった。
・スー・ロドリゲス（第4章）――筋萎縮性側索硬化症（ALS）。父親はアルコール性肝疾患で死亡。叔母のひとりは脳動脈瘤で、もうひとりは家の火事で死亡。
・アンナ（第5章）――乳がん。母親と母方の祖母は乳がんで死亡。ただしどちらも遺伝性ではない。アンナは乳がんの遺伝子を父方の家系から受けついだ。ふたりいる姉妹の一方はアルコール依存症、もう一方は精神疾患。
・ガブリエル（第3章）――強皮症。慢性関節リウマチの症状もある。両親ともにアルコール依存症。兄は腸のがんで結腸切除手術を受け、妹は最近乳がんと診断された。
・ジャクリーヌ・デュプレ（第2章）――多発性硬化症。祖母は母が生まれたころに亡くなったもうひとりの子供のことでトラウマを持っていた。ジャクリーヌの母親はがんで彼女より先に死亡。父親はパーキンソン病。
・ロナルド・レーガン（第12章）――結腸がん。アルツハイマー病。父親と兄はアルコール依存症。二番目の妻は乳がんを発症。娘は転移性の悪性黒色腫で死亡。

第1章でふれたメアリーについて書いた私の記事に、リウマチ専門医から届いた怒りの手紙を読者は覚えておられることと思う。メアリーが子供のころ受けた虐待と養育放棄の経験が彼女の抑圧的な生き方をうみ、彼女が強皮症にかかった原因の一部はそうした過去がもたらしたものだと私は書いた。反論してきたリウマチ専門医は、強皮症は遺伝病であり私の主張は「根拠がない」と言い切った。そして「この記事は一般の人々に誤った情報を伝え、強皮症にかかった犠牲者本人とその家族に不当な責任を押しつけるものである」と主張した。だがこの本をここまで読んでいただけば、「責任を押しつける」（くだんのリウマチ専門医は「非難を向ける」という意味でこう言っていた）という表現が的外れであることがわかったと思う。ここで問題にしているのは、意図したわけではないのにストレスや不安が世代を超えて伝えられることなのである。

私の患者だったケイトリンもやはり強皮症で亡くなっている。彼女の場合はメアリーよりもずっと進行が早く、診断から一年もたたずに死亡した。私がケイトリンをよく知るようになったのは、彼女の最後の数カ月にすぎない。私は彼女が子供を出産するのに立ち会い、その後も一家のホームドクターを務めてはいたが、ケイトリン自身は強皮症と診断されるまで女性の医師にかかっていた。

メアリーと同じようにケイトリンも優しく物静かな女性で、自分は二の次にして人のことばかり気にかけていた。具合はどうですかと声をかけると、かならず温かく控えめな微笑みが返ってきた。それは彼女が感じている肉体的、精神的な苦痛を、相手に悟られないためだった。彼女は自分の問題からすばやく話題をそらし、相手のことを気遣うのである。

彼女のベッドのわきで最後にかわした会話を、私は生涯忘れないだろう。すでに肺と心臓の機能が衰え、あと二四時間はもたないだろうという段階だった。私は気分はどうですかとたずねた。彼女はすぐさま話題を私に向けて、あなたのほうはいかが、と訊いてきた。私は少しがっかりした口調で、ちょうどその朝、地元の新聞に毎週書いてきた医療コラムを中止すると編集者から言われたばかりだと話した。「まあ……」。彼女は同情に顔を曇らせてつぶやいた。「それはおつらいでしょうね。あんなに楽しんで書いていらしたのに」。病気で四二歳にして不自由な身となり、四人の子供と夫を残しての死を目前にしているというのに、彼女は自分がどんなにつらいかということは一言ももらさなかったのである。

「病気であろうとなかろうと、快活で人に温かく接することは、ずっと彼女の性格の一部でした」とケイトリンの夫ランディは、最近の私のインタビューに答えて言っている。ケイトリンは、特に心が乱れたときには「たくさんの感情を抑え込んでいた」とランディは言う。彼女がほとんど触れなかった話題がふたつあり、それは末期状態にある自分の病気のことと、自分の子供時代のことだったと言う。「子供時代の話をするとしても、わずかにあったいい思い出しか話しませんでした」

ランディが見たところ、ケイトリンの子供時代のいい思い出は数えるほどしかなかったらしい。彼女の父親は成功したビジネスマンだったが、苛酷で独善的な支配者で、誰も彼の言葉にさからうことはできなかった。ふたりの子供のうち年長だったケイトリンには特にきびしかった。「どうも彼女は、自分を妊娠したことは両親にとってとても不都合なことだったと感じていたようなんです。まだ子供をつくる気のないうちにできてしまったらしいとね」

それを聞いて私はあることを思い出した。ケイトリンはけっして過激ではないものの、中絶反対運動に打ち込んでいたのである。彼女は、妊娠した女性には子供を産むかどうかを選択する権利があると私が考えていることを知っていた。私たちはお互いに相手に敬意を感じていたので、彼女は前に一度、中絶手術をする医院を患者に紹介するのをやめてほしいと説得する手紙を寄越したことがある。その手紙で彼女は「私が母のおなかにいたころ中絶が認められていたら、私は生まれていなかったはずです」と書いていた。彼女は心の奥に、自分は望まれていなかったという気持ちを抱えていたとランディは言うのである。

ケイトリンの病気がかなり進んだとき、ひとつの出来事があったという。それを語るランディの目からは涙があふれていた。「私たちはこのキッチンに座っていて、目の前には彼女が飲まなければならない薬が山のようにありました。彼女はみじめな様子でしたよ。そして突然わっと泣き出したんです。『ああ、私にお母さんがいたらよかったのに』って。彼女の母親は二、三ブロック離れたところにちゃんと住んでいたというのに。母親が娘のところに来て慰めたり、あれこれ手伝ったり、抱きしめたりするほどには、ふたりの心はつながってはいませんでした。うちではホームヘルパーに来てもらっていて、ちょうどそのときは冷蔵庫の掃除をしていました。その女性は感きわまったらしくて、ケイトリンのところへ来て抱きしめてくれましたよ。私はつくづく思いました。彼女はなんて可哀想なんだろう――ほとんど彼女のことを知らないこの女性のほうが、実の母親より彼女を思いやってくれるなんて、と。

でも両親を責めたいとも思いません。あの一家が刻んできた歴史を思えば――ケイトリンの母親がまだ小さかったころ、彼女の父親は家族を捨てたんだそうです。そのおかげで、母親（ケイトリンの祖母）はひとりで何もかも背負い込まなければならなかったわけですよ」

ケイトリンの子供時代についてのランディの想像は、その後ケイトリンの弟から聞いた話で確認することができた。

「家庭の中に精神的な支えや愛情はほとんどありませんでした。父は私たちにつらくあたったし、母は脅えていた。母はとてもいい人――本当に素晴らしい人なんだけど、どうしようもなかったんでしょうね。

父はとにかく威張っていました。私たちは五、六歳にもなっていなかったと思うけど、毎週土曜日には地下室の掃除をさせられていましたよ。終わるまで上に行けないんです。地下室で父のアーミーブーツを磨くのも仕事のひとつでした。ピカピカにしなくちゃいけなかったんです」

弟が言うにはケイトリンは「可愛くて優しい子」だったが、父親は彼女のことを「まったく馬鹿だと思っていたようです。姉が大学に進学したことに父は憤慨してました。姉のすることなすことを貶《けな》していましたよ。姉は〝ラ・レーチェ・リーグ〟（母乳育児を推進する団体）に入っていたんだけど、父はそれを馬鹿にしてね。『あいつは子供がいくつになるまで母乳をやり続けるつもりなんだ――ティーンエイジャーになってもか？』なんて毒づいていました」

長い間――大人になってからも――父親の圧制に耐え続けたのち、弟はついに父親と決裂して口をきかなくなった。「私が家から出て行ったことをケイトリンはとても心配していました。どうしてそんなことをしたのか、姉には理解できなかったんでしょうね。私にとってはそれがいちばんいいんだ、私が出て行ったほうがいいんだと何とか伝えようとしたけど、姉にはわかってもらえませんでした」

ケイトリンの弟もランディから聞いたのと似たような話をしてくれたが、彼もやはり話しながら涙を流していた。「ケイトリンは亡くなる前日に私の妻に言ったんです――ああ、思い出すとつらくなってきますよ。妻はベッドのわきに座って彼女の手を握っていました。そうしたらケイトリンがこう言ったんです。『あなたみたいなお母さんがいたらよかったのに。私にはお母さんがいないの』って。母のことを私は大切に思っていますよ。でも、けっしていい母親とは言えなかった。私たちを愛してはくれなかったんです」

彼は一家の歴史についても詳しく教えてくれた。それはまたしても、苦悩が世代を超えて受け継がれることを示すものだった。祖父がいない本当の理由を知ったことはケイトリンと弟にとってショックだった、と彼は言う。ケイトリンたちの祖母の葬式にやってきた叔父が、祖父はケイトリンの母が小さいころに死んだのではなく――彼らはそう聞かされていた――、妻を捨てて出て行き、その後離婚したのだと教えたのである。

ケイトリンも弟もそれまでずっと、祖父は突然亡くなったと教えられていた。「私たちがおじいちゃんはどうしたのと訊くたびに、母は『私が七歳のときに心臓発作で亡くなったのよ』と答えていました。祖母も同じようなことを言っていたんです。だから、本当の話を聞いたときは、すっかり動転しましたよ。だって私たちは祖母が大好きで、とても大切に思っていましたから。本当のことを知るのは私たちにとっても、私たちと祖母との関係にとっても大きな意味があったはずです。でもこれは毎度のことでね。我が家ではややこしい話はしないんです。なんでも隠しておくんですよ」

しかしこのような嘘は、たとえ善意からでたものだとしても、けっして子供を心の痛みから守ってはくれない。私たちは嘘をつかれていれば、たとえはっきりそうと意識はしなくても、何となくわかるものだ。嘘をつかれるということは、相手とのつながりを断たれるということである。それは除け者にされる不安、相手から拒絶される不安を生む。ケイトリンの場合は、父の苛酷さと母の無関心がもたらした自分は望まれた子ではないという認識を、いっそう強めるばかりだったろう。

強皮症を発症する一年足らず前のことだが、ケイトリンは家族から手ひどい仕打ちを受けた。家業に関係したことから完全に除け者にされたのである。「姉はいつも勘定に入っていませんでした。私も当時は別にそれをおかしなこととは思っていませんでした」と彼女の弟は言っている。しかしケイトリンはその拒絶に深く傷ついたのだ。彼女は亡くなる直前に弟にもらした他は、誰にもそのことを話さなかった。そして彼女は最後まで、家族と仲直りしてほしいと弟に訴え続けていた。「姉はね、物事を丸くおさめるのが自分の仕事だ、自分の義務だと思い込んでいたんです。ケイトリンはそれだけを心がけていたような気がする――少しでも今よりいい状態にしようと一生懸命でした」

ケイトリンは一族の中であるひとつの役割を与えられていたのだ。それは何世代も前から引き継がれてきた役割である。彼女の母親は早くから親による同調を経験せずに育った。というのも、この家庭の問題はケイトリンの祖父が妻子を捨てたときから始まったものではないと推測できるからだ。ケイトリンの父親の厳しすぎる子育ては、彼自身が問題のある子供時代を過ごしたからだということもほぼ間違いないだろう。両親の満たされなかったたくさんの情緒的欲求が組み合わさったことで、ケイトリンの性格ができあがったのだ。愛される人間になろうと必死になり、けっして怒ることも自己主張することもなく、親切で優しくて文句を言わない、もっぱら人の面倒ばかりみる人間になったのだ。これは親の期待を先読みしてそれに適応しようとする子供の反応であり、繰り返しているうちに性格になってしまうのである。

ケイトリンは自分に割り当てられた役割を見事にこなしたが、そのために自分の健康を犠牲にしてしまった。一生ストレスにさらされるという代価を払わなければならなかった。そしてもうこれ以上は耐えられないというひどい拒絶にあって一年もたたないうちに、急激に命をむしばむ自己免疫疾患に襲われて、彼女の役割と彼女の人生は終わったのである。

ストレス研究の創始者ハンス・セリエは〝適応エネルギー〟という概念を打ち立てている。「私たちはからだのいたるところに、予備の適応能力あるいは適応エネルギーを蓄えているように思われる（……）。われわれのあらゆる適応能力が使い尽されたとき初めて、不可逆的な全身的疲労と死がもたらされるのである」[*7]。もちろん老化は、蓄えられた適応エネルギーをすべて使い尽くす自然なプロセスである。だが生理的なストレスも、私たちを老化させるのだ――「一夜にしてどっと老け込んだ」という表現があるように。ケイトリンの人生では、彼女の適応エネルギーのほとんどは自分のためではなく、人に気配りするために流用されていた。そうした彼女の機能は、家庭環境によって子供のころに決定されたものだ。病気に襲われたとき、彼女はすでにエネルギーを使い尽くしていたのである。

ストレスと健康と病気の問題を理解する鍵は〝適応力〟という概念である。適応力とは、外的なストレスに対して硬直せず、過度の不安を持つことも感情に圧倒されることもなく、柔軟に創造性をもって反応する能力である。適応力のない人は、混乱させるようなことが何もなければ普通に機能しているように見えるが、何かを失ったり困難に直面したりすると、さまざまなレベルの欲求不満や絶望感を抱く。そして自分を責めたり人を責めたりする。ある人の適応力は、その人の他者との差異化の程度、何世代も前からのその人の一族の適応力、これまで外的なストレスが一族に与えてきた影響などに大きく左右される。たとえば大恐慌は何百万もの人々にとって困難な時代だった。しかしそれぞれの家の何世代にもわたる歴史を背景に、その時代にうまく適応し対処できた家庭もあれば、同じ経済的困窮に直面して精神的に打ちのめされた家庭もあったのである。

「適応力の高い個人および家庭は、一般に肉体的な疾患にかかることが少なく、疾患に襲われたとしてもその深刻さは軽度から中程度にとどまる傾向がある」とマイケル・カー博士は書いている。

> ある疾患が進行するうえでの重要な変化要因は、その人の適応力の高さである。ある人の適応力の高さは何世代も引き継がれてきた精神的なプロセスによって決定されるから、身体的疾患も情緒的疾患と同様に、個々の「患者」の領域を超えて広がる人間関係のプロセスの一症状なのである。言いかえれば、身体的疾患は、その一族の現在および過去［を含む］世代の情緒システムの疾患なのである。*8

親を気遣う役まわりを引き受けている子供は、一生抑圧に苦しむことになるだろう。子供がそのような役まわりを引き受けるということは、親のほうが子供時代に満たされなかった欲求を抱えているということである――こうして原因は何世代もさかのぼっていく。「子供を傷つけるのに殴る必要はない」とマッギル大学の研究者たちは指摘している。[*9] 不適切な親子関係が多くの疾患の原因になるのだ。
家庭環境に対する子供の日常的な適応反応はその子の性向となり、やがてはその子の「性格」の一部として定着する。性格が疾患を引き起こすのではない――ストレスが引き起こすのだ、と私は前に書いた。病気にかかりやすい性格という言い方をするとしたら、それはある性向――特に怒りを抑制する性向――がその人の生活上のストレスを増加させるという意味で言っているにすぎない。「リウマチ性格」とか「がん性格」とかいう概念が誤解を与えやすいと言うのには、もうひとつ理由がある。そのような表現の裏にはひとりひとりの人間は単独で存在するという前提があり、人間は世代を超えて引き継がれてきた家族というシステムの中に置かれ、そのシステムによって形作られるという認識が欠けているのである。カー博士が提案しているように、たとえば「がん境遇」というほうが「がん性格」というよりずっと正しく真実を伝えることになる。「がん性格という概念は――確かにある程度の妥当性はあるが――人間の生き方は個人で完結しているという考え方に基づいている。がん境遇という概念は、人間はひとつのシステムの中で生きるという考え方から出ている。家族というシステムの中では、ある個人の生き方は当人以外のあらゆる人の生き方に影響され、左右されているのである」[*10]
ひとりの人間が何世代も続く家族というシステムの一部だとすれば、家族と個人はさらに大きな全体――彼らが生きている文化と社会――の一部でもある。ミツバチの生活を巣箱から切り離すことができないように、人間の生き方はより大きな社会と切り離して考えることはできない。したがって、家族というシステムが、まるでそのシステムを生み出した社会的、経済的、文化的な影響力と無関係に家族の構成員の健康状態を決定するかのように考えて、そこで終わりというわけにはいかない。

がんやさまざまな自己免疫疾患は、どの点から見ても文明の疾患である。資本主義的なモデルに沿って形成された工業化社会は、多くの構成員の多くの問題――住宅、食料、公衆衛生などの問題――を解決してきたが、この社会は同時に、生活必需品を手に入れるために苦労する必要のない人々にも多くの新しいストレスを生み出してきた。私たちはそのようなストレスを、人間生活の避けられない帰結として当然のものとみなすようになった。まるでそこで生活している人間とは別に抽象的な人間生活というものがあるかのように。都市文明に最近接したばかりの人を見れば、「進歩」がもたらした利益が、情緒的、精神的な満足感は言うにおよばず、生理的なバランスという形でもひそかに代価を取り立てていることがはっきりわかるだろう。ハンス・セリエは書いている。「ズールー族の人口でみると、明らかに都会化のストレスで、心臓病を引き起こす高血圧が増えた。またベドウィン族と他のアラブ遊牧民では、クウェート市に定着後、都会化の結果と思われる潰瘍性大腸炎が見られるようになった[*11]」

近年の「グローバリゼーション」の波に押され、広く行きわたった社会経済システムの最近の傾向に影響されて、家族構造は崩壊し、かつて人々が意義と帰属意識を感じていた結びつきはずたずたになってしまった。子供たちは人類進化史上かつてないほどに、養育する大人と過ごす時間が少なくなった。かつては大家族、共同体、地域に根ざしていた結びつきは保育所や学校といった施設にとってかわられ、そうした施設では子供は親などの養育者よりも友達のほうを向くようになる。社会構造の最も基本的な単位である核家族でさえ、きびしいプレッシャーにさらされている。今では多くの家庭で、二、三〇年前まではひとりの稼ぎ手でまかなうことのできた生活費のために、両親がふたりとも働かなければならない。「乳幼児を母親から離すなど、人との接触の機会を減らすようなあらゆる形の状況変更は、ごくありふれた形の感覚喪失である。それらは心身症の重要な因子となりやすい」と先見の明のあるハンス・セリエは書いている。

ミッチ・アルボムは『モリー先生との火曜日』で、彼の元教授で筋萎縮性側索硬化症（ALS）の末期状態にいるモリー・シュワルツは、「『死が近い』ことは『役に立たない』ことではないことを証明しようと決意していた」と書いている。すぐに浮かぶ疑問は、どうしてそれを証明する必要があるのかということである。「役に立たない」人間などひとりもいない。無力な幼児であろうと、無力な病人であろうと、死にかけている人であろうと。大切なのは、死に臨んでいる人でも役に立つと証明することではなく、人間は役に立たなければ価値がないという間違った考え方を拒否することである。モリーは若いころに、彼の「価値」はどれだけ人の役に立つかで決まると教えられたのだ。多くの人が早い時期に教え込まれるこのメッセージは、社会にひろまっている倫理観によってさらに補強されている。私たちはあまりにもしばしば、人の価値はどれだけ実用的な貢献ができるかで決まり、経済的な価値がなくなれば使い捨てられると思い込まされている。

医療の世界を席巻している心身二元論は、文化においても支配的な考え方である。社会経済的な構造や習慣が人間の健康状態を決定する要因である、と考えられることは少ない。そうしたものは、ふつうは「方程式の一部」とは見なされない。しかし科学的なデータを見れば議論の余地はないのだ。社会経済的要素は健康に大きく影響するのである。一例をあげれば、マスコミや医学界は飽きもせずに——薬学研究の影響で——心臓疾患の最大のリスク要因として、高血圧と喫煙に次いで高コレステロール値をあげているが、仕事上のストレスはそれ以外のすべてのリスク要因をあわせたよりも大きなリスクをもたらすことが立証されているのである。さらに言えば、ストレス全般、特に仕事上のストレスは、高血圧と高コレステロール値をもたらす原因の最たるものでもある。

経済的な環境は人の健康に影響する。なぜなら、高収入の人は明らかにより健康的な食事をとり、住環境も職場環境も良好で、ストレスを発散する気晴らしの機会も多いからである。トロントのヨーク大学健康政策・管理学部の准教授デニス・ラファエルは、最近カナダその他の国における社会的要因が心臓疾患に与える影響について論文を発表した。彼の結論は以下のとおりである。「ある人が健康でいるか病気になるかを決定する最も重要な生活条件のひとつは、その人の収入である。それに加えて、北米社会での全般的な健康状態は、社会全体の豊かさよりも個々人への収入配分によって決定されることが多いようである（……）。医学的あるいはライフスタイル上のリスク要因よりも、社会的、経済的条件のほうが心臓血管系疾患の主たる原因であり、特に幼少年期のそうした条件が重要であることは、多くの研究によって立証されている[*12]」

主導権の問題はあまり注目されないが、社会的地位や職場での地位も健康にとって同じように重要な要因である。それは主導権意識が低下するにつれてストレスが増大するからで、仕事や生活においてより主導権をにぎっている人ほど健康状態は良好なのである。この原則はイギリス政府の調査でも立証されている。その調査は、同じ収入であっても社会階層が下位である人のほうが上位の人よりも心臓疾患にかかるリスクが高いことを明らかにしたのである[*13]。

世代を超えて受け継がれてきた鋳型のようなものが、人の行動や病気へのかかりやすさに影響を与えていることを知り、さらに、家族にも人間の生活にも社会からの影響があることを知れば、誰かを責めるという無益で非科学的な態度を捨てることができるだろう。責めることをやめれば、自分が果たすべき責任に向かって迷うことなく進むことができる。だがその問題は、最終章で治癒について考える際に取り上げることにしよう。

第17章 思い込みのメカニズム

カリフォルニアのスタンフォード大学にいた分子生物学者ブルース・リプトンの科学者としての見解は、病気と健康と治癒について理解するうえで深い意味を持っている。彼は講演での個人的なインタビューにこたえて、聴衆に向けてこんな変化球を投げた。「ひとつひとつの細胞が持っている脳とは何だと思いますか?」このインタビューのときもそうだったが、ほとんどの人は「もちろん、細胞核です」と答える。

だがもちろん、細胞核は細胞の脳ではない。脳は私たちが判断するための器官であり、環境との接点として機能する。個々の細胞でいえば、核ではなく細胞膜が脳に近い働きをしているのである。

人間の胎児の成長では、神経系も皮膚も外胚葉という同じ組織から発達する。個々の細胞は、細胞膜を皮膚としても神経系としても利用するのである。細胞膜は皮膚と同じように細胞の内部環境をおおって保護している。だがそれと同時に表面に何百万個ものレセプターを持っており、それらが感覚器官の働きをするのである。レセプターは「見る」「聞く」「感じる」機能を持ち、細胞の外部から伝えられるメッセージを――脳と同じように――解釈する。そして細胞膜は、環境との間の物質やメッセージの交換を促進する。細胞の「判断」機能も、その細胞の遺伝物質が含まれている核ではなく細胞膜が行なうのである。

この生物学的な基本知識をふまえれば、遺伝子が人間の行動や健康を何から何まで支配しているという世間一般の思い込みが誤りだとわかるだろう。確かにそうした誤解には無理もない面もある。二〇〇〇年に人間の遺伝情報であるヒトゲノムの解読が完了に近づいたと発表されたとき、一部の科学者や政治家はほとんど宗教的ともいえる畏敬の念を表明し、これで医療はめざましく進歩するという予言が歓呼の声とともに迎えられたのだから。ゲノム解読のいちばん乗りを競っていたふたつの研究グループが和解したことを祝してホワイトハウスで開かれた式典で、当時のクリントン大統領は、「今われわれは神が生命を創り出した言葉を理解しつつある」と語ったものである。「これが医療を根底から変えると私は心から信じている。なぜなら病気の原因だけでなく、それを防ぐ方法もわかるはずだからだ」とアメリカの医療遺伝学者で『アメリカン・ジャーナル・オブ・ヒューマン・ジェネティクス』誌の編集者でもあるスティーヴン・ウォレン博士は熱を込めて書いた。

しかし実際には、ゲノムプロジェクトは期待はずれの結果に終わるだろう。それによって明らかになった科学的知識そのものは確かに重要だが、ゲノムプロジェクトが少なくとも近い将来、健康に対して広範な利益をもたらすことはあまり期待できない。

その第一の理由は、未解決の技術的な問題が数多くあるということだ。人間の遺伝子構成に関する私たちの現時点での知識は、たとえて言えば一冊の『コンサイス・オックスフォード英語辞典』を「手本」にしてシェークスピアの戯曲やディケンズの小説を書けというようなレベルなのである。そうした作品を書くためには、あとは前置詞や文法規則や発音表示を理解し、シェークスピアやディケンズが作品の筋書きや会話や卓越した文学的技法をどうやって獲得したかがわかりさえすればいいということなのだ。比較的慎重なある科学レポーターは、「ゲノムは生物学的なプログラミングだが、生物の進化を観察しても、それぞれの遺伝子が何をしようとしているかという有益な注意書きはおろか、遺伝子がどこで活動を止めてどこで開始するかという句読点さえ、見つけることができない」と書いている。

第二に、医学界と一般社会に蔓延している遺伝子原理主義の教えとはうらはらに、人間の複雑な心理特性や行動や健康状態を遺伝子だけで説明することはおそらく不可能である。遺伝子は単なるコードにすぎない。個々の細胞に特定の構造と機能を与えるタンパク質を合成するための、一連の規則と生物学的な鋳型として働くだけなのである。遺伝子とは、生きて動く建築設計図、機械設計図のようなものなのだ。設計図どおりのものができるかどうかは、もはや遺伝子だけの問題ではない。遺伝子は生きている人間という環境の中で存在し、機能しているのだ。細胞活動はその核の中の遺伝子だけによって決定されるのではなく、人間のからだ全体が要求していること——そしてからだと、からだを取り巻く環境との相互作用によって決定されるのである。環境が遺伝子のスイッチを切ったり入れたりするのだ。したがって人間の発達と健康と行動にいちばん大きく影響するのは、成長期の環境なのである。

植物や動物を育てたことのある人なら、遺伝的な資質と潜在能力を花開かせるためには早い段階での世話が重要だということに異論はないだろう。科学とはほとんど無縁な理由で、多くの人は人間の成長に同じ考え方をなかなか適用できない。あらゆる動物の中で、長期的な機能が幼少時の環境に最も左右されるのは人間であることを考えれば、これは大いに皮肉なことである。

病気と健康に関するほとんどの問題で、遺伝的要素が決定的な役割を果たすという科学的根拠はほとんど証明されていないのに、ゲノムプロジェクトにこれほど大騒ぎしているのはどういうわけだろう？　どうして遺伝子原理主義がこれほど蔓延しているのだろう？

人間は社会的な存在であり、あらゆる学問分野と同様、科学にも思想的、政治的側面がある。ハンス・セリエが指摘したように、十分な根拠のない仮定に基づいた科学的研究は発見されるべきものを限定してしまう。確かに精神的な疾患も肉体的な疾患も本質的に遺伝子がもたらすという見解を受け容れてしまえば、私たちは自分が生きている社会のあり方についてあれこれ思いわずらう必要はなくなる。「科学」のおかげで、貧困や人間が作り出した毒物や狂騒的でストレスに満ちた社会文化を病気とは無関係だと切り捨てることができるなら、私たちに課せられた仕事は単純なものになる。薬学的、生物学的な解答だけを求めればいいのだ。そうした考え方は、現在の社会構造や価値観を正当化し、維持する役には立つだろう。大きな利益を生むことにもなるだろう。ゲノムプロジェクトに参加している私企業、セレラ・ジェネティックス社の株価は、一九九九年から二〇〇〇年の間に一四〇〇パーセントも値上がりしたのである。

ゲノム至上主義は科学的根拠が乏しいだけではなく、神学的な観点から見ても疑わしい。旧約聖書

「創世記」によれば、神は最初に宇宙を創り、それから自然界を創られた。そしてその後にやっと、神は地上にある物質から人間を形作られた。そもそもの始まりから、人間は周囲にある環境から切り離しては存在できないことを、ビル・クリントンは知らなかったとしても神は知っておられたのである。

人間を取り巻く物理的、心理－情緒的環境は、人間の発達の仕方を決定し、生涯を通して私たちと世界との相互交流に影響を与える。個々の細胞を取り巻く環境を考えると、細胞はその環境の中で、隣接する他の細胞や遠くからコントロールされている神経の末端から出た伝達物質を受け取ったり、あるいは遠く離れた器官から放出され体内の循環にのってやってきた化学物質を受け取ったりしている。伝達物質は細胞表面のレセプターに取りつく。すると細胞膜の中で――そのときその細胞の受け入れ態勢がどれだけ整っているかによるのだが――〝エフェクター〟という物質が作られ、それが細胞核に入り込み、特定の機能をもつ特定のタンパク質を作るよう遺伝子に指令を出す。ブルース・リプトンの説明によれば、タンパク質であるレセプターとエフェクターの複合体――〝知覚タンパク質〟と呼ばれる――は、細胞と環境との機能をつなぐ「スイッチ」として作用するのである。

知覚タンパク質は分子遺伝学的なメカニズムによって作られるが、その活性化は環境からの信号によって始動および「調整」される（……）。近年の幹細胞［どの組織を構成するか未定の、数種の細胞型のいずれにもなる可能性のある胚性細胞のこと］の研究では、環境による調整の影響が強調されている。幹細胞は自分の運命をコントロールすることはできない。どのように変化するかは自分の置かれた環境しだいである。たとえば三種類の組織培養環境を用意したとすれば、同じ幹細胞でもひとつ目の培養皿では骨細胞に、二つ目の培養皿では神経細胞に、三つ目の培養皿では肝細胞になるかもしれない。幹細胞の運命は自分がもつ遺伝プログラムによってではなく、環境との相互作用によって「コントロール」されるのである。[*1]

この生物学的作用に関するリプトン博士の巧妙な説明のキーポイントは、どの時点で見ても細胞は——人体そのものと同じように——成長モードと防衛モードのいずれかをとることができるが、両方をとることはできないという点である。環境に対する私たちの知覚は細胞に記憶として蓄えられるのである。早い段階で環境から長期的なストレスをもたらすような影響を受ければ、成長期にある神経系やその他の精神・神経・免疫・内分泌に関わる器官は、周囲の世界は安全どころか危険ですらあるという電気的、ホルモン的、化学的メッセージをくり返し受け取ることになる。そうした知覚は分子レベルで私たちの細胞にプログラムされるのである。幼少時の体験は、周囲の環境に対する私たちの立場を決定し、周囲と関係を持つにあたって私たちが無意識に抱く、自分についての思い込みを生み出すのである。リプトン博士はこれを「思い込み（信念）のメカニズム」と呼んでいる。思い込みのメカニズムはからだに深く刻み込まれたものではあるが、人間の経験と潜在能力をもってすれば、幸いなことに打ち消すことは不可能ではない。

前に見たとおり、ストレスは〝ストレス要因〟と〝処理システム〟との相互作用の結果である。処理システムとは脳の感情中枢の指令を受けて作用する神経系の器官である。幼少時にその処理機構に刻み込まれた思い込みのメカニズムは、生涯を通して私たちのストレス反応に大きく影響する。ストレス要因を認識するかどうか。自分の健康に対する脅威を最小限にとどめるのか、それとも拡大させてしまうのか。自分を孤立無援だと感じるか。無力感を感じるか。一切の援助は不要と考えるのか。自分は援助に値しないと思うのか。愛されていると感じるか。愛されるためには努力しなければならないと思うのか。絶対に愛してもらえないと思うのか。こうしたことはどれも、細胞レベルで刻み込まれた無意識の思い込みである。私たちが意識的にどう考えようと、無意識の思い込みは私たちの行動を「コントロール」する。無意識の思い込みによって、私たちが内にこもった防衛的なモードをとるのか、外に向かって成長と健康を手にするのかが決まるのである。からだの奥深くに刻み込まれた思い込みのいくつかをもう少し詳しく見ておこう。

1　私は強くなければならない

芸術家で読書家のアイリスはとても知的な女性である。一〇年ほど前、四二歳のときに全身性エリテマトーデス〔膠原病の一種〕を発症した。彼女はヨーロッパで育ち、二〇代の初めに家族とともにアメリカに移住してきた。父親は気まぐれな暴君で、母親はアイリスに言わせると、「父と離れては存在できないような人」だった。

「心がノーと言えないときにはからだがノーと言う、という理論について考えてみました」とアイリスは言う。「前にもそういう話は聞いたことがあって、そのときはなるほどと思ったんです。ただ自分がそれに当てはまるとは思いたくないんですよ」

「どうしてですか？」

「おまえは強くないと言われているみたいで……私には強くなるために何かをする力がないということでしょう?」この言葉を聞いて私は、「あなたの説にしたがえば私は〝意気地なし〟みたいに見えるから嫌だ」と言った、ある卵巣がん患者を思い出した。

「もしその人が本当に『強くない』のだとしたらどうですか? もし私が五〇〇〇キロの重りを持ち上げようとして、誰かに『君はそんなことができるほど強くないよ』と言われたら、私はきっとそのとおりだと思うでしょうね」

「私ならそんなことする人には、『あんた馬鹿じゃないの?』と言いますね」

「問題はそこですよ。強いか強くないかという問題ではなくて、そもそも無理な要求だということもあるんです。だとしたら、強くないことのどこがいけないんですか?」

〝強くなければならない〟という心の底にひそむ思い込みは慢性疾患を持つ多くの人に共通する特性で、一種の防衛と言える。両親から精神的な支援を得られないと感じている子供は「自分は何でもひとりでできる」という態度を身につけざるを得ない。そうしなければ両親に拒絶されたと感じてしまうからである。拒絶されたと感じないですむひとつの方法は、けっして助けを求めないこと、けっして自分の「弱さ」を認めないこと――自分は何があってもひとりで耐えられるほど強い、と思い込むことなのだ。

アイリスは、友人が何か悩み事があって電話してきたからといって、その人を弱虫だと批判したり責めたりはしないと認めた。友人たちは気兼ねなくアイリスに助けを求め、アイリスは親身になってくれるし頼りがいがあると思っている。彼女が二重の基準《ダブルスタンダード》を持っていること――自分にだけ厳しい要求をしていること――は、〝強さ〟とは関係ない。それは彼女が子供のころに経験した〝無力感〟とつながっているのである。子供は無力なとき、必要以上に強さを求めるものなのだ。

2　私は怒ってはいけない

シズコは四九歳、成長したふたりの子供がいる。留学生としてカナダにやってきた直後、二一歳のときに慢性関節リウマチにかかった。彼女の実の母親は四歳のときになくなり、父親はその妹、つまりシズコの叔母と再婚した。「養母は子供より仕事が好きな人でした」とシズコは言う。父親はシズコの欲しいものは何でも買ってくれ、望みは何でもかなえてくれたが、あまり家にいなかった。

シズコは心が通い合わない夫と五年前に離婚した。「ひどい結婚生活でした。夫と暮らしていたころは、いつも子育てでくたくたでした［疲労感はリウマチ性疾患に共通する症状である］。午後三時にはもうソファに横になっていたものです。夫からは、『おまえは何もしないな、本当に何もしないやつだ』と文句ばかり言われていました。俺はおまえをただで養ってやっているんだ、なんて言うんですよ」

「腹は立たなかったんですか？」

「もちろん立ちましたよ。夫にはいつも腹を立てていました」

「その怒りを表面に出しましたか？」

「いいえ……養母の育て方のせいだと思いますが、私は怒ってはいけないと思い込んでいたんです」

3　怒ったら、愛してもらえない

食道がんにかかったアランは結婚生活に恵まれていなかった。前に彼が妻について、「ロマンティックな雰囲気を作ったり、親しみを表わしたり、とにかく私が求めるものを何も与えてくれない」と言っていたのを覚えている読者もおられるかもしれない。

「そういうご不満をどう表現なさっているんですか？　そのことで腹は立ちますか？　そのことで怒りを覚えたことはありますか？」

「なんて言えばいいのか、今はしょっちゅう腹を立てています。今はそのことについて前よりずっと話し合っています」

「あなたががんと診断される前は、怒りはどうなっていたんですか？」

「さあ、どうでしょう。先生のおっしゃりたいことはわかりますよ。たぶんそれが当たっているんでしょうね」

「怒りを抑えることをどこで身につけられたんですか？」

「いい質問ですね。それについてはあまり考えたことありませんでした。好かれたいという気持ちから来ているんじゃないでしょうか。怒っていては、人に好かれませんからね」

4　何もかも自分のせいだ

五五歳のソーシャルワーカー、レスリーも自分の病気——潰瘍性大腸炎——は人間関係のストレスが原因だと考えている。「最初の結婚のときに始まりました。もともとストレスだらけでしたが、病気になったころは最悪の状態だったんです。今のところはそれほど悪くないですよ。ときどき出血はあるけど、ほんの少しです」

「最初の妻との関係には苦労しました。彼女は自分から何かをやろうという気がなかったんです。とてもパートナーという感じじゃありませんでした。彼女のために何から何まで考えてあげなきゃならなかったんです。ふたりですることを私が一生懸命考えるんです。頭がおかしくなりそうでしたよ。妻はあれがやりたい、これがやりたいなんて絶対言わないんです。ふたりの好みに合いそうな、ふたりで行けそうな、ふたりで楽しめそうな映画を見つけるのは、いつも私の役目だったんですよ」

「その役目に腹が立つことはなかったんですか?」

「もちろん腹は立ちましたよ」

「その怒りはどうされたんです?」

「飲み込んだ――それしかないでしょう? 喧嘩するわけにはいかないし。喧嘩になれば妻は『この結婚は失敗ね』と言うんですから。ちょっと口論しただけで、結婚は失敗だったって言いだすんです。そんなわけで、いつも気を使っていなくてはなりませんでした。エヴァ――今の女房ですがね――とデートするようになったら、喧嘩もしますが、私に笑顔が戻ってきましたよ。エヴァに言ったものです。こうやって喧嘩して、ふたりは別々の人間だけど、それでも君が出て行かないのはすごく嬉しいよ、って。私は人に去られるのが、人に捨てられるのがものすごく怖かったんです」

レスリーは症状が出始めてから医者に行くまでに数カ月かかっている。「具合が悪いと認めることは自分の弱さを認めるみたいで、気がすすまなかったんです。私の完璧主義のせいでしょう。自分は何でも完璧でなくちゃだめだと思ってました。悪いところがあるなんて許せないと思っていたんです」

レスリーが九歳のとき、父親が心臓発作で急死した。その二年後には兄が彼の目の前で突然、脳動脈瘤で亡くなった。「それ以来、毎晩ある儀式をしないではいられなくなりました。誰も死なないように、とお祈りするんです。『死なないで、死なないで……』って。そうやって身近な人が死なないように願っていたんです。

ある日、精神科医と話していて、『そう言えばあの儀式、いつの間にかやらなくなったなあ。あのときの思いはどこへ行ったんだろう?』と言いました。そのとき突然、あっ、そうか！　とひらめきました。『どこへ行ったかわかったぞ。あの祈りが現在のソーシャルワーカーという仕事になったんだ。そうして世の中の人をひとり残らず救おうとしているんだ！』って。

もちろん、世の中の人をひとり残らず救おうなんて無理なことです。だからすごくストレスがたまって、二、三年前に〝ストレス休暇〟を取ったんです。そこで、ひとり残らず救うことなんかできないって、やっと気がつきました。なんと、それを忘れないために唱えるマントラさえ作りましたよ。精神科医といっしょにね。『私はガイドだ、ゴッド（神）じゃない』というんです。これはけっこう役立ってます」

「ということは、この世の中のありとあらゆる問題は自分のせいだと思っていたんですか?」

「自分のせいであろうとなかろうと、こんなひどい世の中をなんとかしなくちゃと思い込んでいた時期はありました」

「その思いは、どういう形であなたの仕事に現れましたか?」

「そうですね、もし両親……じゃなくて相談者の問題がうまく解決できない場合、自分の知識が足りないせいだと思いました。もっと勉強して優秀なソーシャルワーカーにならなくては、と思ったものです。正しい解決法を見つけなくては、もっと働いて、もっと本を読んで、もっと研修会に出なくてはと思いました」

レスリーがうっかり相談者を両親と言い間違えたことの意味は、すぐにわかった。彼は父親と兄が亡くなったあと、母親の大切な話し相手となり慰めともなっていたわけだが、じつは生まれたときからすでにその役割を果たしていたのだ。

「母は私の幸せを心から願っていました。いつも私を幸せにしなければと思ってくれていた。だから私はいつもそうしようと努めていたんです。子供のころ私は、幸せであろうと一生懸命努めていたんですよ。憂うつがどんなものかなんて知りませんでした。悲しい気持ちというものさえ、どんなものかわからなかったんです。

母からはいつも、おまえはいい子だと言われていました。兄はそうじゃないって。私は、母に真夜中に起こされてしばらく一緒に遊んで、ベッドに戻されればすぐ寝つくようないい子だったんです」

「お母さんはまたどうしてそんなことをしたんですか?」

「寂しかったんでしょうね。あるいはちょっとかまってほしかったか」

「だからあなたはがんばって務めを果たしていた……そんなに小さなころから」

「父と母の結婚生活はひどいものでした。しょっちゅう喧嘩していました——父が死ぬ前は特にひどかったですね。そんなわけで母を慰めるのが私の仕事だったんですよ」

5　私は何でも自分でできる

五五歳の公務員ドンは、腸がんで結腸の一部を切除された。彼の慢性的なストレスの原因には、仕事に忠実すぎるということも含まれていた。「仕事量の多さにはいつも頭にきていました。怒りと言うべきか、イライラしていいたと言ったほうがいいかな。押しつけられる仕事が多すぎて、とてもこなせなかったんです」

「それについて何か対策をとりましたか?」

「イライラが募ったら頭を冷やすために散歩して、それからまた仕事に戻ってなんとかこなしていました」

「あなたに仕事を命じる人に、量が多すぎてとてもひとりではできない、と言ってみるというのは?」

「そんなこと、したことありません。だって何とかできるんですから。自分の部署の誰よりもたくさんの仕事を、誰よりも立派にやりとげようと決めていたんです」

「どうして?」

「理由はいくつかありますよ。ひとつには競争心ですね。それから、高給取りだったので、誰よりも仕事しなくては、という意識もありました。私の方針はね、とにかく与えられた仕事はきちんとこなす、ということなんです。仕事が増えたらたくさん働く。仕事が減れば働き方もそれに合わせますが」

「人員が削減されて、同じ量の仕事を少ない人数ですることになったら?」

「もっと働きます。じつは仕事が多すぎるとこぼす人がいれば、ちょくちょくその人の分もやっていたんです。本当はもっとうまくできるはずだという、後ろめたさみたいなものをいつも感じていました。いつも、仕事の出来栄えに物足りなさを感じていました。誰よりもたくさんの仕事を、誰よりも早くやる人間だという自己イメージに誇りを持っていたわけですよ」

「そのあたりのことは、あなたの子供時代と何か関係はありませんか？」

「母の影響があるかもしれません。成績表にAが三つ、Bが三つあったとしたら『どうして六つともAじゃないの？』と言う人でした。私が何をやっても母は満足しなかった。母は私が何か専門職につくものと決めてかかっていました。最初についた仕事が建築現場の労働者だったので、母はずいぶんがっかりしていました」

6　私は望まれていない――私は愛してもらえない

コメディ女優のギルダ・ラドナーは、自分は望まれていないという気持ちを生涯いだき続けていた。彼女の心の底にあった絶望の深さは、夫のジーン・ワイルダー（俳優、映画監督）が彼女の死後に発見したいくつかのメモによく表われている。「右手の質問――左手の答」と題された一篇のメモでは、ギルダは問いを右手で、答を左手で書いている。この書き方とタイトルには特に大きな意味が隠されている。左手をコントロールするのは右脳、つまりホリスティックな、感情をつかさどる脳なのである。たとえば右手はこんな質問をしている。「がんはあなたの中にいるお母さんなの？」左手はこう答えている。「母は私の存在を望んでいなかった」［強調はラドナー］

7　私は何かをしなければ存在できない。私は自分の存在を正当化しなければならない

喘息持ちの大学教授ジョイスは、忙しく何かをしていないと、自分が空っぽに感じられて怖いと言っていた。それはどういう意味なのか私はたずねてみた。

「空っぽというのは、人に求められたことをやり遂げないかぎり、自分は存在することを許されないんじゃないかという恐怖感なんです。子供のころ、私は物の数に入れてもらえませんでした。父と母、父と兄の間で問題が起こっても、私はいつも蚊帳《かや》の外でした。私は八歳年下でしかも女だったから。完全に子供扱いされていたんです。それが今も尾を引いています。何かしないかぎり、私はこの世に存在しないも同然だったんです」

8　重い病気でなければ、いたわってもらえない

アンジェラは二年前、四五歳のときに子宮がんになった。彼女はそれ以前にもアルコール依存症、拒食症と過食症、うつ病、結合組織炎に苦しんでいた。体重を減らすために腸バイパス形成手術を受けたこともあった。そのときは一年で七〇キロ近く体重を落としたが、また元に戻ってしまった。ストレスの強度も食習慣も元のままだったからである。私はバンクーバーの「希望の家」という、がんやその他の慢性疾患の患者にカウンセリングと支援を行なう施設で、アンジェラにインタビューした。

「がんは私への贈り物だと思っているんです。がんのおかげで税務署をやめることができたんですから。今まで会計検査官を一二年間やってきましたが、仕事は大嫌いでした。子供のころからずっと、対立や争い事があると自分のせいのような気がしてしまうんです。会計検査となるとみんな機嫌が悪

くなって、政府や税金への恨みつらみを全部私にぶつけてきますが、私はそれを引き受けていたわけです」

「大嫌いで不向きな仕事をやめるのに、どうしてがんになる必要があったんですか?」

「私はほとんどいつもうつ状態で、他に選択の余地はないような気がしていたんです。一七歳のときから働いてきました。他の職業では、これほど病気をしたら続けられなかったと思います。本当に病気ばかりしていました。役所勤めって、歯車の歯みたいなものでしょう? 同じような仕事をしている人は一〇〇人もいるから、ひとりが休んでも他の人が代わりにやってくれる。だから私はやめなかった、やめるのが怖かったんです」

「どうして、がんになってよかったんですか?」

「がんになって、この〝希望の家〟に来てカウンセラーの人たちと話すようになったから。自分の気持ちや自分の生活を見つめてごらんなさいって言われたんです。それで、自分が全然望んでもいないものに自分を無理やり合わせようとしてきたことに気がついたわけです」

「私がいま執筆中の本のタイトルはご存知ですか?」

「ええ。まさに私のからだがノーと言ったんですよ。一二年間ひどい出血が続いて、検査を受けました。生検を二度受けて、その二回目にがん細胞が出ました。

医者が『がん』と言った瞬間、すぐに税務署という言葉が頭に浮かんできました。私にはわかりきったことでした。一二年間ずっとメッセージを受け取っていたのに、私は無視し続けてきたんです」

「私が訊きたいのはそこなんです。どうしてがんでなければいけなかったんですか?」

「がんなら実体があるから。気分障害というだけでは不十分な気がしていたんです。過食症では不十分。みんな、心の病は病気じゃないと思っています。あれこれ非難されてしまう」

「でも心の病には脳が関わっているんですよ。脳は肉体の器官じゃないですか。気分障害もがんと同じくらい生理学的な問題なんです」

「そのとおりでしょうね。でも、前はそう思えなかった。家族や社会から信じるように仕向けられたことを信じていたから。

私の心の中では、抑うつ状態だとか仕事のせいで具合が悪くなるというだけじゃ足りなかった。他の人は何と言うだろうと気にしてしまうんです——特に家族が何と言うか」

がんになって通うようになった支援施設のおかげで、アンジェラは自分の問題にきちんと向き合うことができるようになった。「今まで感じたことのないぐらい、ほっとしました」と彼女は言っている。「特に税務署をやめる手続きが済んでからは。それに何かをするとか、自分のために何かを好きになるとか、絶対やりたいと思ったことをする勇気が出てきました」

人生には何があっても不思議ではないと言うものの、ギルダの母ヘンリエッタが本当にギルダの存在を望まなかったり、レスリーの母が自分を幸せにする役目を意識的にレスリーに押しつけたり、アランの両親がアランに彼が怒っていないときだけ愛してあげるというメッセージを伝えようとしていたり、などということはあり得ないだろう。たいていの親は自分の子供に無条件の愛を感じており、子供にそう伝えたいと思っている。これは知っておく必要があるが、今問題にしているのはこのことではない。問題にしているのは、子供が周囲の人間とのふれあいを心の最も深いところで解釈した結果、無意識にどう感じるかということなのだ。その解釈は細胞レベルで刻み込まれ、私たちがどう感じ、何をし、出来事にどう反応するかを支配する〝思い込みのメカニズム〟になるのである。

多くの疾患の発生には――これまで見てきたすべての例が示すように――無意識の思い込みがもたらした過度のストレスが大きく影響している。治癒を求めるなら、人生のごく早い時期に身につけてしまった〝思い込みのメカニズム〟をくつがえすための、痛みをともなう大変な作業を始めなくてはならない。外からどんな治療をほどこされようと、治癒の根本要因は私たちの内部にある。内的な環境を変えることこそ必要なのである。健康になる、健康について本当に知る、そのためには長い探究の旅を、私たち自身の〝思い込みのメカニズム〟の核心に踏み込む旅をしなければならない。それはつまり、私たちの人生を見直し、再認識する（recognize）――文字どおり「もう一度知る」――必要があるということだ。

従来の西洋医学だけ、あるいは西洋医学と代替医療の組み合わせ、「気の医学」などさまざまな心身医療、アーユルヴェーダやヨーガや中国の鍼《はり》などの東洋医学、広く行なわれている瞑想療法、心理療法、食事療法などの選択肢からどの治療法を選ぼうと、治癒の鍵となるのは各人が十分な情報を持って積極的に、自由に選ぶということである。自由な心を持つという人間本来の力を見出すにはさまざまな方法があり、それぞれ多くの勉強会や書籍その他の情報源が提供されている。抑圧的でストレスをもたらす外的環境から解放されるのは非常に重要なことである。だがそのためにはまず、私たちの中に深く刻み込まれた〝思い込みのメカニズム〟の圧制から解放されることが必要なのだ。

第18章　ネガティブ思考の力

バンクーバーに住む腫瘍学者カレン・ジェルモンは、がんはよく戦争にたとえられるが、それには賛成できないと言う。「そのたとえ話にしたがえば、がんは十分な力があれば支配でき、追い払うことができるものだということになる」と彼女は言う。「それはつまり、外から襲ってきた敵との戦いだということだ。そのような考え方はあまり有益ではないと私は思う。第一に、その考え方は生理学的根拠に乏しい。そして第二に、心理学的に見てもそれが健全な考え方だとは思えないからである。

私たちのからだの中で起こっているのは一種の流れととらえるべきである——入ってくるものもあれば出て行くものもある。それをすべてコントロールすることはできない。私たちはその流れを理解し、自分でコントロールできることとできないことがあると知る必要がある。それは戦いではなく、調和とバランスをめざして押したり引いたりする現象であり、相反する力をひとつにこね合わせる現象である」

「病気＝戦争」理論とでも言うべき考え方では、病気を敵対勢力として、からだが戦って打ち負かすべき異物として見る。このような考え方をすると、ひとつの重要な問題が解決されないまま残ってしまう。たとえ体内に侵入した微生物が特定でき、抗生物質を使ってそれを殺すことのできるような急性感染症の治療の場合でもことは同じだ。その問題とは、同じ細菌あるいはウイルスが、どうしてある人には害を与えないのに、ある人には致命的になるのかということである。たとえば壊死《えし》性筋膜炎を起こす連鎖球菌は多くの人の体内にいるが、実際に病気になる人はわずかである。また同じ人の中にいてもある時期には何の害もおよぼさず、別のある時期には暴れだす。この違いはどうして生じるのだろう?

一九世紀には、医学史にその名も高いふたりの医学者、細菌学の先駆者ルイ・パスツールと生理学者クロード・ベルナールの間で、この問題について数十年におよぶ白熱した議論があった。パスツールは疾患の進行を決定するのは細菌の毒性の強さだと主張し、ベルナールはむしろその人間のもつ素因の影響が大きいと主張したのである。パスツールは死の床で自説を撤回した。彼は「Bernard avait raison. Le germ n'est rien, c'est la terrain qui est tout.〔ベルナールが正しかった。細菌は関係ない。素地（つまり人間）がすべてだ〕」と言ったのである。

死に臨んだパスツールは逆方向に大きく振れすぎたきらいもあるが、未来を見通す目を持っていたとも言えるだろう。その後の時代、特に二〇世紀半ばに抗生物質の全盛時代を迎えると、病気の素地は人生のある特定のときにいる特定の人間だということはすっかり忘れ去られてしまったのだから。「どうしてこの患者が今、この病気にかかっているのか?」と医療における心身のつながりを研究しているジョージ・エンゲルは一九七七年に問いかけている。[*1] 現代の医療は事実上「原因と結果」がすべてと割り切っているようだ。はっきりした外的な要因が見つからないと——深刻な疾患はほとんどそうだ——、現代医療は途方にくれて原因不明の烙印を押す。「原因不明」というのは内科学の教科書にいちばんよく出てくる表現かもしれない。

科学者の謙虚な姿勢は好ましいとは言うものの、疾患を原因と結果だけで片付けようという姿勢はときに誤解を招く。その考え方では健康な状態から病気へ向かう過程も、病気が快方に向かう過程も解明することはできない。スーフィーと呼ばれるイスラム神秘主義者の説話に、一二世紀の聖なる愚者、導師ナスレッディンのこんな話がある。ナスレッディンは街灯の下で四つんばいになって何かを探していた。「何を探しているんですか?」と近所の人たちがたずねる。「鍵だよ」とナスレッディンは答える。そこで隣人たちは総出で鍵探しに加わり、街灯の周辺を一センチきざみで注意深く徹底的に調べる。でも鍵は見つからない。「ところで、ナスレッディン」ついにひとりがたずねる。「いったいどこで鍵を無くしたのですか?」「家の中だよ」「それじゃあ、どうしてここで探しているんですか?」「街灯の下のほうがよく見えるからに決まっているじゃないか」。細菌や遺伝子といった特定の原因を研究するほうがずっと簡単(さらに金銭的にも報われる)かもしれない。しかしもっと大きな視点から見ないかぎり、多くの疾患は原因不明のままだろう。街灯が明るく照らす屋外を探していても、健康にいたる鍵を見つけることはできない。暗くぼんやりとした内側を見なければならないのである。

どんな病気も原因はひとつではない。明らかなリスク要因が特定されている場合——ある種の自己免疫疾患における遺伝や肺がんにおける喫煙のように――であっても、そのリスク要因は単独で作用するわけではない。その人の性格も、それだけで病気を起こすことはない。怒りを抑圧しているだけでがんになる人はいないし、いい人すぎるというだけでALSになる人もいない。〝家族システム理論〟では、病気を起こすにしても、回復をもたらすにしても、多くの要因とプロセスが組み合わさって作用すると考える。この本では医学についての〝生物精神社会学的〟理論を展開してきた。そうした観点に立てば、ひとりひとりの人間の生物学的機能は、それまでの人生における環境との相互作用、絶え間なく続くエネルギーのやりとりを反映していることになる。そしてその相互作用においては、心理的要素、社会的要素も身体的要素と同様に重要な役割を果たしているのである。ジェルモン博士が指摘しているように、治癒とは調和とバランスを見出すことなのだ。

「healing（治癒）」という言葉が「whole（全体）」を意味する言葉を語源としており、今でも「wholesome」という言葉は「健康な」という意味で使われていることを、私たちはほとんど思い出すことがない。治癒することは「全体」になることなのだ。だが、どうしたら今よりも「全体」になることができるのだろう？　今までの私たちが「全体」でなかったとは、どういう意味なのだろう？

完全なものが不完全になるにはふたつの道がある。そこから何かを取り去るか、あるいは全体の調和が乱れて、それぞれの構成要素がそれまでのように協働できなくなるかだ。前に言ったように、ストレスとは脅威――何らかの非常に重要な欲求が拒絶されるという脅威も含まれる――に対する反応として体内のバランスが乱れることである。肉体的な空腹もそうした脅威のひとつだろうが、現代社会では脅威はおもに精神的なものである。たとえば十分な愛情を与えられないことや心の調和が乱れることも、精神的な脅威なのである。
「私ががんになるなんて、どうしても納得できない」と卵巣がんにかかったある女性が言っていた。「健康的な生活をしてきたのに。からだにいい物を食べて、定期的に運動もして。健康には十分に気をつけてきたわ。健康のお手本があるとしたら、まさに私よ」。この女性は自分が何を見逃していたかに気づいていなかった——感情の抑圧からきたストレスである。自分のからだの健康を保とうという彼女の良心的（かつ意識的）な努力は、自分の中に存在することさえ気づいていなかったある領域にまでは及んでいなかった。だからこそ自分を知ること、自己洞察をすることには人を変える力があり、人からのアドバイスよりも自己洞察のほうがずっと役に立つのである。率直に、思いやりをもって、曇りのない目で自分の中をのぞき込むことができれば、自分を健康にするためにとるべき道が見えてくるはずだ。今まで闇にひそんでいた自分の中の何かを見ることができるはずだ。

健康になるための潜在能力も病気になる可能性も、私たちすべての中にある。病気とは調和の乱れた状態である。もっと正確に言えば、病気とは体内の不調和の現れだ。病気を外からの異物ととらえれば、私たちは自分自身に戦争をしかけることになりかねない。

健康への道をたどる第一歩は、いわゆるポジティブな考え方に固執しないことである。私は緩和ケアの仕事をしていたとき、がんにかかったことに当惑し、しょんぼりしている人を嫌というほど見てきた。「私はいつもポジティブな気持ちでいたんですよ」と四〇代後半のある男性は私に言ったものだ。「悲観的な気持ちになったことは一度もない。なのにどうして、私ががんにかからなきゃいけないんでしょう」

救いがたい楽観主義への薬として、私はネガティブ思考の効用を勧めてきた。「もちろん、冗談ですよ」と急いで付け加えはするが。「私が本当に役立つと信じているのは〝思考〟の力です」。〝思考〟という言葉に「ポジティブ」という形容詞をつけたとたん、現実のうちの「ネガティブ」だと思われる部分は排除されてしまう。これはポジティブ思考の力を信じる人のほとんどに見られる現象である。本当のポジティブ思考は、あらゆる現実を認めるところから始まる。そこにいたるには、たとえどんな真実が出てこようとそれを直視できるという、自分に対する信頼感が必要なのである。

マイケル・カー博士が指摘したように、無理やり楽観主義者になろうとするのは、不安に直面しないために不安を封じ込めるひとつの方法である。その種のポジティブ思考は、傷ついた子供が身につける対処パターンである。それに気づかず、傷ついたまま大人になった人は、子供のころの自己防衛手段のなごりを一生持ち続けることになる。

病気は一対になったふたつの問題を突きつける。ひとつは、その病気は過去と現在について何を語ろうとしているのかということ。もうひとつはこれから先、何が助けになるのかということである。多くの取り組みは治癒にかかわる一対の問いの後者にだけ目を向け、そもそも何が病気をもたらしたのかをろくに考えようとしない。本や雑誌、テレビやラジオにも、そのような「ポジティブ」思考の勧めは数多く見られる。

治癒のためには、ネガティブに考える勇気を奮い起こさなければならない。私の言う「ネガティブ思考」は、現実主義《リアリズム》を装った暗くて悲観的な考え方ではない。それはむしろ、何がうまくいっていないのか考えてみようという姿勢なのである。バランスを乱しているのは何だろう？　私は何をないがしろにしてきたのだろう? 私のからだは何に対してノーと言っているのだろう? こうした問いかけをしないかぎり、私たちのバランスを乱しているストレスはいつまでも隠れたままなのである。

さらに重要なのは、こうした問いかけをしないこと自体がストレスの原因になるということである。なぜなら第一に、「ポジティブ思考」はその根本に、自分には現実に対処するだけの力がないという無意識の思い込みを抱えているからだ。子供時代の不安は、この思い込みに支配されることで生じる。そうした不安を意識していてもいなくても、ストレス状態にあることに変わりはない。そして第二に、自分自身および自分の置かれた状況に関する重要な情報が欠けていることは、ストレスの大きな原因のひとつであり、視床下部－下垂体－副腎系によるストレス反応を引き起こす大きな原因のひとつだからである。さらに第三の理由として、ストレスは人に頼らず自律的なコントロールができるようになるにつれて減っていくものだ、ということもあげられる。

人との力関係に左右されたり、罪の意識や愛情への飢えに動かされていたり、成功への渇望や上司に対する脅えや退屈への恐怖に突き動かされていたりするかぎり、人は自律的にはなれない。その理由は明白だ。何かに突き動かされているかぎり、自律はあり得ないからである。何かに突き動かされている人は、風の中を舞う落ち葉のように、自分より強大な力にコントロールされているのだ。たとえその人がみずからストレスの多いライフスタイルを選び、そうした日常に満足していたとしても、そこに自発的な意志は働いていない。その人がそこで選び取るものは、目に見えない糸につながれているのである。その人はあいかわらず「ノー」と言うことができない。自分の衝動に対してさえノーと言うことができない。いつかそれに気づいたら、ピノキオのように頭を振って言うことだろう。「操り人形だったころの私はなんて馬鹿だったんだろう」と。

喘息にかかった大学教官のジョイス（第14章）は、なかなかノーと言うことができない。だから彼女の肺がかわりにノーと言っているのだ。ジョイスがノーと言えないのは、他の人が怖いからではなく、必死でがんばっていないと自分が空っぽのような気がして怖いからである。彼女は言っている。「空っぽというのは、求められていることを全部やらないと私は存在を許されないんじゃないか、という恐怖感からきています」。ネガティブ思考の力を呼び起こすことができれば、彼女は自分の中にあるその恐ろしい穴をそのまま受け容れることができるだろう。せっせと何かをすることでその穴を埋めようとするのではなく、その穴について考えてみようとするだろう。

三九歳で乳がんにかかったミシェル（第5章）は、いつも夢想の中に救いを求めてきた。不幸な子供時代の思い出を語りながら彼女は言った。「私が夢想の世界に住んでいたのも無理はありません。そのほうが安全ですから。自分でルールを作るんです。そうすれば幸せで安心できる世界を自分の思いどおりに作ることができるわ。外の世界はまったく違っていても」

二年近くを費やして行なわれたある研究によれば、楽しい夢想にふける傾向のある乳がん患者は、より現実的な考え方をしている患者と比べて治療後の経過が悪いということである。またネガティブな感情を表わすことの少ない患者も、やはり予後が好ましくなかったということである。[*2]

乳がんが再発した女性についての別の研究では、「一年間の追跡調査によると、「心理的な」ストレスをほとんど報告しなかった患者（……）そして他の人から『順応性がある』と評価された患者のほうが、死亡する率が高い[*3]」ことが明らかになっている。

より明るい考え方をし、悩みが少ないように見える人のほうが病気が重くなるという研究結果がいくつも出ていることは、世間一般の見方に反しているように思われる。普通は、ポジティブな気持ちをもつことは健康にいいと考えるものだ。確かに真の喜びや満足感はからだにいい影響をおよぼすが、精神的な不安を封じ込めるために生まれた「ポジティブ」な精神状態は、病気に対する抵抗力を弱めるのである。

脳はからだのすべての器官とシステムの活動を支配し統括すると同時に、私たち人間と環境との相互作用をも調整している。この調整機能は種々のネガティブな作用、つまり危険を知らせる信号や、心の中にある苦悩を伝える合図の影響を受ける。子供のころに相反する内容のメッセージをいつも周囲から受け取っていれば、脳の各組織の発達は阻害される。脳が周囲の状況を判断する能力、たとえば自分にとって有益なものと有害なものを見極める能力が育たない。幼いころにこうした傷を負った人——ミシェルもそのひとりだ——は、自分のストレスをいっそう増すような生き方をする傾向が強い。彼らが「ポジティブ思考」や否認や夢想という手段で不安を封じ込めようとすればするほど、ストレスの影響は長期化し、ダメージも大きくなる。熱さを感じる能力のない人は火傷を負う可能性が高いのと同じことである。

ネガティブ思考によって真実を曇りのない目で見れば、必然的にこれまでふたをしてきた苦痛や葛藤の領域に踏み込むことになる。それは避けられないことである。子供のころ何とかして苦痛や葛藤を避けようとしたことが、大人になってからの病気への抵抗力のなさにつながるのである。

多発性硬化症にかかったナタリー（第2章）は、アルコール依存症で精神的虐待を繰り返す夫にじっと耐えた。夫が二度のがん手術を受けたあとは心をこめて看護し、無茶なことを言われても我慢していた。だが夫は彼女を裏切った。夫が死んで何年も過ぎたというのに、ナタリーは今も人から頼まれたことにノーと言うことができない。「もう五年たちましたが、私はまだゆったり生きることができません。からだはしょっちゅうノーと言うのですが、私はどうしても走り続けてしまう。本当に困ったものです」。ナタリーはこう説明している。「私の中にいる看護師が、私に立ち止まることを許してくれないんです」。自分のことなのに、まるで彼女の中に強い力を持つ「看護師」が本当にいて、彼女の行動をコントロールしているかのように言うのである。ナタリーはノーと言わないことでストレスを感じ、多発性硬化症が悪化するようだ。しかしそのストレスから逃れるためには、自分が自己主張できないのは子供のころの経験によってみずから選択した生き方のせいだ、というつらい真実を受け容れるしかないのである。

たくさんの人が、「幸せな子供時代」を過ごしたという作り話にしがみつかなければならないと思い込み、そのために本当の自分を知ることができなくて成長を果たせずにいる。そうした人は少しだけネガティブ思考をしてみれば、自分で自分を傷つけるような生き方をもたらしている自己欺瞞に気づくことができるだろう。

第8章で紹介した、法律事務所で秘書をしている三五歳のジーンは、二四歳で多発性硬化症にかかり、体力の衰え、めまい、疲労感、膀胱の不調などを抱えていたが、とうとう一時的に視力を失ってしまった。そして救急病院とリハビリ施設を含めると一年近く医療施設のお世話になった。だがそれ以後は再発も少なく、あったとしても症状は軽い。

ジーンは一九歳で結婚した。最初の夫はずっと年上の高圧的な男性で、彼女を虐待していた。

「最初のうちは、言葉による精神的な虐待がほとんどでした。でもしまいには暴力をふるうようになった。殴るんです。だから私は家を出ました。彼は私が友達と電話で話すことを録音していたんですよ。そのころ私は仕事をふたつ持っていました——昼間はデイケアで働き、夜は音楽を演奏していました。給料は夫に渡していました。彼のバンドでは働きたくありませんでした。旅が多すぎるから。私は一人ぼっちでした。

ほとんどいつも摂食障害も抱えていました。身長一六七センチなのに入院時の体重は四〇キロ。拒食症ですよ。夫と別れた翌日に入院しました」

「虐待をする年上の男性にあなたが五年も我慢したのは、たまたまそうなったとは思えませんね。あなたの育った家庭のことが、いろいろわかるような気がします」

「とんでもない。私が育った家庭は虐待とはまったく無縁でした。家族はみんなすごく優しかった。男ふたり女ふたりのきょうだいで、両親は四五年間も一緒に幸せに暮らしています。心づかいと愛情と優しさ以外を与えられたことはありません」

「あなたのご家族に虐待があったなんて一言も言っていませんよ。私はただ、あなたの育った家庭のことが、いろいろわかるような気がすると言っただけなんですが……」

「えっ！［長い沈黙］どういうことでしょう？　何がわかるんですか？」

「最初におたずねしておきたいんですが、小さいころ性的虐待を受けたことはありませんか？」

「いいえ……でも、一一歳かそこらのとき、パパの同僚か何かの男性に触られたことがあります。大勢でキャンプをしていたときのこと。両親にも話しましたよ。話したのはそのときではなく、何年か経ってからですが。

キャンプファイアをしていて、私はショートパンツ姿でした。その人は私を見て、『とっても可愛いね』と言いました。そう言われて嬉しかったわ。そうしたらその人、ショートパンツの下から手を入れて脚に触ってきたんですよ。一緒にいたのは三〇分そこそこだったと思います。その人が触り始めたから、私は口実を作って離れました。心が動揺しているのがわかりました。

あまりよく覚えてないんです。本当にあったことなのかどうか疑ってしまうくらい。今こうしてあなたに話していても、大したことではなかったような気がします。でも今も心から消えません。あのときの雰囲気、何だかみだらで、嫌らしくて、恐ろしいような雰囲気が忘れられないんです」

「もしあなたに一一歳の娘さんがいて、それに似たことが起こったとしたら、娘さんにどうしてほしいですか?」

「何年も黙っていてほしくはないですね、絶対に」

「どうして?」

「ふたりでよく話し合って、あなたがそのとき嫌な気持ちになったのは当然だ、と教えてあげたいからです」

「もしその子が打ち明けなかったら?」

「親に話すのが怖かったからだと思うでしょうね。わからないわ……私どう思うかしら……」。ジーンは涙をこらえていたが、インタビューを続けたいと言った。

「あなたはご自分の子供時代を幸せだったと言いましたね」

「そのとおりです」

「拒食症の話を聞かせてください」

「一五歳くらいだったと思います。過食症に変わるまでは『拒食症』というレッテルは貼られていませんでした。でもお昼の弁当は捨てていたし、朝も食欲はなかった。すごく痩せていました。両親はずいぶん心配していました」

「当時あなたの心の内にあったことを覚えていますか?」

「おもに一〇代の女の子なら誰でも感じるような、からだについての漠然とした不安。自分が太っていると思っていたかどうかは思い出せないけど——私は太っていたことは一度もありませんし。ただ、もっと痩せればもっと人気者になれるだろうと思っていたことは確かです。人に好かれるかどうかは私の自尊心に関わる問題だったんです。つまり、みんなに好かれたいと思っていたわけですね」

「子供の自尊心は、両親に認められていると思うことで生まれるものだと私は思いますが」

「私は、たとえて言えば、オールAの成績をとらなければ親から愛してもらえない、というような気がしていました。そのころ両親は姉のことで頭が一杯だったんです。小さいころ姉は出血性の病気を抱えていて、両親はほとんど姉にばかり目を向けていました。姉が入院したときには、白血病じゃないかとずっと疑っていましたね」

「もう一度おさらいさせてください。子供のころあなたは、オールAをとらないと両親に愛してもらえないと感じていた。一一歳のときには性的に怖い目にあって、嫌な思いをしたけれども両親には話さなかった。一五歳で拒食症になった。そしてあなたは非の打ち所のない幸せな子供時代を過ごした。この描写に何か間違いはありますか？」

ジーンは笑う。「一〇代を振り返ってみると、別にひどいものではなかったですよ。全然そんな感じじゃありませんでした。摂食障害はまだ始まったばかりだったし……」

「私の質問を避けていることにお気づきになりませんか？」

「その描写に何か間違いはないか、でしょう？　あなたが言うのを聞いていると、あまり幸せな子供時代ではなかったように聞こえますね。でも私には、子供時代が不幸だったとは思えないんですよ」

ジーンのように子供時代の思い出から嫌な出来事を追い出してしまうことは、珍しいことではない。多発性硬化症の患者とそうでない人との物の感じ方を比較した研究がある。被験者に子供時代の家庭生活を、不幸、まあまあ幸福、非常に幸福の三段階で評価するよう頼んだのだ。[*4]両グループとも八〇パーセント以上の人は、まあまあ幸福、あるいは非常に幸福だったと評価した。どうやら両グループともほぼ共通して、大多数の人は「オズの魔法使い」の国で育ったように記憶しているらしい。だが自分の気持ちと生活についてここでジーンがしたように正直に語ってみれば、その理想化された子供時代のイメージがそのまま保たれることはまずあり得ない。

「拒食症になったのは、自分が何も感じないようにするためだったんですね。でも、どうしてそんなことをしたのかはわかりません」

「たぶんご両親がお姉さんのことでつらい思いをしているのを見て、ご両親を守ってあげたいと思ったんでしょう。世話をするほうの役割を引き受けたんです。今も知らず知らずのうちにその役割を果たしているように見えますよ……ご両親かご兄弟かご主人かの面倒を見るという」

「あるいはその全部のね。夫の話が出ましたが、夫が腹を立てたりイライラしていたりすると、私はまず、どうやってこれを収めようかと思うんです。自分でも気づかないうちに。ほとんど自動的にそう思ってしまう。今は彼の前立腺がんを治すことに懸命になっています［ジーンの夫エドには前立腺がんの件でインタビューしている。第8章参照］。私ってお人好しですよね？」

「あなたにはそのつもりはないんでしょうが、ご自分の病気を悪化させるようなことばかりしているのかもしれません」

「確かに去年はそうでしたね。彼が初めてがんと診断されたときのことですけど。そして夫の母が病気になって、それから亡くなったときにも再発しました――夫のことが心配で自分のことがおろそかになったものだから。ちゃんとした食事も休息もとらなかったんです。私の両親にはいまだに同じことをしてますし。耳に入れたら両親が傷つくだろうと思うことは一生懸命隠しているんです。自分の摂食障害のことは親には一言も話したことありません。多発性硬化症が悪化してもいちいち全部は話しませんしね。親が心配するから、大したことないように言うんです」

大人が自分の育った家庭の思い出を語るとき、子供のころ親に認められ受け容れられるために、気づかないまま支払わざるを得なかった代償の話はまず出てこない。二〇〇一年に腸がんにかかったカナダのジャーナリスト、パメラ・ウォーリンはその手記『問いに答えて *Since You Asked*』で、その実例をわかりやすく示している。彼女の手記を読むと、大人になってからの思い出と子供がそのとき本当に感じていたこととのギャップがよくわかる。彼女はあらかじめ読者にこう警告している。「皆さんに警告しておく。これから書くことはどこかの町の旅行案内、あるいは家族のコマーシャルのように見えるかもしれない。だが私にとってはこれが真実なのだ。私はほとんど完璧に近い子供時代を送ったような気がしているのだ」。ウォーリン女史（現在はニューヨーク駐在カナダ高等弁務官を務めている）が率直に語るいくつかのシーンと、理想化された思い出とを一致させるのはとても不可能である。

手記のある部分で、パメラはいつも姉に怖い目にあわされていたことを思い出している。積もり積もった怒りがついに爆発したとき、彼女は仕返しに姉の腕を傷つけたという。「姉のボニーが新しいノースリーブのドレスを着て大事なデートに行くという前日を選んでわざと私がつけた傷あとは、今もボニーの腕に残っている。姉は格好悪い復讐の跡を隠すために、ショールを借りなければならなかった」。暗闇への恐怖を彼女の心に刻み込ませたボニーを今でも恨んでいる、と彼女は書いている。ボニーはボーイフレンドが家に来るたびに妹を寝室に追いやり、電気を消してドアをバタンと閉めて行ってしまった。「私がベッドの下にいるかもしれない怪物が怖くて、暗い部屋を横切って電気をつけに行くことができないのをボニーはよく知っていた。だから私は一晩中震えながら寝室にいて、自分たちの邪魔ができないと姉は安心していられたのだ」。パメラはこの話を明るい調子で書いている。

ここに働いているのは、一種の逆「偽りの思い出症候群」である。意識的なレベルでは、人はだいたい子供時代のいいことだけを覚えている。嫌な出来事を思い出すにしても、その出来事に関する感情は抑圧されているのである。親に愛されたことはしっかり覚えているが、親に理解してもらえないとか、精神的に支えてもらえなかったとかいう感情は覚えていない。パメラの思い出には、何度も暗い部屋にひとりで閉じ込められたのに、そのときの恐怖と怒りを両親に告げれば何とかしてもらえるという安心感がなかったことを、彼女がどう感じていたかが欠けている。パメラが思春期のころに起こったさらに痛ましい出来事からも、この安心感の欠如を明確に読み取ることができる。学校でのある出来事について、パメラが実際に母親に助けを求めたときのことだった。母親はパメラが通っている学校で教師をしていた。「私は一度だけ、母に叱られたことがある。小学校の先生のひとりは私たちのふくらみかけた胸によくさわった。母は私に、まあそういう時代だったのだろうと思うが、その教師の手が届かないような座り方をするよう他の女の子たちに言い聞かせなさいと言った。私たちは言いつけにしたがい、学年が変わってその教師の手から逃れられる日をじっと待ち続けた（……）。だが私たちはみんな、その体験から心の傷を負うこともなく、無事に生き延びたようだ」。問題は「生き延びたようだ」という表現である。ほとんどの場合、心の傷は目には見えない。しかしどんな傷でも、傷跡をおおった皮膚はもとの皮膚ほど強くないし、柔軟性もない。その傷に気づき、きちんと治療しておかないと、いつか痛みをもたらしたり破れたりする可能性があるのだ。

彼女の本で、子供時代に親に十分話を聞いてもらえなかったことに言及している箇所といえば、「子供は両親になかなか心を打ち明けて話せないものだ」という遠まわしな表現だけである。大切に思っている大人が自分の話に耳を傾けてくれないときに子供が感じる失望については、一切書かれていない。彼女は全体として、私には「追い払うべき鬼」はいなかったと主張している。こうした主張は、がん患者の研究で必ず報告される、不安や怒りやネガティブな感情の否認の実例を示すものである。

このままでは何らかの反応をしてしまい、そうすれば自分が困った立場になるというとき、子供は目をそらす――たとえば夢想にふける――ことで事態に耐えようとする。過去の出来事は覚えているが、それにまつわる心の傷は思い出さないというときには、この種の〝解離〟が働いている。多くの人が「幸せな子供時代」を回想するのはそれが理由なのである。たとえば全身性エリテマトーデスにかかったアイリス（第4章）が、父親は暴君のようで母親は精神的にはまったく頼りにならなかったというのに、「幸せな子供時代」だったと言っているように。

「父はとても短気で、腹を立てたら何をするかわかりませんでした。お皿が飛んできたり、誰かが蹴られたり」

「あなたも蹴られたことがあるんですか？」

「いいえ、一度も。私は父のお気に入りだったから」

「どうやってその地位を手に入れたんですか？」

「相手の目に入らないようにするんです。そのテクニックは、うんと小さいころに身につけました」

「子供のころ不幸せだと感じたことはありますか？」

「不幸せ？　いいえ」

「あなたが言われたような家庭環境の子供が、悲しみや不幸せとまったく無縁でいられるものでしょうか？」

「たいていは、麻痺してしまうものです」

「ということは、悲しいとか不幸せだとか感じていたかどうか本当はわからないわけですね、麻痺していたのなら」

「そうですね。まあ、子供のころ大きな問題があったという記憶はありませんが」

「人はどうして感覚を麻痺させなければならないんでしょう? 嫌なことがあったら、どうしてさっさと誰かのところへ行って相談しないんでしょう? お母さんはどうだったんですか?」

「いいえ、だめよ、母に話すなんてとんでもない。ひとつには、私が不幸せを感じていることを母には知られたくなかったから。それに、いずれにせよ母は父から自立して存在できない人でしたから。控えめな人だったんですよ。

子供はあまり言葉を知らないものです。私は感覚をなくしていましたが、ある意味、それで幸せだったんです」

「それはまたどうして?」

「人形で遊んで……あ、間違えた……人形を噛んでと言うつもりだったんです!」

「人形を噛んだって、どういうことですか?」

「ビニール製の人形の手や足の指を噛んでいたんです!」

「つまり人形に当たっていたわけですね、抑えつけた怒りのはけ口として。ところで、私たちが何かを心から締め出すのはどんなときでしょう?」

「苦痛を感じているとき……」

「つまり、たくみに心から締め出せたから、幸せだと思えるわけです。あなたは現実のかなりの部分を心から締め出さなければ幸せになれなかった。ということは、あなたの生活はとても健全だったとは言えないのでは？」

「確かに、そうですね」

最後に、不妊検査の最中に偶然卵巣がんが発見された保険代理人ダーリーンの話に戻ろう。彼女の話の中には、苦痛の種になりそうなことはひとつも出てこなかった。彼女が言うには、人生で唯一のつらい体験は卵巣がんになったことと、それが非常に早期に発見され治療したにもかかわらず、予想外の再発をしたことだった。がんの予後についての最初の予測には「嬉しい」思いをしたが、再発には「打ちのめされた」という。

「私はいつも自分の生活は自分でコントロールしたいと思って、からだには気をつけていました。食事には気を使っていたし、運動して体型を完璧に保っていました。いわゆる悪習はひとつもありませんでした」。ひとつだけあったリスク要因が不妊だった。ダーリーンが語る彼女の生活は、私から見れば完璧すぎてとても信じられないものだった。子供時代を振り返っても、不幸な出来事のひとつも思い浮かばず、恐怖や怒りや悲しみを感じた思い出もないと言うのだ。

「私は三人姉妹の長女でした。とても仲のいい姉妹で、両親の仲もうまくいっていました。両親は今も健康で、幸せに暮らしています。おまけに私は夫の家族ともうまくいっています。家族にも恵まれ、友達にも恵まれているんです。五歳のときからずっとつきあっている友達も何人かいるくらいです。家族と友人には、ずいぶん励まされています。そういう意味では、本当に恵まれていると思います」

がんに冒されたダーリーンの右の卵巣は一九九一年に摘出された。左の卵巣は残っていたから妊娠の希望もあった。そして一年後には本当に妊娠したのである。

「よく五年生存が目安だと言われますけど、私はそれを無事乗り越えました。手術して五年半後、息子が四歳になったとき、ちょっとした症状が出たんです。大したことないと思ったんですが、疲れやすくなって、体重が少し減りました。といっても二キロかそこらだし、気にすることないと思いました。幼い子供がいて、仕事があって、家事も忙しかったからでしょう。腰が痛くなったのも、息子につなぎの防寒着を着せたり脱がせたりするとき、いつも抱き上げているせいだと思ったわけです。

一九九六年にまたがんだ、しかも転移していると言われて、目の前が真っ暗になりました――今度のがんは経過が前とは全然違っていて、左の卵巣と子宮とそれに下腹部のいくつかの場所にも広がっていたんです」

「卵巣がんを一度経験しているのに、どうしていくつか兆候があったときにもっと早く気づかなかったんでしょう。あなたのように一度卵巣がんを経験して、同じような兆候が現れた友人がいたとしたら、どんなアドバイスをしていたと思いますか？」

「それはもう、体調に少しでも変化が現れたらすぐに婦人科に行かせますよ」

「つまり、あなたご自身と自分以外の人とでは扱いが違うわけですね。あなたの子供時代の生活は必ずしも話してくださったとおりではないかもしれない、と私が思う手がかりのひとつは、そこなんです。もうひとつの手がかりは、あなたが人間関係について『本当に恵まれていると思う』と言ったことです。思うというのは――私に言わせれば確信のなさを示す言葉です。心の中に議論があった証拠なのです。あなたの考えたことと感じたこととは違うのかもしれない。そうでなければ、ただ『恵まれていた』とはっきり言えばよかったんですから。

もうひとつ私が気づいたのは、苦痛や痛みについて話すときにあなたが微笑んでおられたということです。まるでご自分の言葉の印象を和らげようとしているかのようにね。いったいどうやって、何のためにあなたはそういう態度を身につけたんですか？　肉体的な痛みについて、あるいはつらい出来事やつらい思いをしたことについて話すとき、無意識に微笑んでいる人を私はたくさん見てきました。でも生まれたばかりの子供は、どんな感情を隠す能力も持ってはいません。赤ん坊は不快だったり不安だったりすれば、泣いたり、悲しそうなそぶりをしたり、怒りを示したりするものです。痛みや悲しみを隠すためにすることは、みんな後天的に身につけた反応なのです。場合によってはネガティブな感情を隠したほうがいいこともあるでしょう。でもあまりにも多くの人が、あまりにも頻繁に、しかも無意識に感情を隠してしまっているのです。

どういうわけか人は――個人差はあるとしても――知らないうちに他の人の情緒的欲求を満たそうとし、自分の欲求をないがしろにするようになる。自分の痛みや悲しみを、自分自身の目からも隠してしまうのです」

ダーリーンは聞きながら考え込んでいるようだった。だが賛成も反対もしなかった。「興味深い考え方ですね。ぜひとも私が通っている卵巣がん患者の支援グループで話してみたいです。今はどう言えばいいかわからないし、あなたも私の答が今すぐほしいというわけではないでしょうから。でも直感的にはわかる気がしますし、考えさせられる点が多いです。貴重なご意見をありがとう」

ネガティブに考える勇気を持てば、ありのままの自分を見つめることができる。今まで見てきたいろいろな疾患の患者たちの行動特性には、著しい共通点がある――怒りを抑圧すること、自分の傷つきやすさを認めないこと、「代償としての過度の独立心」が見られることなどである。誰も好きでこうした特性を選んだわけではなく、意識して身につけたわけでもない。ネガティブ思考は、自分はどんな環境で育ったのか、自分がその環境をどう認識したためにこれらの行動特性を身につけたのか、ということを理解するうえで役に立つのである。精神的に消耗させられるような家族関係は、退行性神経疾患からがんや自己免疫疾患まで、ほとんどすべての深刻な疾患のリスク要因とされている。ネガティブ思考の目的はけっして先祖や親や配偶者を責めることではなく、健康に害を及ぼすことが証明されている誤った思い込みを捨てることなのである。

「ネガティブ思考の力」を手に入れるためには、バラ色の眼鏡をはずさなければならない。大切なのは人を責めることではなく、自分の対人関係に責任を持つということである。

病気になったばかりの人にとって、その病気を理解するためとは言え、自分のこれまでの人間関係を一から見直すのはけっしてたやすいことではない。感情を表現することに慣れておらず、自分の情緒的欲求を認識する習慣のない人にとっては、大切な人に対して思いやりを失わず、なおかつはっきり自分を主張するだけの勇気と言葉を見つけ出すのは特に大変なことである。自分が人に助けを求めざるを得ないような弱い立場になったときには、なおさら困難になる。

この困難は並大抵のものではないが、なんとか解決しないかぎりいつまでもストレスの種を生み出し、また病気を呼び起こすことになってしまう。患者が自分のために何を試みるにせよ、人生で最も大切な人たちとの関係を曇りのない目で、思いやりをもって見つめなければ、その患者が背負う精神的な重荷はなくならない。

これまで見てきたように、ストレス要因になるのは他者の期待や意図そのものではなく、私たちがそれらを感じることなのである。多発性硬化症のジーンは夫エドの前立腺がんを気に病み、いい治療を受けさせようとひとりで奮闘していたときに、自分の病気が再発した。エドはジーンが彼を「コントロール」していると憤慨していたが、その気持ちをジーンに伝えることができなかった。一方、エドの面倒をみなければならないとジーンが思い込んでいたことも——そしてジーンは自分をコントロールしようとしているとエドが思い込んだことも——、子供のころにふたりが身につけた対人関係のパターンがもたらしたものだったのだ。

「私たちが感じるストレスやイライラは、本来の自分ではない人間の役割を否応なく果たさなければならないという思い込みから生ずる」とハンス・セリエは書いている。ネガティブ思考の力を発揮するには、私は自分が思うほど強くないと認める強さが必要である。自分は強いというイメージにしがみつこうとするのは、弱さを——大人と比べたときの子供の弱さを——隠すためなのだ。弱さはけっして恥ずべきものではない。強い人でも助けが必要なことはある。生活のある部分ではパワフルでありながら、別の部分では無力で途方に暮れることもある。できると思っていたことが、何から何までできるとは限らない。病気になった人の多くが気づくことだが——気づくのが遅すぎることもあるが——、強くて絶対傷つかないという自己イメージに合わせようとする生き方はストレスのもとであり、それが体内の調和を乱すのである。「自分で何でも処理できる」というのが、腸がんにかかったドンがそうなる前に抱いていた自己イメージだった。「卵巣がんにかかったすべての女性に手をさしのべようとすることはできなかった」とギルダ・ラドナーは自分が再発したときに気づいた。「それに、受け取った手紙のすべてを読むわけにはいかなかった。そんなことをすれば、私自身がぼろぼろになってしまっただろうから」

ネガティブ思考ができるようになれば、自分の喪失感を過小評価することはなくなる。私がインタビューした人の多くは、自分が傷ついた体験や抱えていたストレスを「ほんの少しだけ」とか「～かもしれない」とか「～だったかも」という言葉で表現していた。多発性硬化症だったヴェロニークを思い出してほしい。彼女はアルコール依存症のボーイフレンドと別れ、経済的に困窮し、それ以外にもいろいろな問題を抱えていたときのことを「必ずしも悪いこととは言えません」という言葉であっさり片付けていた。

私は心の底から自分に正直に生きているだろうか、それとも誰かの期待に添おうとして生きているのだろうか？　私が信じてきたこと、してきたことのどれだけが本当に自分のためで、どれだけが両親を喜ばせるために必要だと思い込んでみずから作り上げた自己イメージのためだったのか？　ひどい腹痛に苦しんでいたマグダは、自分の適性に反して医者になった。両親はそれを口に出して望んだわけでも頼んだわけでもない。マグダは両親の希望を自分の希望にすりかえてしまったのだ。しかも彼女がそれをしたのは、自分の進路を決めるだけの年齢に達するはるか以前のことだった。「私が成し遂げてきたことのほとんどは、どちらかと言うと私自身の希望というより父の希望から出たことだった」とＡＬＳで亡くなったデニス・ケイは書いている。

「［私は］女性として母の半分にも及ばない」とアメリカの元大統領夫人ベティ・フォードは書いている。「母は素晴らしい女性だった。強く、優しく、毅然としていて、私を失望させるようなことは一度もなかった。母は完璧主義者で、子供たちを完璧な人間になるよう『プログラム』しようとしていた」[*5]。ネガティブ思考をする力があれば、子供を完璧な人間になるよう「プログラム」することがはたして優しい母親のすることかどうか、フォード夫人は考え直すことができるだろう。少しでもネガティブ思考の力を持っていれば、自分を見つめることを避けるためにアルコール依存に逃避するかわりに、そして一生ストレスを抱え続けてついには乳がんになるかわりに、完璧な人間になるなどという実現不可能な期待を拒否していたことだろう。そして彼女は喜びをこめて言っていたかもしれない。「私は女性として母の半分にも及ばない。そして母の四分の一にも及びたいとは思わない。私は私自身でありたいだけだ」と。

ＡＬＳにかかったローラは、家政婦が休暇をとっている間は朝食付きの民宿に客を迎えたくないと思うことに罪の意識を感じていた。彼女は無理をして自分で客の世話をすることにした。不自由なからだで客の世話をするストレスよりも、罪悪感のほうを恐れたからである。

「私はいつも人の役に立とうとするんです」と前立腺がんのエドは言っていた。もし、そうしなかったら？「自分が嫌な気持ちになります。罪悪感を持ってしまうんです」。多くの人にとって、罪悪感とは自分のために何かを選択したことを示す「徴《しるし》」である。深刻な病気を抱えたほとんどの人に向かって、私は忠告したい。あなたが罪悪感を感じないときはきっと何かのバランスが乱れているんですよ。あなたはまだ、自分の欲求や気持ちや興味を後回しにしているんですよ、と。ネガティブ思考の力がつけば、罪悪感を避けるどころか、むしろ歓迎するようになるだろう。きっとエドはこう言えるようになるだろう。「これは罪悪感じゃないのかな？　やった！　素晴らしい！　つまり僕は正しいことをしたわけだ。自分が変わるために、自分のために行動したんだ」

「いちばん大きいのは主導権の問題ですね。腹が立つんですよ」。エドは妻のジーンがこまごまと彼に気を使うことについてこう言っている。その気持ちをどうするのか訊くと、「隠します」。ネガティブ思考の力があれば、たとえ善意でしていることでも自分のことにあれこれ口出ししてほしくないとジーンに言うことで罪悪感を覚えても、エドは平然としていられるだろう。以前、あるセラピストが私に言っていた。「罪悪感を持つことと恨みを持つことのどちらかを選ばなくてはならないときは、いつも罪悪感を選びなさい」。それ以来、私はその賢明な教えをせっせと人に伝えている。断ることが罪悪感を、承諾することが結果として恨みをもたらすのなら、罪悪感を選ぶべきである。恨みは精神的な自殺なのだ。

ネガティブ思考によって、私たちは自分自身のために勇気をもって問題を見つめなおすことができる。無理やりポジティブに考える人ほど病気にかかりやすく、回復しにくいことは、数々の研究によって証明されている。真のポジティブ思考——あるいはもっと深い意味でポジティブな生き方をすること——は、真実を知ることを恐れる必要はないと教えてくれるはずである。

分子生物学者キャンディス・パートは書いている。「楽しいことを考えるだけで健康になるわけではない。長い間抑えつけていた怒りを爆発させることが免疫系に活を入れ、それが治癒の最大の引き金になることもある」[*6]

怒り（anger）あるいはそれを健全に表現することは、治癒のための七つのAのひとつである。七つのAのそれぞれが、人を病気にかかりやすくし治癒を妨げるような、私たちの心の奥底に刻み込まれた思い込みに関係している。最後の章ではこの七つのAについてお話したい。

第19章 治癒のための七つのA

悪性黒色腫が発症するのも、からだがそれに耐えて生き抜くのも、免疫系の働きが関係している。この病気の場合、生存の可能性はきわめて低いと予測されながらも自然治癒――特に治療しないのに、がんが消滅すること――を迎えた例が数多く報告されている。悪性黒色腫はがん全体の一パーセントを占めるにすぎないが、自然治癒率は一一パーセントにのぼる。[*1]

『キャンサー *Cancer*』誌は、七四歳の男性が自然治癒した例をとりあげている。この男性は一九六五年に胸部から除去したがんの疑いのあるほくろからがん細胞が発見されたのだった。七年後には同じく胸部にがんが再発した。今度は小さなほくろが無数にできていた。もとの悪性黒色腫の転移だった。だがこのとき、患者はそれ以上の治療をすべて拒否した。八カ月後の経過観察では、胸部に散らばっていたほくろは平たくなり、色も薄くなっていた。患者は生検に同意した。結果は色素の沈着のみで、がんは影も形もなかった。翌年には治癒はさらに明らかになっていた。

免疫学的な検査によって三つの事実が明らかになった。第一にリンパ球ががんを攻撃していたこと、第二にマクロファージ（大食細胞）が文字どおりがん細胞を食べてしまっていたこと、第三に大量の抗体が形成され、がん細胞を破壊していたことである。この患者のからだは見事に免疫系を総動員して、がんを消滅させたのである。

自然治癒はふたつの重要な問いを投げかける。症状が出るまで免疫系ががん細胞を破壊せず、結果としてがんを発症する人がいるのはなぜなのか。生存の可能性が低い悪性黒色腫を発症しながらも自然治癒した人は、免疫系に何が起こったのか。私は他の疾患についても、同じ症状がありながら人によって結果が違う例を見ては同じ質問をしてきた。

サンフランシスコのある研究グループは、悪性黒色腫の患者におけるタイプC（第6章参照）のネガティブな感情の抑圧について、三つの研究を行なっている。一八カ月の経過観察を行なったところ、感情の抑圧と再発または死亡との間には強い相関関係があった。ナチュラルキラー細胞は異常な細胞を攻撃することで、がんに対する防衛線のひとつを形成している。この細胞は悪性黒色腫を消化する働きがあることがわかっている。乳がんの場合と同じように悪性黒色腫でも、感情の抑圧のある患者ではナチュラルキラー細胞の活動が弱まっている。

この一連の研究では、黒色腫の最初の厚みと患者の性格特性との関係も調査している。最初の生検で測定した黒色腫の厚みは、その後の経過に大きく関係する――厚みがあるほど予後が悪いのである。調査の結果、タイプCとしての得点が高いほど患部の厚みも大きいことがわかった。「悪性黒色腫患者に見られるタイプCの性格特性とは、この病気を受け容れていること、自分よりも家族に気を使っていること、病気について考えまいとしていること、事態に辛抱強く対処していること、忙しくすることで感情を内にしまい込んでいること、物事に対処する強さと能力を持っているとみなされていることである」[*2]

この研究結果は、それに先立つ一九七九年に行なわれた研究の、悪性黒色腫という診断に適切な対処ができない患者――つまり事実を率直に認められない患者ほど――再発しやすいという結果を裏づけるものだった。[*3]

UCLA医学部の精神科医F・I・ファウジーが行なった試験的な調査は、わずかな精神的支援でも予後に影響を与えることを示唆している。この調査では、まず同程度の悪性黒色腫の第一段階にある三四人の患者から成る実験群、および対照群を用意した。「ファウジーが行なった介入は非常にわずかなものだった。六週間の間に、一回につき一時間半のセッションを系統的に六回行なっただけである。セッションの内容は、(1)悪性黒色腫に関する説明と食事についての基本的なアドバイス、(2)ストレスを管理するテクニック、(3)全般的な対処姿勢の強化、(4)研究スタッフおよびグループの他のメンバーからの精神的支援だった」。六年後、セッションを受けなかった対照群では三四人中一〇人が死亡し、他にも三人が再発していた。実験群では、死亡したのは三四人中三人だけ、再発していたのは四人だった。[*4] この結果が出る前に行なった調査でも、実験群の患者には免疫機能の向上が見られていた。[*5]

悪性黒色腫やそれ以外のがんにかかった患者が、自分をよく理解し、より自分を受け容れ自己主張するような対処姿勢を身につけるよう指導されれば、がんのプロセスを逆転させることができるのは理にかなったことである。五〇歳の文筆家ハリエットは、右脚の向こう脛《ずね》にできた悪性黒色腫がなくなったのは、集中的な心理療法を含めて自分なりにがんと戦う決意をしたおかげだと信じている。

「医者のことはあまり信用していませんでした。だから自分で調べて、メキシコのティファナにあるこの代替医療のクリニックを見つけたんです。そこは悪性黒色腫をからだ全体の問題ととらえて治療する方針で、初めて私の気に入ったやり方が見つかった感じでした。脚を手術してそれっきりというのは間違っていると思っていましたから。それで、メキシコに行っていろいろな治療を受けました。最初のうちは毎月通っていましたが、それが三カ月おき、半年おきになって……。だんだん自分のやっているワクチンの接種、食事療法、強壮薬、それに薬草のペーストを脚に塗って焼くというものまで。最初のうちは毎月通っていましたが、それが三カ月おき、半年おきになって……。だんだん自分のやっていることがどこか間違っているような気がしてきたんです。第一に、カナダにかかりつけの医者がいないこと。私は医者の権威みたいなものに抵抗があったんですけど、でもメキシコで医者の治療を受けているじゃないか、と思ったわけです。

そんなわけで、せめてかかりつけの医者を自分の国で持つべきではないかと思ったんです。あなたと会ったのはちょうどそのころですね。初対面だったのに、私が悪性黒色腫の話を始めたら、『悪性黒色腫の患者には精神的な側面があることをご存知ですか?』とおっしゃいましたね。誰からもそんな話を聞いたことはありませんでしたが、あなたにそう言われて腑に落ちるところがあったんです。それからあなたは、手術を受けたほうがいいから手配しましょう、ただし私が自分の気持ちに気づいていないことや、それ以外の問題についてもきちんと対処しないかぎり、手術そのものの効果は期待できません、とおっしゃいましたね。

それで私は半年間セラピーを受けたわけです。非常に集中的なセラピーでした。それから手術を受けました。形成外科医は私を診てびっくりしていました。最初の生検では侵襲性の悪性黒色腫がかなり進行していて、厚みもかなりあったそうです。だから治癒は難しいだろうと思っていたらしい。ところが手術してみたら、組織に色素が沈着しているだけで、がんではなくなっていたんです」

この変化がメキシコでの治療のせいなのか、それともサイコセラピーのせいなのか、私にはわからない。メキシコでの治療の詳細は聞いていないが、免疫系を活性化するためのＢＣＧワクチンの接種も含まれていたらしい――この治療が悪性黒色腫に効果があったという報告はいくつかある。ハリエットは全部がうまく組み合わさったからだと信じている。「確かにメキシコの治療も効いたんだと思います。でもチクチクする感じが残っていたので、まだ何かあるはずだと思っていたんです――皮膚の下でチクチクして、皮膚を黒くする何かが」

「セラピーでは何がわかりましたか？」

「そもそもの始まりまで戻る必要がありました。私はまだよちよち歩きのころに母を亡くしているんです。私は三人姉妹の真ん中で、姉が四歳、私たち下のふたりはまだおむつをしていました。妹はまだ八カ月で、よく疝痛を起こしていたそうです。三人ともあまりかまってもらえなかったけど、少しだけ残っていた親からの気遣いも全部妹に持っていかれたんです。父は旅の多いセールスマンでしたから、私たちもあちこち渡り歩きました。母が亡くなって一年もしないうちに、父は母にそっくりな人と再婚しました。彼女はいわゆる〝邪悪な西の魔女〟〔訳註・映画『オズの魔法使い』に登場〕でした。彼女は彼女で問題を抱えていたんでしょうね。ずいぶんひどい仕打ちを受けました。しまいに私たちはフランス系の女子修道院に送り込まれたんですよ。

彼女は子供嫌いでした――一四人きょうだいの最年長で、弟や妹の世話を全部させられたんですって。家を出る日が待ちきれなかったそうです。成人後、彼女はコスタリカのカナダ大使館の秘書になりました。とても頭のいい人でしたが、三三歳でオールドミスになりかけていたんです。父のほうは母が死んだ年のうちにコスタリカ中の英語を話す女性に次々と結婚を申し込んでは、片っ端から断られていました。彼女だけがイエスと言ったんです。子供嫌いで、子供はいらなかったけど、悪魔と契約したわけです。父のほうはと言えば、再婚した最初の年、家にいたのはわずか五二日間だけ。母は三人のおチビさんと家に取り残されて、それが次々に伝染病にかかって隔離されたりして。確かに彼女も大変だったろうと思います。

私ね、フランスの詩を書き写して、彼女がバスルームでシャワーを浴びているときドアの外に置いておいたことがあるんです。彼女はそれについては見事なぐらい何も言いませんでした。受け取ったの一言も」

「つまりあなたは、彼女となんとか仲良くなろうとしたわけですね」

「ええ、うまくいきませんでしたが……姉と妹は彼女を怖がっていました。彼女は寝室にこもって鍵をかけ、私たちのことはメイドにまかせきり。私たちは何か用があると、三人でそうっと彼女の部屋の前まで行って呼びかけようとするんですが、二〇分ほど立っていても、三人のうちの誰も『ママ』と言う勇気がどうしても出なくて、結局すごすごと戻ってきたものでした。

何も頼んではいけない、という気がしていました。それが私の学んだこと。何かを必要だと思ったり、望んだり、頼んだりしてはいけないということを学んでしまったんです。与えられることはないんですから。思い切って頼んでも、馬鹿にされるだけでしたから。

私の最初の記憶のひとつは、三歳か四歳のころのもの——ドレスを着てひとりで座って、人形遊びをしていました。楽しく遊んではいたけど、自分は誰ともつながっていないと感じていました。そばには誰もいなかった。完全に私ひとり。それは安心な状況ではあっても、幸せとは程遠い感じでした。ただ自分を守ることができたというだけで」

「ひとりぼっちでいることで?」

「ええ、ひとりぼっちでいることで……そして誰ともつながっていないと思うことでね。

他にもいくつか断片的な思い出はあります。ずいぶん長い間、雲のようなものの中に寝転んでいるイメージが浮かんできたものです。私は雲のベッドに寝転んで、上には灰色の、色のない空が広がっている。そして太陽の光が一筋だけ私にあたっているのですが、それがとても冷たいんです。もう本当に、完全にひとりぼっちなんだってひしひしと感じました。太陽の光はたぶん愛を表わしているんでしょうけど、それさえもなかったということですね。そこで私はわかったんです——生きていくためには何も感じないようにしなくちゃいけないんだ、と」

このような体験——あるいはそこから引き出した結論——のせいで、ハリエットは孤立した人生を送るようになり、人とつきあうことがあっても、その関係に温かく包まれるというよりは、むしろ消耗させられるように感じていたのである。ハリエットが受けた集中的なセラピーは、彼女の〝感情コンピテンス〟を高めることを目的としていた。感情コンピテンスとは、周囲の人間とつきあううえで自分のことは自分で責任をとり、無闇に人の犠牲になったり自分を傷つけたりしないための能力である（第3章参照）。生きていくうえで避けることのできないストレスに対処し、無用なストレスを避け、治癒のプロセスを進めるためには、心の拠り所としてこの能力を持つ必要がある。大人になるまでに多少なりとも完全に近い感情コンピテンスを獲得できる人はほとんどいない。だからその能力がないからといって、自分を責めることはない。もっと成長し、変わる必要があるとわかればいいのだ。

これから説明する「治癒のための七つのA」を追求することは、私たちが感情コンピテンスを身につけるうえで大いに役立つはずである。

1　アクセプタンス（Acceptance）——受容

受容とは物事をありのままに認め、受け容れることである。より深く理解するためには、あえてネガティブな思考をする勇気も必要だが、それによって将来の生き方を限定してはいけない。受容とは、困難な状態が続くのを我慢することではない。いま目の前にある事実を否定してはいけないということだ。自分は完全になる価値がない、それほど「いい」人間ではないという深く刻まれた思い込みを、本当にそうなのかと見つめなおすことである。

受容とは、自分に思いやりを持つことでもある。この本でも多くの例を見てきたが、人とつきあううえで自分にだけ厳しい基準を設けることはやめなければならない。

私は開業医としてたくさんの人の苦しみを見てきた。いちばん苦しんだ人を選ぶなどということはまったく無意味である。だがどうしても、ということになれば、私はある人を思い浮かべる。彼女の話はこれまでどの章にも出てこなかった。ほとんどすべての章にあてはまるからだ。ここでは仮にコリーンと呼ぶことにしよう。五〇代初めの女性である。彼女がかかった病気をあげてみる。インシュリン非依存型糖尿病、病的肥満、過敏性大腸症候群、うつ病、二度の心臓発作を含む冠動脈疾患、高血圧、狼瘡《ろうそう》、線維筋痛症、喘息、そして――いちばん最近では、腸がん。コリーンは言っている。「薬が多すぎて、朝ごはんはいらないくらい。これだけの錠剤を飲まなきゃいけないんですからね。朝の分だけで一三錠もあるのよ」

　私は二〇年もコリーンのホームドクターを務めてきた。私が学んだことのほとんどは、コリーンや彼女と同じように私に話を聞かせてくれた多くの患者の皆さんから学んだものである。コリーンは子供のころ、ありとあらゆる方法で彼女の心の境界を侵害されていた。大人になってからは、夫や子供やきょうだいや友人にとどまらず、家に押しかけるあらゆる人々の世話を引き受けてきた。彼女はごく最近までノーと言うことができなかった。病気でぼろぼろになり、スクーターに乗らなければ動き回れない状態になった今でも、ノーと言うたびにつらい思いをしているらしい。

「自分が大きなぶよぶよした物のような気がします。形なんかないんです。じつは私は人のオーラを見ることができるんですが、私のオーラは黒と灰色で、はっきりした輪郭がありません。霧に包まれた人を見るような感じです。輪郭の一部分は見えるけど、全体はわからないという感じ」

「自分の境界をきちんと築いていない人に会ったとして、あなたはその人を『大きなぶよぶよ』なんて言いますか?」

「いいえ、知り合いに太った人は何人かいるけど、ぶよぶよなんて言いません。私が感じている、私という人間のイメージがぶよぶよなんです。私の精神はゼリーみたいなんですよ」

「それじゃ、今、私と話しているのは誰ですか？　その『大きなぶよぶよ』ですか？　その中に実体のある人間がいるんじゃありませんか？」

「ほんの少しはね。一〇〇パーセントいないとは言えません」

「だったら、その『ほんの少し』を見てみましょうよ」

「その『ほんの少し』の部分は自分で主導権を持ちたいと思っています。彼女の同意なしで人があれこれ決めてしまうのは嫌だと思っているんです」

「ご自分について言えることで、もっと他に何かありますか？　どんな価値観をお持ちですか？」

「いろんな相手とやたらにセックスしないこと。人を騙したり、嘘をついたりしないこと、法律を守ること、そして、人に対しては自分の最善を出そうとしていること」

「それは単にあなたがノーと言う方法を知らないからですか、それとも心から相手のことを思っているから？」

「両方です。相手を思う気持ちのほうが大きいですね」

「それならどうして、自分のことを『大きなぶよぶよ』なんて言うんですか？」

「だって母にノーと言おうとすると、私はゼリーみたいになってしまうんです。二、三日前にも『ノー、今じゃなくて夏に来たほうがいいわ』と言いたかったのに、母には言えませんでした。自分で決めたくなかったんです」

「そういうことを決められない人がいたら、あなたは何と言ってあげますか？」

「自分の言いたいことをお母さんに言えないのねって……そして、もっと強くなりなさい、って」

「その人には言わないにしても、あなたはその人のことをどう思いますか?」

「自己主張して拒絶されることを怖がっていると思うでしょうね」

「あなた自身に関してそういう考え方ができないのは、人には無条件に与えている思いやりを、ご自分にだけは与えていないということですよ。言い方を知らなければどうがんばってもノーとは言えません。でも、少なくとも、ノーと言うことができない人間に思いやりを持つことはできるはずです。

あなたが自分に課している束縛はどんなものか見てみましょう。あなたはノーと言う方法を知らない。もう一方では、ノーと言えない自分を責めている。しまいには自分のことを『大きなぶよぶよ』なんて言う。思いやりをもって自分を見つめれば、他の人と同じだとわかるはずです――怖がっているんだということが。そう言って批判するのではなく、思いやりの目で見るんです――この人は本当に怖がっているんだ、と。この人は本当に傷ついているんだ、と。彼女は――つまり私は――ノーと言えなくて苦労している。そんなことをすれば、相手から拒絶されることを恐れているからだ、と。

人に無理やりノーと言わせることができないのと同じで、自分にもそれを無理強いすることはできません。でも、そんな自分に思いやりを持つことはできます」

「他の人になら、ノーと言ってごらんなさいと手を握って励ますこともできるけど――自分にはできません」

「そしてその人がノーと言えなくても、あなたはその人を受け容れるでしょう。きっとこう言うはずですよ。『あなたにとってこれが難しいことなのはよくわかってる――まだ心の準備ができてないのよね』って」

「でも、自分に対してはできない――自分が相手だと腹を立ててしまいます」

「あなたにいちばん大切なのは、自分に思いやりを持つことだと思いますよ。がんばってやってみてください」

「そうすればエネルギーを取り戻すことができるかしら？　今は全然ないような気がするけど」

「あなたはエネルギーのほとんどを、人の面倒をみることに使いきっているんです。そして残った少しばかりのエネルギーも、大部分は自分を責めることに使っている。それだけご自分に厳しくしていれば、そっちにずいぶんエネルギーをとられていますよ。

あなたが医学的に深刻な問題をいくつも抱えているのは客観的な事実です。あなたのからだは危険な状態だ――これは間違いありません。この先どうなるかはわからない。でも全体的な状況から見て、あなたがご自分に思いやりをもって接するほど、回復の可能性を高めることになります」

自分自身に対して興味と思いやりを持つことは、自分の中に発見したすべてを好きになることではない。何かに苦しみ、助けを必要としている他者に与えるのと同じだけの、無条件の思いやりを持って自分を見つめるだけでいいのである。

2　アウェアネス（Awareness）――気づき

治癒したい――あるいは健康を保ちたい――と思う人はすべて、失ってしまった「真実を知る力」を取り戻さなければならない。それについては神経学者オリバー・サックスの『妻を帽子とまちがえた男』を読むとよくわかるだろう。この本には、失語症患者たちが当時の大統領ロナルド・レーガンの演説をテレビで見たときの反応を記したくだりがある。

失語症（aphasia）とはギリシア語の［a］（〜ない）と［pha］（話す）からできた言葉で、話す能力あるいは話された言葉を理解する能力が欠けた状態である。たとえば脳卒中などで脳の一部が損傷されたときに起こる。「テレビでは、おなじみの元俳優の大統領が、たくみな言いまわしと芝居がかった仕草で、思い入れたっぷりに演説していた。患者たちはみな大笑いしていた。もっとも、全員というわけではなかった。当惑の表情をうかべている者もいたし、憤慨している者もいた。けげんそうな顔をしている者も一人二人いたが、ほとんどの患者は面白がっているようだった。大統領はいつものように感動的に話していた。そう、患者たちにとってはふきだすほど感動的だったのだ。彼らはいったい何を考えていたのだろう。大統領の言うことがわからなかったのだろうか。それともわかりすぎていたのだろうか[*6]」

この失語症患者たちは、レーガンが無意識に表現していた「レベル2の感情」（第13章参照）——つまり、声の調子、ジェスチャー、顔の表情——に反応していたのである。彼らはレーガンの感情が口に出されたメッセージと食い違っていることに気づいていた。言い換えればこの患者たちは、レーガンが意識してそうしていたかどうかは別としても、彼の演説に偽りがあることを見抜いていたのだ。彼らはレーガンの感情の真実を読み取ったのである。レーガンが自分の心にうまく植えつけた言葉の上の真実、彼と同じように心を閉ざした人間にはうまく伝えることのできる言葉の上の真実ではなく。サックスの患者のひとりは「彼は頭がおかしくなったか、なにか隠し事があるんだよ」と言っていた。

レーガンの伝記作家が、彼は言っていることとは反対のことを感じている、と評した言葉が思い出される。

人間の子供や動物には、本当の気持ちを表わす手がかりを敏感に感じとる能力がある。言語を習得することでその能力が失われるとすれば、それは私たちが日頃接している周囲の人間から混乱したメッセージを受け取っているからに違いない。聞こえてくる言葉はあるメッセージを伝えているのに、感情を示す手がかりは別のメッセージを伝えている。そのふたつが相反するものだと、一方は抑えつけられる。斜視の子供の場合、物が二重に見えるのを防ぐために脳が一方の目からの映像を抑えつけるのと同じことである。矯正しないままだと、いつも抑えつけられているほうの目は見えなくなってしまう。私たちは自分にとって大切な人との戦いを避けるために、感情を理解する力を押さえつけてしまう。それがおそらく勝てる見込みのない戦いだとわかっているからである。こうして私たちは、言葉を理解する力は身につけたとしても感情コンピテンスを失ってしまうのである。失語症患者の場合、どうやらこの逆のプロセスが働くらしい。目の見えない人の聴力が素晴らしく発達するように、失語症患者は感情の真実を読み取る力が高まるのである。

「大部分の人は、たとえ相手の表情や声の調子に明らかに偽りだと感じさせるものがあっても、そうした手がかりから嘘を見抜くことがなかなかできない。言葉を理解できない人々のほうが、隠された感情を見抜くことに優れている」と、『ネイチャー』誌二〇〇〇年五月号で精神医学者の研究グループが報告している。

完全な気づきとは、失っていた「感情の真実」を見抜く力を回復し、自分は人生の真実を直視するほど強くないと思い込み、立ちすくんでいる状態から脱することである。それは簡単にできることではない。目の見えない人は見える人よりも音に対する注意力を高める。失語症患者は、言葉を認識する脳の部分がメッセージの内容を教えてくれないから、言葉に対して自分の内側から出てくる反応に注意を向けるようになる。そうした内側から出てくる反応つまり直感を、私たちは「成長」するにつれて失ってしまうのである。

もちろん、感情を見抜く力を取り戻すために言葉を話す能力を失う必要はない。だが「気づく力」を高めるためには訓練が必要である。つねに自分の内側の状態に注意を向け、言葉――自分の言葉にしても他の誰の言葉にしても――が伝えるものよりも自分の内側で感じたことを信用するようにならなければならない。声の調子はどうだろう？　声の高さは？　目は細められているか、大きく開かれているか？　この笑顔はリラックスしているか、それとも緊張が感じられるだろうか？　私はどう感じる？　その感じを私はどこで感じている？

気づくこととは、自分のからだの中に現れるストレスの兆候を知ること、心が手がかりを見逃したとき、からだはどうやってそれを伝えてくれるかを知ることでもある。意識的な知覚や目に見える行動よりも生理的な反応のほうが本当に感じていることを雄弁に語ることは、人間および動物を対象とした多くの実験が証明している。「ストレスを判定するには知性より下垂体のほうがはるかに優れている」とハンス・セリエは書いている。「しかし何を探すべきかがわかっていれば、危険な兆候に気づくことはかなりうまくできるようになる」

セリエは『現代社会とストレス』の中で危険を知らせる生理学的な兆候を列挙している。身体的な兆候としては、心臓の鼓動の高まり、疲労感、発汗、頻尿、頭痛、腰痛、下痢、のどの渇きが、心理的な兆候としては、心理的緊張すなわち過剰な警戒心、不安、生きる喜びの喪失が、そして行動面での兆候としてはふだんより衝動的であること、怒りっぽいこと、過剰反応をすることがあげられている。私たちはそうした兆候を克服すべき問題としてではなく、注意を払うべきメッセージとして受け取ればいいのである。

3　アンガー（Anger）——怒り

「けっして怒ったりなんかしないさ。そのかわり、がんになるよ」と、ウディ・アレンがある映画で演じた人物は言っていた。この滑稽なせりふにこめられた真実を、がん患者に関する数多くの研究が裏づけていることはこの本でも嫌というほど見てきた。怒りの抑圧はさまざまな疾患の大きなリスク要因であること、それは怒りを抑圧することでその人の生理的なストレスが増すためであることもわかった。

だがそれだけではない。怒りを怒りとして感じることは治癒を促す、あるいは少なくとも生存期間を延ばすことが証明されているのである。怒りをたとえば医師に向かって奮い起こすことのできるがん患者は、従順な患者よりも生存期間が長かったのだ。動物実験では、怒りを抑えつけるより表に出したほうが生理的ストレスが少ないことがわかっている。ラットをひとつのおりに入れた場合、他のラットに対して攻撃的なラットほど腫瘍の成長が遅かったのである。

実験のことは別にしても、この本の中でインタビューした人はどんな病気、どんな症状の人も一様に、怒りを表明するのは難しいと認めていた。「養母の育て方のせいかもしれませんが、私は怒ってはいけないと思い込んでいたのです」と慢性関節リウマチのシズコは言っていた。ひどい腹痛に苦しむマグダは、「私は怒りの本能を抑えつけていました」と言っていた。

だが怒りの問題には複雑な一面があり、それについて考えようとすると多くの疑問が浮かんでくる。子供が親の怒りの爆発に脅えることがわかっているのに、親に怒れと言っていいものだろうか。これまで見てきた多くの患者はそのパターンだった。怒りを爆発させる親と、抑圧された子供というパターンである。マグダの父親は怒りを抑えつけるべきだったのだろうか？ 「父が声を荒げたときのことをひとつひとつ考え続けました」。弟のジミーを悪性黒色腫で亡くしたドナは言っていた。「父の怒鳴り声やわめき声を思い出して、そして思ったんです。こんな生活は間違っているって。こんな経験をさせられたのはひどいことだって」

表面的に見れば矛盾しているように見える。怒りを表に出すのが「いいこと」なら、マグダの父親やジミーとドナの父親は健康にいい行動をしていただけということになる。だが彼らの怒りは子供たちの自己イメージと健康をむしばんだ。怒りの抑圧は悪い結果をもたらすかもしれないが、他者を傷つけることがわかっていても怒りを表に出せと勧めるべきなのだろうか？

わからないことはまだある。怒りの暴発はそれを受けた側に害を及ぼすだけでなく、怒った側にも致命的な打撃を与えることがあるのだ。怒りを爆発させたことで心臓発作を起こすこともある。一般に高血圧と心臓病は攻撃的な人に多い。二〇〇〇年にボルティモアのジョンズ・ホプキンズ大学医学部が二〇〇人近い男女を対象に行なった調査によれば、攻撃性と権力衝動は「どちらも単独で冠動脈疾患の著しいリスク要因」[*7]だった。これほど広範な研究が、攻撃性と高血圧および冠動脈疾患との関連を指摘しているのである。

今では簡単に推測できることだが、激しい怒りと心臓血管系の疾患とを結びつけるのも精神・神経・免疫・内分泌系の作用である。怒りを感じると交感神経系が活性化される。交感神経系の「闘争か逃走」機能が活性化しすぎると、血管の収縮、血圧の上昇、心臓への血液供給の減少が起こる。怒りに伴うストレス反応で分泌されるホルモンは、血漿《けっしょう》コレステロールなど血液中の脂質を増加させる。それらのホルモンは凝固作用も促進するので、動脈の血流が阻害されるリスクはいっそう高まる。

「心臓がこんな状態になったのは、遺伝もあるだろうが、我を忘れるほどの怒りのせいに違いないと思う」とジャーナリストのランス・モローは心臓疾患についての手記に記している。長じてからのモローに心臓発作をもたらした我を忘れるほどの怒りとは、彼が幼少時の家庭生活のせいで抑圧することを学んだ怒りが、ついに爆発したものである。

怒りにまつわるこの矛盾をどう解決したらいいのだろう？　怒りを表面に出すことも抑えつけることも有害なら、治癒と健康を手に入れるために私たちは何をしたらいいのだろう？

怒りの抑圧も暴発も、感情の異常な放出であることにかわりはない。それこそが病気の元なのだ。抑圧とは放出が欠けていることだと考えれば、暴発とは放出を抑制する機能が異常をきたし、放出が過度に行なわれることに他ならない。この正反対とも思われるふたつの対処パターンについて、私はトロントの医師で心理セラピストのアレン・カルピンとの会話から多くを学んだ。彼は怒りの抑圧も暴発も、本当の怒りを感じることを恐れる気持ちがもたらすと言っている。

私はカルピンの「本当の怒り」という表現に意表を突かれたが、同時にそのとおりだとも思った。彼の説明を聞いて、私は世間一般が怒りについて抱いているイメージのあいまいさに気づいたのである。健全な怒りは私たちに力と安らぎを与えてくれる、とカルピンは言う。本当の怒りを感じることは「表面化しない生理的な体験だ。この体験は体内をめぐる力の高まりの一部であり、攻撃のために動員される力とは別だ。この体験と同時に、あらゆる不安は完全に消滅する。

本当の怒りを体験するとき、劇的なことは何も起こらない。ただすべての筋肉の緊張がゆるむだけだ。あごの力が抜けて口は大きく開く。声帯から力が抜けて声の音程が低くなる。肩が下がり、全身の筋肉がほぐれるのを感じる」

カルピン博士のセラピーの手法は、モントリオールにあるマッギル大学のハビブ・ダヴァンルー博士が考案した手法を踏襲している。ダヴァンルー博士はセラピーを受ける患者をビデオ撮影し、自分の感情がからだにどう表現されているかを患者自身が見られるようにしていた。カルピンもときどきセラピーの様子をビデオにとる。

「あるビデオの中で、患者は強力な電流がからだ中をかけめぐっていると語った——彼はまるで体内で本当にそれが起こっているかのように話したよ。しかし外から見たかぎりでは、ただそこに座って話しているだけなんだ。音を消して映像だけ見たら、リラックスした様子で何かに集中している人が見えるだけで、その人が怒っているとは夢にも思わないだろう」

怒りが安らぎなら、爆発的な怒りとはなんだろう。怒りを爆発させているとき、その人の顔はこわばり、筋肉は緊張してとてもリラックスしているようには見えないだろう。カルピン博士はこの点を明確に区別している。「問題は、怒りを爆発させているとき、その人は本当は何を体験しているかということだ。この質問はぜひしてみたいね。実際に訊いてみたら、ほとんどの人は不安を語るだろう。怒りを爆発させているとき、からだに何が起こっているかとたずねたら、ほとんどの人は何らかの不安を描写するはずだ」

「確かにそうだね」と私は言った。「声が固くなり、呼吸が浅くなり、筋肉が緊張するのは怒りではなく不安の表われだ」

「そのとおり。彼らの怒りは生理的な体験ではなく、表面だけだ」

子供の中では常に怒りと不安が結びついていて、怒りを爆発させるという行為はその不安に対する防衛である。怒りは不安を呼び起こす。なぜなら怒りは、ポジティブな感情や愛情やふれあいへの欲求があるところに存在するからである。しかし怒りは攻撃的なエネルギーをもたらすがゆえに、愛する人との結びつきを脅《おびや》かす。したがって、たとえ外部から親が怒りを表面に出すことを制止しなかったとしても、そもそも〝怒りの体験〟には不安をかきたてる側面があるのだ。「攻撃的な衝動は罪悪感によって抑制される。罪悪感は、同時に愛やポジティブな感情があってこそ生まれるものだ」とカルピンは言う。「だから、何もない空白に怒りだけが単独で存在するわけではない。愛する誰かに攻撃的な気持ちを抱けば、どうしても不安や罪悪感が生まれるものだ」

親が子供の怒りの表現を妨げたり禁止したりすればするほど、当然、その体験によって怒りはより大きな不安をもたらすようになる。怒りを完全に抑え込んだり、抑えに抑えた怒りを爆発させたりする人はみな、子供のころ親に子供らしい自然な怒りを受け容れてもらえなかったのである。

自分の中に湧きあがる攻撃的な衝動を無意識に恐れる人は、さまざまな防衛法をとる。そのひとつは〝放出〟である。これは、自分の中に蓄積した怒りに耐え切れなくなり、何らかの行動をとることで処理した子供時代に逆戻りすることである。「怒りを行動化すること、つまり怒鳴ったり、金切り声をあげたり、殴りかかったりすることはいずれも、怒りを実感しないための防衛策なのだ。怒りを自分の内にとどめて実感するのを避けるための。放出とは、真に怒りを体験することから自分を守るための行為なのだ」

怒りを実感しないための、もうひとつの防衛法は抑圧である。つまり、放出と抑圧はひとつのコインの裏と表なのだ。どちらも恐怖と不安の表われであり、したがってどちらも生理的なストレス反応を引き起こすのである。このとき、私たちが意識的に何を感じているか、あるいは何を感じていないかは関係ない。

愛する相手に怒りを覚えたとき、どうしていいかわからずに立ちすくんでしまう。これは私がインタビューした多くの人に見られることである。一一歳のとき、みだらなことをされた事実を両親に告げることができなかったジーンは、自分の怒りを認めず、両親との関係は理想的だったと思い込んでいる。彼女の夫エドは、妻の態度を押しつけがましいと思い恨みをつのらせていたのに、それを率直な怒りそのものの形では表現できていない。卵巣がんのジルは、医師が診断に手間どったことには腹を立てても、何カ月もの間彼女の苦痛と体重の減少に無頓着だった夫のクリスには怒りを感じていない。潰瘍性大腸炎のレスリーは、最初の妻に対する怒りを「飲み込んでいた」。「怒るなんて問題外でした。喧嘩するわけにはいきませんでした。そんなことをすれば彼女は、『ほらね、この結婚は失敗だったのよ』と言うんですから」。レスリーは今、怒っても壊れる心配のない新しい結婚生活を築くことができ、とても喜んでいる。

怒りや、悲しみ、拒絶などの「ネガティブ」な感情に対する不安は、からだの奥深くに刻み込まれる。そしてついには、心とからだをつなぐ中枢である精神・神経・免疫・内分泌系による多様で非常に精緻な作用によって生理的な変化をもたらす。これが病気につながるのである。怒りが鎮まれば、免疫系の活動も鎮まる。反対に怒りが内側に向かえば、免疫系は混乱する。生理的な防衛機能は私たちを守ってくれなくなるばかりか、反乱を起こして私たちのからだを攻撃することになる。

「がんは、疾患というより体内の生化学的な信号の混乱ととらえるほうが有益だろう」とサイコセラピストのルイス・オーモントは書いている。彼はがん患者を対象に、怒りを利用したグループセラピーを行なっている。「混乱した信号を元に戻すというのは、免疫系の防衛機能に刺激を与えることだ。だとすれば、身体的な健康を取り戻すための治療はすべて、身体的な手段だけでは足りないことになる。からだの生化学的な作用には感情が大きく影響するのだから、免疫療法のひとつとしてサイコセラピーが行なわれてしかるべきである」[*8]

がん、自己免疫疾患、慢性疲労、結合組織炎、衰弱性の神経疾患などと診断された患者は、リラックスしなさい、ポジティブな考え方をしなさい、ストレスを減らしなさいと言われることが多い。どれも有益なアドバイスである。しかしストレスの主な原因がわかっておらず、処理されないままでは――つまり怒りが内向したままでは――実行は不可能だ。

怒りに攻撃的な行動は必要ない。怒りは第一に生理的なプロセスである。そして第二に、認知を助けるものである。つまり、怒りは重要な情報をもたらすということだ。怒りは何もないところには存在しないのだから、怒りを感じるということは何かを知覚したうえでの反応である。それは人間関係のうえでの喪失感、あるいは喪失するかもしれないという不安に対する反応かもしれないし、あるいは自分の境界を侵害された、あるいは侵害されるかもしれないという恐怖に対する反応かもしれない。そうした怒りをしっかりと実感し、怒りをもたらしたのは何かをよく考えることができれば、誰も傷つけることなく大きな力を手にすることができる。場合によっては、何らかの方法でその怒りを表面に出してもいいし、そのまま忘れてしまってもいい。大切なのは、怒りを感じることを無理に抑えつけないことなのだ。必要に応じて怒りを言葉や行動で表わしてもいい。しかし衝動に駆られて怒りを爆発させる必要はないのである。健全な怒りを体験するには、感情を野放しにするのではなく自分が主導権を持つことが必要なのだ。

「怒りとは、幼い子供が自分のために一歩進み出て『自分は大切な存在だ』と宣言するために母なる自然が与えてくれたエネルギーである」と、ブリティッシュコロンビア州ガブリオラ島でワークショップを開いているセラピストのジョアン・ピーターソンは言う。「健全な怒りのエネルギーと、感情的および身体的な暴力という有害なエネルギーとの違いは、健全な怒りは境界を尊重するという点である。自分のために一歩進み出ることは、けっして他者の境界を侵害することではない」

4　オートノミー（Autonomy）——自律

病気にはそれがたどった歴史があるが、それだけでなく、病気は歴史を語るものでもある。病気は生涯を通しての、自己を確立するための戦いの果てに現れるものなのだ。

単純な生物学的視点に立てば、自然の究極の目的は生物が生存することのように思われる。しかし自然はさらに高度な目的として、自律と自己調整のできる精神の存在をめざしているのではないだろうか。肉体がひどく傷ついても精神と魂は生き続けることができるが、精神の健康と自由が損なわれると肉体も同様に傷つく例はしばしば見られる。

ジェイソンは五歳のころからインシュリン依存型の糖尿病をわずらっている。「糖尿病（diabetes mellitus）」というのはギリシア語起源の言葉で「甘い尿」という意味である。血中の余分な糖分が腎臓でろ過され、尿とともに排出される病気だからだ。糖尿病患者の場合、膵臓の腺細胞が十分な量のインシュリンを作ることができない。インシュリンは消化した食物の糖分を細胞に取り込む働きを助けるホルモンである。糖尿病は血糖値の上昇による直接的な危険をもたらすほかにも、からだのさまざまな器官に影響を与える。

現在二三歳のジェイソンは、糖尿病が原因の血管損傷のため右目を失明している。心筋の衰え、心臓弁の閉鎖不全、腎臓の機能障害もある。糖尿病性神経障害と呼ばれる一時的な神経の炎症で、歩行が困難になることもある。ジェイソンと母親のヘザーは私の十年来の患者だった。ジェイソンはこの一年の間、心臓の機能不全や髄膜炎を含むいろいろな症状のために、何度も救急病院にかつぎこまれている。この先長くは生きられないかもしれない。担当の内科専門医によると、彼の今後は「予断を許さない」らしい。

母親のヘザーは常に不安を抱えて消耗しきっているが、その気持ちにはいくぶん憤慨も混じっている。それはヘザーに言わせれば、ジェイソンが食事に気を配ったり、インシュリンの低下に気をつけたり、予約どおり病院に行ったり、健康的な生活を送ったりしない、要するに頑固なまでに自分のからだを大切にしないせいである。もちろん母親として心配するのは無理もない。彼女が面倒を見なければジェイソンは悪化するという状態が、これまでずっと続いてきたのだ。彼女が一日たりとも気を抜けばジェイソンは昏睡に陥り、ひょっとすればもっと悪い結果を招くかもしれない、という暮らしを何年も続けてきたのである。

ジェイソンがいちばん最近入院したのは、嘔吐の発作が数週間続いて体力が衰え、脱水症状とけいれんを起こしたからだった。ヘザーがベッドのわきに付き添っていたとき、ジェイソンはまた発作を起こした。ヘザーは言う。「看護師と研修医と専門医の人たちが次々に駆けつけてくれました。ジェイソンは白目をむいて、手足は震えていました。点滴で薬を入れているとき、あの子は起き上がって目をあけ、まっすぐ私を見ました。そして大声で、『僕を行かせてくれ』と言ったんです。でもそんなことは許しません。息子を死なせるわけにはいきません」

ジェイソンはその出来事を憶えていない。「何もわからなくなっていたんだと思います」と彼は言う。

「どういうつもりで言ったのかわかりませんか?」

「最初に思い浮かぶのは、ふつう使う意味での『行かせてくれ（let me go）』ということですね。死なせてくれという意味ではなく、『そんなに僕を押さえつけないでくれ、放っておいてくれ、やりたいようにやらせてくれ』ということだったと思います。僕は人生のほとんどを糖尿病を抱えて、人にあれこれ指図されて過ごしてきましたから」

ヘザーがどんな動機からそんな態度をとってきたか、またジェイソンがどれくらい意図的に、母親がそうするよう仕向けてきたかはわからない。だがひとことで言えば、ジェイソンには自律性が欠けているのだ。彼には、はっきり自己主張する能力が欠けている。自分のことは自分で決めたいという切なる願いと母親に対する怒りが、抵抗——自分の肉体的な健康に対する抵抗も含めて——という形をとっていたのである。ジェイソンは母親に言った。「いつも息がつまりそうだった。僕が何をやっても、間違っていると言われそうで。『行かせてくれ』と言ったのは『引っ込んでいてくれ。僕の生きたいように生きさせてくれ』という意味だったと思う。自分の好きなように生きれば、もちろん間違いもするだろうけど——それは誰でもすることだ。僕は今までずっと、間違いをする自由もなかったんだよ」

ジェイソンとヘザーの話から、そしてこの本に出てきた人々の話やさまざまな研究から、学ぶことがひとつあるとすれば、それは自分の境界があいまいになるのは大変つらいということである。何から何まで面倒を見なければならない子供のように扱うことで、ヘザーはジェイソンが本当の人格を育てることを妨げていた。ジェイソンはジェイソンで子供のように反応することで、自分の成長を妨げていたのである。

結局のところ、病気そのものも境界の問題に行き着くのかもしれない。病気になりやすいタイプを予測する研究を見ると、いちばんリスクが高いのは、自律性をもった自己意識がまだ確立できていない時期に境界を侵害された人なのである。一九九八年、『アメリカ予防医学会報』に「子供時代の有害な体験」についての研究結果が掲載された。調査の対象は九五〇〇人以上の成人男女である。論文によれば、子供時代に存在した精神的あるいは性的な虐待、暴力、家族の薬物使用や精神疾患などのストレス要因と、大人になってからの病気のリスクを高める行動や、健康状態や死との間には相関関係があった。育てられた家庭の機能不全と大人になってからの健康状態との間には「非常に強い相関関係」があった。つまり、幼少時の家庭の機能不全が深刻であればあるほど、大人になってからの健康状態も悪く、最終的にがんや心臓疾患や怪我などの原因で死亡する率が高いのである。[*9]

子供の境界が侵害されるということはあまりない。そもそも境界がまだ確立されていないからである。ただ、自分が成長期に境界を確立できなかったがゆえに、子供が境界を確立するのを後押しできない親が多い。自分が知らないことはできないのである。

自分と親との間に明確な境界を築いていないと、子供は親と一体化した関係を脱することができない。そのまま放置すれば、他の人間関係を築くうえでも同じパターンをなぞることになる。親との一体化――マイケル・カー博士の言葉を使えば「差異化の欠如」（第14章参照）――が、その後の周囲の人間との接し方を決定する。それはふたつの形をとって表われ、ジェイソンのように内にこもり、不機嫌になって自滅的な抵抗をするという形をとることもあれば、ヘザーのようにいつも人の面倒をみなければならないと思い込む形をとることもある。ふたつをあわせもち、接する相手によって使い分ける人もいる。疾患につながる免疫系の混乱は、自己と非自己とを区別できないことで起こるのだから、治癒と自律性をもった自己の確立あるいは再生とを切り離すことはできないのである。

「境界の確立と自律は、健康には不可欠よ」と、グループセラピーの指導者でもあるジョアン・ピーターソンは、最近ガブリオラ島で私とかわした会話で語っていた。彼女はホリスティックな治療と心の成長を謳う〝PDセミナー〟のリーダーである。「私たちはからだを通して人生を体験する。人生上の体験を明確に表現することができないときは、心と口が語れないことをからだが語ってくれるのよ」

ピーターソン博士は続けた。「個人の境界というのは、自分や他者のエネルギーを体験すること。オーラという言葉はニューエイジっぽいから使いたくないけど、でも私たちの皮膚の外側にはあるエネルギーが出ているの。私たちは境界を言葉で伝えるだけではなく、言葉を使わないエネルギーによる表現もあると思う」。ピーターソン博士はその著書『怒り、境界、安心感 *Anger, Boundaries, and Safety*』でこの考え方をさらに詳しく説明している。「境界は目には見えない。それは『私』というものを意識的に定義しようとするとき、心の内奥に生じる感覚である。このプロセスは『人生と人間関係に自分は何を求めているか、もっと欲しいものは何か、減らしたいものは何か、欲しくないものは何か、私が超えたくない限界はどこまでか』と自分に問うことから始まる（……）。こうして私たちは自分を定義しようとするなかで、今という特定の時に、自分の内奥にある中核に照らして、自分は人生において何に価値をおき、何を欲しているかを明確に知る。自分を支配する中核は自分自身の中にあるのだ」

要するに自律とは、私たちを支配するこの内奥の中核を成長させることなのである。

5　アタッチメント（Attachment）——ふれあい

ふれあいとは、私たちと他者との関係である。いちばん最初に経験するふれあいによって、私たちが率直に心を開くことができるかどうか、自分を大切に育てることができるかどうか、そして健康でいられるかどうかが決まる。幼少時のふれあいによって、私たちは怒りを感じることを学び、あるいはそれを恐れ抑圧することを学ぶ。幼少時のふれあいの中で、私たちは自律を育て、あるいは逆に自律を損なう。人との結びつきも治癒には不可欠である。人との接触がなく孤独な人が病気になるリスクが高いことは、多くの研究がくりかえし報告している。どんな病気にせよ、真の情緒的支援を得られる人は病後の経過がいい。

七一歳のデレクは一四年前に前立腺に小さなこぶが発見されて以来、毎年ＰＳＡ（前立腺特異抗原）検査を受けてきた。二年前、生検からがん細胞が見つかった。「がんの専門医は危険だと言って私を脅かしたよ。だから腫瘍を小さくするためのホルモン療法を半年間受けることにした。これを受ければテストステロン（男性ホルモン）は完全に死んでしまう。三カ月に一回は注射をしなくちゃいけなくなる。ホルモン療法が終わったら、今度は七週間放射線治療をすると言う。私は嫌だと言ったよ。放射線治療についてはいろいろ読んでいたから、そんなものはごめんだと思った。放射線治療や手術は一時的にはがんを抑えても、三年から五年の間には再発することが多いんだ。それに放射線はいろんなところを駄目にする……悪い細胞だけでなく、からだの中のいい細胞もたくさん殺してしまうからね」

「がんと診断されたときはどんなお気持ちでしたか？」

「そう、それが問題だった。誰にも言わなかったんだ。友達の誰にも言わなかった。妻とふたりの娘以外には秘密にしていたんだよ。

前は世捨て人みたいな生活をしていてね。ひとりでいるのが好きだった。今はとても社交的になったよ。大勢の人と一緒にいるほうが楽しい。でも前はそうじゃなかった。鍵つきの扉がある洞穴があれば、残りの人生はずっとそこで暮らしたいくらいだった。好みもまったく変わったよ。以前は蒸気機関車を組み立てるのが趣味だった。一日一六時間も作業場にこもってこつこつ組み立てていたものさ、それが至福の時だった。でもがんになってからは、もう二年も作業場に入ってない。

今はね、私の人生にはたくさんの人が必要だと思っているよ。がん患者はお互いに助け合っている。まさにそれが――がんについていろいろ話し合うことが必要なんだな。これから先は生きているかぎり、ずっと話し合いを続けるよ。それはしなくちゃいけないことだと思う」

「人間は――がんであろうとなかろうと――誰でも支えが必要で、意見を交換したり、困ったことを話し合ったりする必要があるんじゃないでしょうか？　あなたの場合、どうしてがんになるまでそのことがわからなかったんだと思います？」

「自分でも不思議だったよ。がんを告知された当初は自分のまわりに壁を作って、誰も入れようとしなかった。壁の中にいれば安心だと思っていたんだ。でもそれは間違いだった。私は一一カ月間というもの、がんとの闘いに全エネルギーを注ぎ込んだよ。そして、もうがんは消えたなと思ったとき、壁を取り払ったんだ。そして自分の体験を、つまり、がんだったけど治ったよという話を人にしはじめた。それを得意に思う気持ちがあったしね」

「つまり勝利をおさめたから人に話せるようになった、でもいちばん支えが必要な、闘いの最中には話せなかったということですね。どうして奥さんまで締め出したんですか？」

「妻が支えになるとは思ってもみなかった……それでも……彼女が支えてくれていたことはわかっているよ……でも自分の人生に彼女が入ってくるのは嫌だった。自分のまわりには壁があって、とにかく誰も入れたくなかったんだ」

私たちは、誰かとつながりたいという切実な思いより、敵意や激しい怒りを持つほうが簡単だと思うことがある。つながりたいという痛切な願いが満たされないのなら、どうせ怒りは生じるのだからと。あらゆる怒りの裏には、満たされない願い、誰かと本当に結びつきたいという願いがある。治癒には、心を閉ざす原因となった弱さをもう一度取り戻すことが必要であり、それを取り戻すことは治癒の一部でもある。私たちはもう人にたよるばかりの無力な子供ではない。もう心の弱さを恐れる必要はない。人間がお互いに抱く人とふれあいたいという気持ちを、素直に認めればいいのだ。長く病気に苦しむ多くの人が無意識に背負っている根深い思い込み、自分なんて愛されるはずがない、という思い込みを捨ててもいいのだ。ふれあいを求めることは治癒の必須条件なのである。

6　アサーション（Assertion）——主張

受容し、感情に気づき、怒りを実感し、自律性を育み、人とふれあう能力を大いに高めたなら、今度は〝主張〟の番である。主張とは自分と世間に向かって、「私はここにいる」「私はこういう人間だ」と宣言することである。

この本には、行動していないと空っぽな気がする、恐ろしく空虚な気持ちになると言う人が何人も出てきた。何かを恐れるあまり、忙しいこと、いつも行動していること、何かを達成することが自分の本質だと間違って思い込んでしまうのだ。自律あるいは自由とは、自分の望むように行動あるいは反応することだと私たちは思っている。だがみずから宣言するという意味での主張には、おのずと限度のある行動の自由よりも深い意味がある。それは私たちの経歴とも性格とも能力とも世間の評価とも関係のない、自己の存在そのものの表明、自分に対する肯定的な評価である。主張《アサーション》は、自分の存在を正当化しなければならないという心の奥の思い込みに、異を唱えるものである。

〝主張〟には行動も反応も必要ない。それは、行動とはかかわりなく、ただ存在することなのだ。

したがって、主張は行動の対極にあるといってもいい。したくないことを拒否するという狭い意味だけではなく、行動する必要そのものから解放されるという意味で。

7 アファーメイション（Affirmation）――肯定

肯定することは、前向きな姿勢の表明である。価値あるものに向かって進むことである。ここではふたつの基本的な価値について説明したい。このふたつを十分に尊重すれば、治癒と健康維持に大いに役立つはずである。

第一の価値は、創造性である。医師になってからというもの、私は仕事に忙殺され、自分自身と自分の心の底にある衝動に注意を向けることができなかった。だがごくまれに静かな時を過ごしていると、私はからだの奥でなにやらうごめくものを、ほとんど気づかないほどの胸騒ぎのようなものを感じたものだった。かすかなささやきは、「書くこと」と言っているように聞こえた。最初はそれが胸焼けなのかインスピレーションなのかわからなかった。しかし耳をすましていると、そのメッセージはしだいにはっきり聞こえるようになってきた。私は書く必要があった。人に聞いてもらうためだけではなく、自分で自分の言葉に耳をすますためにも、自分の思いを文字にする必要があったのである。

神はご自分に似せて人間を創造された、と私たちは教えられた。だから、人は誰でも創造への欲求を持つのだろう。創造性を発揮するにはいくつもの方法がある。文章、美術、音楽、仕事上の創意工夫、さらには料理、庭いじり、社交的な会話まで人それぞれに創造性を生かす道はある。大切なのは、やりたいという欲求を尊重することだ。それが自分にとっても人にとっても癒しになる。それをしなければ、からだも魂も萎えてしまう。書いていなかったころ、私は沈黙に耐えかねて息が詰まりそうだった。

「われわれの内にあるものは表出すべきである。そうしなければ不適切な場所で爆発し、あるいは欲求不満で身動きできなくなるかもしれない。偉大な芸術とは、自然がわれわれに用意してくれた特別な経路とスピードで、われわれの内にある生命力を表現することである」とハンス・セリエも書いている。

第二の大いなる肯定は、宇宙そのものの肯定——この世のすべてのものとつながることである。自分は孤立し、ひとりぼっちで誰ともつながっていないと決めてかかるのは有害なことだ。人生がそうした暗い面をくりかえし見せつけたとしても、それは苦い錯覚にすぎない。それは〝思い込みのメカニズム〟に含まれる病理のひとつである。

物理学を思い出せば、私たちが宇宙と切り離されていると考えるのは間違いだとわかるだろう。私たちは「塵から生まれて塵へ還る」のではない。私たちは命を与えられた塵なのだ。私たちは一時的に意識を持った宇宙の一部であり、宇宙から切り離されてはいない。探究（seeking）という言葉が魂とのかかわりでよく用いられるのは、偶然ではないのだ。

病気になると多くの人はほとんど本能的に、それも多くの場合驚くような方法で、自分の魂を探究しようとする。乳がんのアンナはユダヤ系で、父祖伝来のユダヤ教の環境で育った。だが今は、魂の支えを得るためにカトリック教会に通っている。「私は神を愛しています。だから強くいられるの。教会に通って聖体拝領も受けます。私は神に愛されていることを知っています。ミサの侍者も務めます。初めて侍者を務めたとき、私は十字架と二本のろうそくを手にしていました。司祭様は『あなたは祭壇です』とおっしゃいました。私はいつも、特にひどい気分のときは、自分に言うんです。『私は祭壇だ』って。司祭様は『あなたが聖堂におられる神の祭壇であれば、いつどこにいても、あなたは神の祭壇なのですよ。あなたは……神に愛されているのです』と言われました」

関節炎のリリアンは反対に、長老派教会会員からユダヤ教徒になった。彼女は、ふるさとスコットランドでは非常に強圧的、抑圧的な家庭で育ったという。それがユダヤ教徒になったことで、長い間与えられなかった自分の意思を持つ自由と、受け容れられるという経験と、生きる喜びを得ることができたという。とはいえ、まだ完全に解放されたわけではないらしい。兄が訪ねてくるときには、ユダヤ教の祭儀に使う七本枝の燭台と安息日のロウソクを隠すのだ。それでもリリアンは、いまだかつてないほどの平安を感じている。「病気を治すには、魂の束縛を取り払わなければいけないという気がします」と彼女は言っている。

私がインタビューした人の中には他にも、それまでもっていた信仰をさらに深めた人、瞑想する人、自然と交わる人たちがいる。誰もがそれぞれの方法で、自分の内側あるいは外側に真理を見つけようとしている。多くの人にとって、これはたやすいことではない。スーフィーの寓話に登場するナスレッディンと同じで、どこで鍵をなくしたとしても、まず明るくて見やすい街灯の下から探し始めたくなるのが人の常である。

「求めよ、さらば与えられん」と偉大な聖者のひとりは言った。追求すること自体、発見を意味している。存在することがわかっているからこそ、熱心に求めるのである。

魂の声に耳を傾けないまま、心理学的なワークをしてきた人はたくさんいる。そうかと思えば、自分を発見し育てることの大切さに気づかないまま、霊的な手段だけで——神や宇宙の本質を追求することで——病気を治そうとしてきた人もいる。だが健康は、からだと心と魂のつながりという三本の柱に支えられているのだ。そのうちのひとつでもないがしろにすれば、バランスがくずれて、病気（disease）つまり安楽でない状態（dis-ease）を招くのである。

こと治癒に関しては、探しやすい場所だけを探していたのでは、ナスレッディンと隣人たちが街灯の下で探したのと同じことで、普通は何も見つけられないだろう。愚者の役回りを演じるナスレッディンはそれを知らない。だが彼の中の賢者は知っていた。

愚者であり賢者でもあるナスレッディンは私たちすべての中にいるのである。

訳者あとがき

本書は、カナダの医学博士ガボール・マテの著作『*When The Body Says No: The Cost of Hidden Stress*』の翻訳である。マテ博士は、一般開業医および緩和ケア病棟の医師としての四半世紀におよぶ経験から、自己免疫疾患とされる強皮症、慢性関節リウマチ、潰瘍性大腸炎、全身性エリテマトーデス、多発性硬化症をはじめ、筋萎縮性側索硬化症（ＡＬＳ）、アルツハイマー病、がんなどの深刻な疾患の患者に、ある共通点が見られることに気づいたと言う。それは彼らが「ノー、嫌だ」と言えないこと、怒りなどのネガティブな感情を適正に表現することができず、心の奥底に抑圧された膨大な感情をためこんでいることだった。患者本人には関心をはらわず、病気だけを見て治療する医学に疑問を抱き始めた著者は、近年、人間の心の動きは細胞レベル、分子レベルでからだの機能に影響を与えることを立証し、学問分野として確立しつつある精神・神経・免疫・内分泌学（長い名称だが、英語ではもっと長くなる。漢字に感謝！）こそが自分の求めていた探究の道だと確信したのである。

著者は、深刻な疾患にかかった著名人――多発性硬化症で若くして亡くなったチェロ奏者ジャクリーヌ・デュプレ、筋萎縮性側索硬化症に襲われた天体物理学者スティーヴン・ホーキングや偉大な野球選手ルー・ゲーリック、乳がんにかかったアメリカのフォード元大統領夫人ベティ・フォード、卵巣がんで亡くなった喜劇女優ギルダ・ラドナー、前立腺がんにかかった元ニューヨーク市長ルーディ・ジュリアーニ、精巣がんを克服しトゥール・ド・フランスの覇者となった自転車選手ランス・アームストロング、一七〜一八世紀のイギリスを代表する知識人でありながら、晩年はアルツハイマー病による知能の衰えに苦しんだ『ガリヴァー旅行記』の著者ジョナサン・スウィフトや、アルツハイマー病であることを国民に告白したロナルド・レーガン元アメリカ大統領など——の幼少時からの心の軌跡を伝記その他の資料を手がかりにたどっていく。そして同時に、医師として出会った多くの患者たちにインタビューして、彼らの人生が彼らの抱えている病気とけっして無関係ではなかったことを明らかにしていく。これは患者にとって、どちらかと言えばつらい作業である。率直に言って、読者もこうした部分を読んで気持ちが暗くなるかもしれない。子供のころの家族関係や成育環境による長期的で目に見えないストレスが、本人も気づかないうちに細胞、分子レベルでからだに刻み込まれ、神経系、免疫系、内分泌系を介してからだに悪影響を与えるというのなら、その結果としての病気に対して、大人になった今苦しんでいる人はどうすればいいのか？　自分の親ばかりでなく、その親を育てた祖父母、そしてさらに前の世代にまでさかのぼって病気の原因となるストレスが蓄積されてきたのだとしたら、私たちはどうやってその連鎖を断ち切ればいいのか？

著者はまず、ネガティブ思考が必要だと言う。世間にはポジティブ思考の勧めが氾濫している。しかし、現実を直視することを恐れて目を閉じる見せかけのポジティブ思考では問題は解決しない、自分の人生におけるネガティブな面を直視することから治癒への道は始まる、と言うのである。自分が幼少時からの思い込みにいかに影響されていたかということに気づき、感情を適正に表出することができず、いい人と思われたいばかりにはっきりノーと言えない自分を知り、少しずつ変わっていこうとすることが大切なのだ。病気になった自分や、自分をそのように育てた親を責めるのは無意味である。誰かに責任を押しつけたところで、病気は治らない。大切なのは、世代を超えて受け継がれてきた目に見えないストレスの連鎖を自らの手で断ち切ることなのである。げんに本書には、深刻な病気を克服したり、あるいはうまく症状を抑えたりしている人の実例もある。

ある種の病気では、心が気づいていないストレスにからだが気づいて私たちのかわりにノーと言ってくれているのだ、そんなときは立ち止まってその声に耳を澄ませなさい、と著者は私たちに言う。そして医学界に対しては、検査や病理レポートではなく人間を中心に据えたホリスティック（全体観的）な医療が求められていると主張するのである。

本書が、読者の皆さんがからだの声に耳を澄ますきっかけとなれば、訳者としては本望である。

最後になったが、本書の翻訳の機会と多くの助言を与えてくださった日本教文社の鹿子木大士郎氏と株式会社バベルの鈴木由紀子氏に心からお礼を申し上げる。

◎訳者略歴——**伊藤はるみ**　一九五三年、名古屋市生まれ。愛知県立大学外国語学部フランス学科卒。主な訳書に、ロッシ『精神生物学』、ヘルマリング『みんなに好かれる人、避けられる人』、ブローディ『プラシーボの治癒力』（以上、日本教文社）、マーティン・J・ドハティ『図説アーサー王と円卓の騎士』、コリン・ソルター『世界を変えた一〇〇の手紙（上・下）』（以上、原書房）などがある。

原　註

第１章　医学のバミューダ三角海域

1. Hans Selye, *The Stress of Life*, rev. ed. (New York: McGraw-Hill, 1978), 4.（セリエ『現代社会とストレス』杉靖三郎＋田多井吉之介＋藤井尚治＋竹宮隆訳、法政大学出版局、1988）
2. M. Angell, "Disease as a Reflection of the Psyche," *New England Journal of Medicine*, 13 June 1985.
3. Plato, *Charmides*, A.A. Brill, *Freud's Contribution to Psychiatry*, (New York: W. W. Norton, 1944), 233.

第２章　いい子すぎて本当の自分を出せない女の子

1. G.M. Franklin, "Stress and Its Relationship to Acute Exacerbations in Multiple Sclerosis," *Journal of Neurological Rehabilitation* 2, no.1 (1988).
2. I. Grant, "Psychosomatic-Somatopsychic Aspects of Multiple Sclerosis," in U. Halbriech, ed., *Multiple Sclerosis: A Neuropsychiatric Disorder*, no. 37, *Progress in Psychiatry* series (Washington/London: American Psychiatric Press).
3. V. Mei-Tal, "The Role of Psychological Process in a Somatic Disorder: Multiple Sclerosis," *Psychosomatic Medicine* 32, no. 1 (1970), 68.
4. G.S. Philippopoulous, "The Etiologic Significance of Emotional Factors in Onset and Exacerbations of Multiple Sclerosis," *Psychosomatic Medicine* 20 (1958): 458-74.
5. Mei-Tal, "The Role of Psychological Process...," 73.
6. 発症の前年に著しくつらい出来事があったと答えた人は多発性硬化症のグループでは77パーセントだったが、対照群では35パーセントにすぎなかった。「発症の半年前に起こった著しい生活上のストレスの影響がもっとも大きかった（……）。対照群40人中６人（15パーセント）に対して、多発性硬化症患者のグループでは39人中24人（62パーセント）が半年以内につらい出来事を経験していた（……）。対照群と比較して患者グループのほうが結婚生活に問題をかかえていた人の数が著しく多かった（対照群10パーセント、患者グループ49パーセント）（……）。初めて発症した23人中18人、再発した16人中12人がつらい出来事があったと報告している」
7. J. D. Wilson., ed., *Harrison's Principles of Internal Medicine*, 12th ed. (New York: McGraw-Hill, 1999), 2039.（ハリソン『ハリソン内科学ハンドブック』東京大学医学部第三内科学教室訳、総合医学社、1996）
8. L. J. Rosner, *Multiple Sclerosis: New Hope and Practical Advice for People with MS and Their Families* (New York: Fireside Publishers, 1992), 15.

9. E. Chelmicka-Schorr and B. G. Arnason, "Nervous System-Immune System Interactions and Their Role in Multiple Sclerosis," *Annals of Neurology*, supplement to vol. 36 (1994), S29-S32.
10. Elizabeth Wilson, *Jacqueline du Pré* (London: Faber and Faber, 1999), 160.
11. Hilary du Pré and Piers du Pré, *A Genius in the Family: An Intimate Memoir of Jacqueline du Pré* (New York: Vintage, 1998).（デュプレ＋デュプレ『風のジャクリーヌ――ある真実の物語』高月園子訳、ショパン社、1999）
12. Elizabeth Wilson, *Jacqueline du Pré.*

第3章　ストレスと感情コンピテンス

1. Selye, *The Stress of Life*, xv.（セリエ『現代社会とストレス』）
2. *Ibid.*, 414.
3. *Ibid.*, 62.
4. *Ibid.*, 150.
5. E.M. Sternberg (moderator), "The Stress Response and the Regulation of Inflammatory Disease," *Annals of Internal Medicine* 17, no. 10 (15 November 1992), 855.
6. A. Kusnecov and B. S. Rabin, "Stressor-Induced Alterations of Immune Function: Mechanisms and Issues," *International Archives of Allergy and Immunology* 105 (1994), 108.
7. Selye, *The Stress of Life*, 370.（セリエ『現代社会とストレス』）
8. S. Levine and H. Ursin, "What Is Stress?" in S. Levine and H. Ursin, eds., *Psychobiology of Stress* (New York: Academic Press) , 17.
9. W.R. Malarkey, "Behavior: The Endocrine-Immune Interface and Health Outcomes," in T. Theorell, ed., *Everyday Biological Stress Mechanisms*, vol. 22, (Basel: Karger, 2001), 104-115.
10. M.A. Hofer, "Relationships as Regulators: A Psychobiologic Perspective on Bereavement," *Psychosomatic Medicine* 46, no. 3 (May-June 1984), 194.
11. Ross Buck, "Emotional Communication, Emotional Competence, and Physical Illness: A Developmental-Interactionist View," in J. Pennebaker and H. Treve, eds., *Emotional Expressiveness, Inhibition and Health* (Seattle: Hogrefe and Huber, 1993), 38.
12. *Ibid.*

第4章　生きたまま埋葬される

1. Suzannah Horgan, *Communication Issues and ALS: A Collaborative Exploration* (2001年、カルガリーのアルバータ大学応用心理学部に提出された論文)
2. Woflgang J. Streit and Carol A. Kincaid-Colton, "The Brain's Immune System," *Scientific American* 273, no. 5 (november 1995).
3. W.A. Brown and P.S. Mueller, "Psychological Function in Individuals with

Amyotrophic Lateral Sclerosis," *Psychosomatic Medicine* 32, no. 2 (March-April 1970), 141-52. 相反する研究には次のものがある。J. L. Houpt *et al.*, "Psychological Characteristics of Patients with Amyotrophic Lateral Sclerosis," *Psychosomatic Medicine* 39, no. 5, 299-303.

4. A. J. Wilbourn and H. Mitsumoto, "Why Are Patients with ALS So Nice?" presented at the ninth International ALS Symposium on ALS/MND, Munich, 1998.
5. Ray Robinson, *Iron Horse: Lou Gehrig in His Time* (New York: W.W. Notron & Company, 1990)
6. Michael White and John Gribbin, *Stephen Hawking: A Life in Science* (London: Viking, 1992).（ホワイト＋グリビン『スティーブン・ホーキング――天才科学者の光と影』林一＋鈴木圭子訳、ハヤカワ文庫NF、1997）
7. Dennis Kaye, *Laugh, I Thought I'd Die* (Toronto: Penguin Putnam. 1994).
8. Evelyn Bell, *Cries of the Silent* (Calgary: ALS Society of Alberta, 1999), 12.
9. Lisa Hobbs-Birnie, *Uncommon Will: The Death and Life of Sue Rodriguez* (Toronto: Macmillan Canada, 1994).
10. Jane Hawking, *Music to Move the Stars* (London: Pan/Macmillan, 1993).
11. Christiane Northrup, *Women's Bodies, Women's Wisdom: Creating Physical and Emotional Health and Healing* (New York: Bantam Books, 1998), 61.

第5章　もっといい子になりたい

1. Jill Graham *et al.*, "Stressful Life Experiences and Risk of Relapse of Breast Cancer: Observational Cohort Study," *British Medical Journal* 324 (15 June 2002).
2. D.E. Stewart *et al.*, "Attributions of Cause and Recurrence in Long-Term Breast Cancer Survivors," *Psycho-Oncology* (March-April 2001).
3. Sandra M. Levy and Beverly D. Wise, "Psychosocial Risk Factors and Disease Progression," in Cary L. Cooper, ed., *Stress and Breast Cancer* (New York: John Wiley & Sons, 1988), 77-96.
4. M. Wirsching, "Psychological Identification of Breast Cancer Patients Before Biopsy," *Journal of Psychosomatic Research* 26 (1982), cited in Cary L. Cooper, ed., *Stress and Breast Cancer* (New York: John Wiley & Sons, 1993), 13.
5. C.B. Bahnson, "Stress and Cancer: The State of the Art," *Psychosomatics* 22, no. 3 (March 1981), 213.
6. S. Greer and T. Morris, "Psychological Attributes of Women Who Develop Breast Cancer: A Controlled Study," *Journal of Psychosomatic Research* 19 (1975), 147-53.
7. C.L. Bacon *et al.* "A Psychosomatic Survey of Cancer of the Breast," *Psychosomatic Medicine* 14 (1952): 453-60, 以下に要約されている。 Bahnson, "Stress and Cancer."

8. Sandra M. Levy, *Behavior and Cancer* (San Francisco: Jossey-Bass, 1985), 166.
9. Betty Ford, Betty: *A Glad Awakening* (New York: Doubleday, 1987), 36.（ベティ・フォード『依存症から回復した大統領夫人』水沢都加佐＋二宮千寿子訳、大和書房、2003）

第6章　ママ、あなたも「がん」の一部なのよ

1. Betty Krawczyk, *Lock Me Up or Let Me Go* (Vancouver: Raincoast, 2002).
2. Betty Shiver Krawczyk, *Clayoquot: The Sound of My Heart* (Victoria: Orca Book Publishers, 1996).

第7章　ストレス・ホルモン・抑圧・がん

1. D.M. Kissen and H.G. Eysenck, "Personality in Male Lung Cancer Patients," *Journal of Psychosomatic Research* 6 (1962), 123.
2. T. Cox and C. MacKay, "Psychosocial Factors and Psychophysiological Mechanisms in the Aetiology and Development of Cancers," *Social Science and Medicine* 16 (1982), 385.
3. R. Grossarth-Maticek *et al.*, "Psychosocial Factors as Strong Predictors of Mortality from Cancer, Ischaemic Heart Disease and Stroke: The Yugoslav Prospective Study," *Journal of Psychosomatic Research* 29, no. 2 (1985), 167-76.
4. C. B. Pert *et al.*, "Neuropeptides and Their Receptors: A Psychosomatic Network," *The Journal of Immunology* 135, no. 2 (August 1985).
5. Candace Pert, *Molecules of Emotion: Why You Feel the Way You Feel* (New York: Touchstone, 1999), 22-23.
6. I. R. De Kloet, "Corticosteroids, Stress, and Aging," *Annals of New York Academy of Sciences*, 663 (1992), 358.
7. Rajesh K. Naz, *Prostate: Basic and Clinical Aspects* (Boca Raton: CRC Press, 1997), 75.
8. J.K. Kiecolt-Glaser and R. Glaser, "Psychoneuroimmunology and Immunotoxicology: Implications for Carcinogenesis," *Psychosomatic Medicine* 61 (1999), 271-72.
9. C. Tournier *et al.*, "Requirement of JNK for Stress-Induced Activation of the Cytochrome c-Mediated Death Pathway," *Science* 288 (5 May 2000), 870-74.
10. W. Jung and M. Irwin, "Reduction of Natural Killer Cytotoxic Activity in Major Depression: Interaction between Depression and Cigarette Smoking," *Psychosomatic Medicine* 61 (1999), 263-70.
11. H. Anisman *et al.*, "Neuroimmune Mechanisms in Health and Disease: 2. Disease," *Canadian Medical Association Journal* 155, no. 8 (15 October 1996).
12. Levy, *Behavior and Cancer*, 146-47.
13. C. Shively *et al.*, "Behavior and Physiology of Social Stress and Depression in Female Cynomolgus Monkeys," *Biological Psychiatry* 41 (1997), 871-82.

14. M. D. Marcus *et al.*, "Psychological correlates of functional hypothalamic amenorrhea," *Fertility and Sterility* 76, no. 2 (August 2001), 315.
15. J. C. Prior, "Ovulatory Disturbances: They Do Matter," *Canadian Journal of Diagnosis*, February 1997.
16. I. G. Goldberg, ed., *Psychotherapeutic Treatment of Cancer Patients* (New York: The Free Press,1981), 46.
17. B. A. Stoll, ed., *Prolonged Arrest of Cancer* (Chichester: John Wiley & Sons, 1982), 1.
18. Levy, *Behavior and Cancer*, 146.
19. C. L. Cooper, ed., *Stress and Breast Cancer* (Chichester: John Wiley & Sons, 1988), 32.
20. *Ibid*.
21. *Ibid*., 31-32.
22. *Ibid*., 123.
23. J. G. Goldberg, ed., *Psychotherapeutic Treatment of Cancer Patients*, 45.
24. L. Elit, "Familial Ovarian Cancer," *Canadian Family Physician* 47 (April 2001).
25. Gilda Radner, *It's Always Something* (New York: Simon and Schuster, 1989).

第8章　何かいいものがここから出てくる

1. G. L. Lu-Yao *et al*., "Effect of Age and Surgical Approach on Complications and Short-Term Mortality after Radical Prostatectomy—A Population-Based Study," *Urology* 54, no. 2 (August 1999), 301-7.
2. Larry Katzenstein, "Can the Prostate Test Be Hazardous to Your Health?" *The New York Times*, 17 February 1999.
3. この研究については1997年刊行の『*Cancer*』誌で論じられている。
4. C. J. Newschaffer *et al*., "Causes of Death in Elderly Cancer Patients and in a Comparison Nonprostate Cancer Cohort," *Journal of the National Cancer Institute* 92, no.8 (19 April 2000), 613-22.
5. *The Journal of the American Medical Association*, 5 May 1999.
6. S.M. Levy, ed., *Biological Mediators of Behavior and Disease: Neoplasia* (New York: Elsevier Biomedical, 1981), 76.
7. T.E. Seeman and B. S. McEwen, "Impact of Social Environment Characteristics on Neuroendocrine Regulation," *Psychosomatic Medicine* 58 (September-October 1996), 462.
8. D. France, "Testosterone, the Rogue Hormone, Is Getting a Makeover," *The New York Times*, 17 February 1999.
9. U. Schweiger *et al*., "Testosterone, Gonadotropin, and Cortisol Secretion in Male Patients with Major Depression," *Psychosomatic Medicine* 61 (1999), 292-96.
10. Naz, *Prostate*, 14.
11. Roger S. Kirby *et al*., *Prostate Cancer* (St. Louis: Mosby, 2001), 29.

12. *Ibid.*, 15.
13. Levy, *Biological Mediators...*, 74.
14. Naz, *Prostate*, 17.
15. *Ibid.*, 87.
16. R. P. Greenberg and P. J. Dattore, "The Relationship between Dependency and the Development of Cancer," *Psychosomatic Medicine* 43, no. 1 February 1981).
17. *New England Journal of Medicine* 340: 884-87, 以下に引用されたもの。*The Journal of the American Medical Association* (5 May 1999), 1575.
18. Andrew Kirtzman, *Rudy Giuliani: Emperor of the City* (New York: HarperPerennial, 2001).
19. Lance Armstrong, *It's Not about the Bike: My Journey Back to Life* (New York: Berkley Books, 2001). (アームストロング『ただマイヨ・ジョーヌのためでなく』安次嶺佳子訳、講談社、2000)
20. A. Horwich, ed., *Testicular Cancer: Investigation and Management* (Philadelphia: Williams and Wilkins, 1991), 6

第9章　「がんになりやすい性格」は存在するのか

1. Levy, *Behavior and Cancer*, 19.
2. W. Kneier and L. Temoshok, "Repressive Coping Reactions in Patients with Malignant Melanoma as Compared to Cardiovascular Patients," *Journal of Psychosomatic Research* 28, no. 2 (1984), 145-55.
3. L. Temoshok and B. Fox, "Coping Styles and Other Psychosocial Factors Related to Medical Status and to Prognosis in Patients with Cutaneous Malignant Melanoma," in B. Fox and B. Newberry, eds., *Impact of Psychoendocrine Systems in Cancer and Immunity* (New York: C. I. Hogrefe, 1984), 263.
4. Levy, *Behavior and Cancer*, 17.
5. G. A. Kune *et al.*, "Personality as a Risk Factor in Large Bowel Cancer: Data from the Melbourne Colorectal Cancer Study," *Psychological Medicine* 21 (1991): 29-41.
6. C. B. Thomas and R. L. Greenstreet, "Psychobiological Characteristics in Youth as Predictors of Five Disease States: Suicide, Mental Illness, Hypertension, Coronary Heart Disease and Tumor," *Hopkins Medical Journal* 132 (January 1973), 38.

第10章　55パーセントの法則

1. Malcolm Champion *et al.*, eds., *Optimal Management of IBD: Role of the Primary Care Physician* (Toronto: The Medicine Group, 2001).
2. G. Moser *et al.*, "Inflammatory Bowel Disease: Patients' Beliefs about the Etiology of Their Disease—A Controlled Study," *Psychosomatic Medicine* 55 (1993), 131, 以下に引用されたもの。R. Maunder, "Mediators of Stress Effects in Inflam-

matory Bowel Disease: Not the Usual Suspects," *Journal of Psychosomatic Research* 48 (2000), 569-77.

3. G. L. Engel. 以下に要約されている。G. F. Solomon *et al.*, "Immunity, Emotions, and Stress," *Annals of Clinical Research* 6 (1974), 313-22.
4. G. L. Engel, "Studies of Ulcerative Colitis III: The Nature of the Psychological Process," *American Journal of Medicine* 19 (1955), 31. 以下に引用されたもの。A.Watkins, ed., *Mind-Body Medicine: A Clinician's Guide to Psychoneuroimmunology* (New York: Churchill Livingstone, 1997), 140.
5. D.A. Drossman, "Presidential Address: Gastrointestinal Illness and the Biopsychosocial Model," *Psychosomatic Medicine* 60 (1998): 258-67.
6. S. R. Targan, "Biology of Inflamation in Crohn's Disease: Mechanisms of Action of Anti-TNF-Alpha Therapy," *Canadian Journal of Gastroenterology: Update on Liver and Inflammatory Bowel Disease*, Vol. 14, supplement C (September 2000).
7. H. Anisman *et al.*, "Neuroimmune Mechanisms in Health and Disease: 1: Health," *Canadian Medical Association Journal* 155, no. 7 (1 October 1996), 872.
8. Drossman, "Presidential Address," 265.
9. S. Levenstein *et al.*, "Stress and Exacerbation in Ulcerative Colitis: A Prospective Study of Patients Enroned in Remission," *American Journal of Gastroenterology* 95, no. 5, 1213-20.
10. Noel Hershfield, "Hans Selye, Inflammatory Bowel Disease and the Placebo Response," *Canadian Journal of Gastroenterology* 11, no. 7 (October 1997): 623-24.

第11章　単なる思い込みにすぎない

1. Y. Ringel and D. A. Drossman, "Toward a Positive and Comprehensive Diagnosis of Irritable Bowel Syndrome," <Medscape/gastro/journal> 2, no. 6 (26 December 2000).
2. Drossman, "Presidential Address," 259.
3. *Ibid*.
4. E. A. Mayer and H. I. Raybould, "Role of Visceral Afferent Mechanisms in Functional Bowel Disorders," *Gastroenterology* 99 (December 1990): 1688-1704.
5. Drossman, "Presidential Address," 263.
6. Lin Chang, "The Emotional Brain, in Diagnosis and Management of Irritable Bowel Syndrome," (Oakvine: Pulsus Group, 2001), 2.　2001年2月26日、アルバータ州バンフで開催された「カナダ消化器疾患ウィーク」におけるシンポジウムの要約より。
7. J. Lesserman *et al.*, "Sexual and Physical Abuse History in Gastroenterology Practice: How Types of Abuse Impact Health Status," *Psychosomatic Medicine* 58 (1996), 4-15.
8. *Ibid*.

9. M. D. Gershon, *The Second Brain: The Scientific Basis of Gut Instinct* (New York: HarperCollins, 1998), xiii.
10. Mayer and Raybould, "Role of Visceral Afferent Mechanisms in Functional Bowel Disorders."
11. Lin Chang, "The Emotional Brain..."
12. Drossman, "Presidential Address," 262.
13. L. A. Bradley *et al.*, "The Relationship between Stress and Symptoms of Gastroesophageal Reflux: The Influence of Psychological Factors," *American Journal of Gastroenterology* 88, no.1 (January 1993), 11-18.
14. W. J. Dodds *et al.*, "Mechanisms of Gastroesophageal Reflux in Patients with Reflux Esophagitis," *New England Journal of Medicine* 307, no. 25 (16 December 1982), 1547-52.
15. D. A. Drossman *et al.*, "Effects of Coping on Health Outcome among Women with Gastrointestinal Disorders," *Psychosomatic Medicine* 62 (2000), 309-17.

第12章　上の方から死んでいく

1. M. I. Meaney *et al.*, "Effect of Neonatal Handling on Age-Related Impairments Associated with the Hippocampus," *Science* 239 (12 February 1988), 766-68.
2. D. A. Snowdon *et al.*, "Linguistic Ability in Early Life and the Neuropathology of Alzheimer's Disease and Cerebrovascular Disease: Findings from the Nun Study," *Annals of the New York Academy of Sciences* 903 (April 2000), 34-38.
3. Victoria Glendinning, *Jonathan Swift: A Portrait* (Toronto: Doubleday Canada, 1998).
4. David Shenk, *The Forgetting: Alzheimer's: The Portrait of an Epidemic* (New York: Doubleday, 2001).（シェンク『だんだん記憶が消えていく――アルツハイマー病：幼児への回帰』松浦秀明訳、光文社、2002）
5. D. A. Snowdon, "Aging and Alzheimer's Disease: Lessons from the Nun Study," *Cerontologist* 38, no. 1 (February 1998), 5-6.
6. V. A. Evseev *et al.*, "Dysregulation in Neuroimmunopathology and Perspectives of Immunotherapy," *Bulletin of Experimental Biological Medicine* 131, no. 4 (April 2001), 305-308.
7. M. F. Frecker *et al.*, "Immunological Associations in Familial and Non-familial Alzheimer's Patients and Their Families," *Canadian Journal of Neurological Science* 21, no. 2 (May 1994), 112-19.
8. M. Popovic *et al.*, "Importance of Immunological and Inflammatory Processes in the Pathogenesis and Therapy of Alzheimer's Disease," *International Journal of Neuroscience* 9, no. 3-4 (September 1995), 203-36.
9. F. Marx *et al.*, "Mechanisms of Immune Regulation in Alzheimer's Disease: A Viewpoint," *Arch Immunol Ther Exp* (*Warsz*) 47, no. 4 (1999), 204-209.
10. J. K. Kiecolt-Glaser *et al.*, "Emotions, Morbidity, and Mortality: New Perspec-

tives from Psychoneuroimmunology," *Annual Review of Psychology* 53 (2002), 83-107.
11. Edmund Morris, *Dutch: A Memoir of Ronald Reagan* (New York: Modern Library, 1999).
12. Michael Korda, *Another Life* (New York: Random House, 1999).

第13章　自己と非自己──免疫系の混乱

1. C.E.G. Robinson, "Emotional Factors and Rheumatoid Arthritis," *Canadian Medical Association Journal* 77 (15 August 1957), 344-45.
2. B.R. Shochet *et al.*, "A Medical-Psychiatric Study of Patients with Rheumatoid Arthritis," *Psychosomatics* 10, no. 5 (September-October 1969), 274.
3. John Bowlby, *Attachment*, 2nd ed. (New York: Basic Books, 1982), 377.（ボウルビィ『母子関係の理論・I・愛着行動』黒田実郎＋大羽蓁＋岡田洋子＋黒田聖一訳、岩崎学術出版社、1991）
4. R.Otto and I.R. Mackay, "Psycho-Social and Emotional Disturbance in Systemic Lupus Erythematosus," *Medical Journal of Australia*, (9 September 1967), 488-93.
5. John Bowlby, *Loss* (New York: Basic Books, 1980), 69.（ボウルビィ『母子関係の理論・III・対象喪失』黒田実郎＋吉田恒子＋横浜恵三子訳、岩崎学術出版社、1995）
6. Bowlby, *Attachment*, 68.（ボウルビィ『母子関係の理論・I・愛着行動』）
7. Michael Hagmann, "A New Way to Keep Immune Cells in Check," *Science*, 1945.
8. P.Marrack and J.W. Kappler, "How the Immune System Recognizes the Body," *Scientific American*, September 1993.
9. G.F. Solomon and R. H. Moos, "The Relationship of Personality to the Presence of Rheumatoid Factor in Asymptomatic Relatives of Patients with Rheumatoid Arthritis," *Psychosomatic Medicine* 27, no. 4 (1965), 350-60.
10. M.W. Stewart *et al.*, "Differential Relationships between Stress and Disease Activity for Immunologically Distinct Subgroups of People with Rheumatoid Arthritis," *Journal of Abnormal Psychology* 103, no. 2 (May 1994), 251-58.
11. D.J. Wallace, "The Role of Stress and Trauma in Rheumatoid Arthritis and Systemic Lupus Erythematosus," *Seminars in Arthritis and Rheumatism* 16, no. 3 (February 1987), 153-57.
12. S.L. Feigenbaum *et al.*, "Prognosis in Rheumatoid Arthritis: A Longitudinal Study of Newly Diagnosed Adult Patients," *The American Journal of Medicine* 66 (March 1979).
13. J.M. Hoffman *et al.*, "An Examination of Individual Differences in the Relationship between Interpersonal Stress and Disease Activity Among Women with Rheumatoid Arthritis," *Arthritis Care Research* 11, no. 4 (August 1998), 271-79.

14. J. M. Hoffman *et al.*, "Examination of Changes in Interpersonal Stress as a Factor in Disease Exacerbations among Women with Rheumatoid Arthritis," *Annals of Behavioral Medicine* 19, no. 3a (Summer 1997), 279-86.
15. L.R. Chapman, *et al.*, "Augmentation of the Inflammatory Reaction by Activity of the Central Nervous System," *American Medical Association Archives of Neurology* 1 (November 1959).
16. Hoffman, "Examination of Changes in Interpersonal Stress..."

第14章　絶妙なバランス——人間関係の生物学

1. Hofer, "Relationships as Regulators."
2. Buck, "Emotional Communication, Emotional Competence, and Physical Illness," 42.
3. Seeman and McEwen, "Impact of Social Environment Characteristics..."
4. I. Pennisi, "Neuroimmunology: Tracing Molecules That Make the Brain-Body Connection," *Science* 275 (14 February 1997), 930-31.
5. G. Affleck *et al.*, "Mood States Associated with Transitory Changes in Asthma Symptoms and Peak Expiratory Flow," *Psychosomatic Medicine*,62, 62-68.
6. D. A. Mrazek, "Childhood Asthma: The Interplay of Psychiatric and Physiological Factors," *Advances in Psychosomatic Medicine* 14 (1985), 16-32.
7. *Ibid.*,21.
8. I. Florin *et al.*, "Emotional Expressiveness, Psychophysiological Reactivity and Mother-Child Interaction with Asthmatic Children," in Pennebaker and Treve, *Emotional Expressiveness, Inhibition and Health*, 188-89.
9. S. Minuchin *et al*, "A Conceptual Model of Psychosomatic Illness in Children, Family Organization and Family Therapy," *Archives of General Psychiatry* 32 (August 1975), 1031-38.
10. M. A. Price *et al.*, "The Role of Psychosocial Factors in the Development of Breast Carcinoma. Part II: Life Event Stressors, Social Support, Defense Style, and Emotional Control and Their Interactions," *Cancer* 91, no. 4 (15 February 2001), 686-97.
11. P. Reynolds and G. A. Kaplan, "Social Connections and Risk for Cancer: Prospective Evidence from the Alameda County Study," *Behavioral Medicine*, (Fall 1990), 101-10.
12. 差異化についての詳細は以下を参照。Michael E. Kerr and Murray Bowen, *Family Evaluation: An Approach Based on Bowen Theory* (New York: W.W. Norton & Company, 1988), chapter 4, 89-111.
13. S. E. Locke, "Stress, Adaptation, and Immunity: Studies in Humans," *General Hospital Psychiatry* 4 (1982), 49-58.
14. J. K. Kiecolt-Glaser *et al.*, "Marital Quality, Marital Disruption, and Immune Function," *Psychosomatic Medicine* 49, no. 1 (January-February 1987).

15. Kerr and Bowen, *Family Evaluation*, 182.
16. Seeman and McEwen, "Impact of Social Environment Characteristics...," 459.

第15章　喪失の生物学的影響

1. L. Grassi and S. Molinari, "Early Family Attitudes and Neoplastic Disease," Abstracts of the Fifth Symposium on Stress and Cancer, Kiev, 1984; 以下に引用されたもの。H. J. Baltrusch and M. E. Waltz, "Early Family Attitudes and the Stress Process—A Life-Span and Personological Model of Host-Tumor Relationships: Biopsychosocial Research on Cancer and Stress in Central Europe," in Stacey B. Day, ed., *Cancer, Stress and Death* (New York: Plenum Medical Book Company, 1986), 275.
2. *Ibid.*, 277.
3. L. G. Russek *et al.*, "Perceptions of Parental Caring Predict Health Status in Midlife: A 35-Year Follow-up of the Harvard Mastery Stress Study," *Psychosomatic Medicine* 59 (1997), 144-49.
4. M. A. Hofer, "On the Nature and Consequences of Early Loss," *Psychosomatic Medicine* 58 (1996), 570-80.
5. "Kisses and Chemistry Linked in Rats," *The Globe and Mail* (Toronto) 17 September 1997.
6. Hofer, "On the Nature and Consequences of Early Loss."
7. S. Levine and H. Ursin, "What is Stress?" in S. Levine and H. Ursin, eds., *Psychobiology of Stress*, (New York: Academic Press, 1972), 17.
8. Allan Schore, *Affect Regulation and the Origin of the Self: The Neurobiology of Emotional Development* (Mahwah: Lawrence Erlbaum Associates, 1994), 378.

第16章　世代を超えて

1. M. Marmot and E. Brunner, "Epidemiological Applications of Long-Term Stress in Daily Life," in T. Theorell, ed., *Everyday Biological Stress Mechanisms*, Vol. 22 (Basel: Karger, 2001), 89-90.
2. C. Caldji *et al.*, "Maternal Care During Infancy Regulates the Development of Neural Systems Mediating the Expression of Fearfulness in the Rat," *Neurobiology* 95, no. 9 (28 April 1998), 5335-40.
3. C. Caldji *et al.*, "Variations in Maternal Care in Infancy Regulate the Development of Stress Reactivity," *Biological Psychiatry* 48, no. 12, 1164-74.
4. L. Miller *et al.*, "Intergenerational Transmission of Parental Bonding among Women," *Journal of the American Academy of Child and Adolescent Psychiatry* 36 (1997), 1134-39.
5. R. Yehuda *et al.*, "Cortisol Levels in Adult Offspring of Holocaust Survivors: Relation to PTSD Symptom Severity in the Parent and Child," *Psychoneuroendocrinology* 27, no. 1-2 (2001), 171-80.

6. D. J. Siegel, *The Developing Mind: Toward a Neurobiology of Interpersonal Experience* (New York: The Gunford Press, 1999), 73.
7. Selye, *The Stress of Life*, 81.（セリエ『現代社会とストレス』）
8. Kerr and Bowen, *Family Evaluation*, 259.
9. Caldji, "Variations In Maternal Care in Infancy..."
10. M. Kerr, "Cancer and the Family Emotional System," in J. G. Goldberg, ed., *Psychotherapeutic Treatment of Cancer Patients* (New York: The Free Press, 1981), 297.
11. Selye, *The Stress of Life*, 391.（セリエ『現代社会とストレス』）
12. D. Raphael, *Social Justice Is Good for Our Hearts: Why Societal Factors—Not Lifestyles—Are Major Causes of Heart Disease in Canada and Elsewhere* (Toronto: CSJ Foundation for Research and Education, 2002), xi; 内容は以下で閲覧可。http://www.socialjustice.org.
13. M. G. Marmot *et al.*, "Inequalities in Death-Specific Explanations of a General Pattern," *Lancet* 3 (1984), 1003-6, 以下に引用されたもの。 M. Marmot and I. Brunner, "Epidemiological Applications of Long-Term Stress in Daily Life," in T. Theorell, ed., *Everyday Biological Stress Mechanisms*, 83.

第17章　思い込みのメカニズム

1. B. H. Lipton, "Nature, Nurture and Human Development," *Journal of Prenatal and Perinatal Psychology and Health* 16, no. 2 (2001), 167-80.

第18章　ネガティブ思考の力

1. Kerr and Bowen, *Family Evaluation*, 279.
2. Mogens R. Jensen, "Psychobiological Factors Predicting the Course of Breast Cancer," *Journal of Personality* 55, no. 2 (June 1987), 337.
3. Levy, *Behavior and Cancer*, 165.
4. S. Warren *et al.*, "Emotional Stress and the Development of Multiple Sclerosis: Case-Control Evidence of a Relationship," *Journal of Chronic Disease* 35 (1982), 821-31.
5. Ford, *A Glad Awakening*.
6. Candace B. Pert, *Molecules of Emotion*, 193.

第19章　治癒のための七つのA

1. A. J. Bdurtha *et al.*, "A Clinical, Histologic, and Immunologic Study of a Case of Metastatic Malignant Melanoma Undergoing Spontaneous Remission," *Cancer* 37 (1976), 735-42.
2. Rogentine *et al.*, 以下に引用されたもの。B. Fox and B. Newberry, eds., *Impact of Psychoendocrine Systems in Cancer and Immunity* (New York: C.I. Hogrefe, 1984), 259.

3. *Ibid.*, 267.
4. F. I. Fawzy *et al.*, "Malignant Melanoma: Effects of an Early Structured Psychiatric Intervention, Coping, and Affective State on Recurrence and Survival 6 Years Later," *Archives of General Psychiatry* 50 (1993), 681-89; 以下に引用されたもの。Michael Lerner, *Choices in Healing* (Cambridge, Mass.:The MIT Press, 1994), 159.
5. F. I. Fawzy *et al.*, "A Structured Psychiatric Intervention for Cancer Patients: Changes over Time in Immunologic Measures," *Archives of General Psychiatry* 47 (1990), 729-35.
6. Oliver Sacks, *The Man who Mistook His Wife for a Hat and Other Clinical Tales* (New York: HarperPerennial, 1990).（サックス『妻を帽子とまちがえた男』高見幸郎＋金沢泰子訳、晶文社、1992）
7. A. F. Siegman *et al.*, "Antagonistic Behavior, Dominance, Hostility, and Coronary Heart Disease," *Psychosomatic Medicine* 62 (2000), 248-57.
8. L. R. Ormont, "Aggression and Cancer in Group Treatment" in Jane G. Goldberg, ed., *The Psychotherapy of Cancer Patients* (New York: The Free Press, 1981), 226.
9. V. J. Felitti *et al.*, "Relationship of Childhood Abuse and Household Dysfunction to Many of the Leading Causes of Death in Adults: The Adverse Childhood Experiences (ACE) Study," *American Journal of Preventative Medicine* 14, no. 4 (1998), 245-58.

身体《からだ》が「ノー」と言《い》うとき

抑圧《よくあつ》された感情《かんじょう》の代価《だいか》

初版第一刷発行 平成一七年九月一五日
初版第一五刷発行 令和六年九月二五日

著者――ガボール・マテ
訳者――伊藤はるみ（いとう・はるみ）
© Babel Press Inc., 2005〈検印省略〉
発行者――西尾慎也
発行所――株式会社 日本教文社
東京都港区赤坂九-六-四四 〒一〇七-八六七四
電話 〇三（三四〇二）九一一一（代表）
ＦＡＸ 〇三（三四〇一）九一三九（営業）
振替＝〇〇一四〇-四-五五五一九
印刷――港北メディアサービス株式会社
製本――牧製本印刷株式会社
装幀――細野綾子
●日本教文社のホームページ https://www.kyobunsha.co.jp/

WHEN THE BODY SAYS NO by Gabor Maté, M.D.

ISBN978-4-531-08147-9 Printed in Japan